Barbarie 2.0

Du même auteur

La Bostonienne, Éditions du Masque, 1991.

Elle qui chante quand la mort vient, Éditions du Masque, 1993.

La Petite Fille au chien jaune, Éditions du Masque, 1993.

Meurtres sur le réseau, Éditions du Masque, 1994.

La Femelle de l'espèce, Éditions du Masque, 1996 ; Le Livre de Poche, 1997.

La Parabole du tueur, Éditions du Masque, 1996.

Le Sacrifice du papillon, Éditions du Masque, 1997 ; Le Livre de Poche, 1999.

Autopsie d'un petit singe, Éditions du Masque, 1998.

Histoires masquées : Alien Base, Hachette jeunesse, 1998.

Le Septième Cercle, Flammarion, 1998 ; J'ai lu, 1999.

Dans l'œil de l'ange, Éditions du Masque, 1998.

Délires en noir (avec Thierry Hoquet et Romain Mason), Éditions du Masque, 1998.

La Voyageuse, Flammarion, 1999 ; J'ai lu, 2001.

La Raison des femmes, Éditions du Masque, 1999.

Entretiens avec une tueuse, Éditions du Masque, 1999 ; Le Livre de Poche, 2001.

Le Silence des survivants, Éditions du Masque, 1999 ; Le Livre de Poche, 1999.

Intégrale, Volume I, Éditions du Masque, 2000.

Et le désert…, Flammarion, 2000 ; J'ai lu, 2002.

Petits meurtres entre femmes, inédit, J'ai lu, 2001.

Le Ventre des lucioles, Flammarion, 2001 ; J'ai lu, 2002.

De l'autre, le chasseur, Éditions du Masque, 2002.

La Dormeuse en rouge et autres nouvelles, J'ai lu, coll. « Librio noir », 2002.

Portrait de femmes avec tueur (avec Katou), EP Éditions, 2002.

Le Denier de chair, Flammarion, 2002 ; J'ai lu, 2004.

Contes d'amour et de rage, Éditions du Masque, 2002.

Un violent désir de paix, Éditions du Masque, 2003 ; Le Livre de Poche, 2006.

(suite en fin d'ouvrage)

Andrea H. Japp

Barbarie 2.0

Flammarion

© Flammarion, 2014.
ISBN : 978-2-0813-0507-6

Note de l'auteur

Les références concernant certains des faits divers authentiques sont postérieures au déroulé du roman. L'auteur souhaitait en effet qu'il commence à la fin de l'été.

« La barbarie n'est pas la préhistoire de l'humanité mais l'ombre fidèle qui accompagne chacun de ses pas. »

Alain Finkielkraut

« Si les aspects les plus pervers, barbares et vicieux de l'être humain ne peuvent être inhibés, au moins régulés, s'il n'advient pas non seulement une réforme de la pensée mais aussi une réforme de l'être humain lui-même, la société-monde subira tout ce qui a jusqu'à présent ensanglanté et rendu cruelle l'histoire de l'humanité, des empires, des nations. »

Edgar Morin

« La science consiste en la recherche de la vérité, c'est-à-dire l'effort de compréhension du monde. Cela implique de rejeter les biais et préjugés, les dogmes, les révélations, certainement pas de rejeter la moralité[1]. »

Linus Pauling (1901-1994),
prix Nobel de chimie (1954),
prix Nobel de la paix (1962)

---

1. Traduction de l'auteur.

Chapitre 1

Message du 21 juillet 2013, 3 h 57

Artemis, my beloved sister[1],

Une crise menace. Je la sens tapie au fond de moi, aussi ce message sera-t-il court. Ne t'inquiète pas. Grâce à toi, à nous, je vaincrai à nouveau. La fièvre me fait somnoler, mais m'empêche de dormir. Il fait si chaud, au-dedans de moi et en dehors, que j'ai parfois le sentiment que mes cellules se recroquevillent.

Je suis fatigué et le jour se confond avec la nuit. Ils se mêlent dans une pénombre incertaine, seulement trouée par la luminosité de mon écran d'ordinateur. Les stores sont en permanence baissés. La lumière me blesse, mais l'obscurité m'insupporte.

Je pense infiniment à toi. Je pense à toi à la manière d'un chemin qui jamais ne se déroberait sous mes pas. Ton regard guide ces interminables heures entre chien et loup. Que j'aime cette expression française. Est-ce le chien qui se métamorphose en loup, ou alors rentre-t-il bien vite dans sa niche dès lors que s'annonce le temps du loup ?

---

1. Artemis, ma sœur bien-aimée.

11

Mon unique terreur est de devoir un jour t'abandonner. Elle me ronge mais, au fond, je la préfère à l'ancienne, celle de mourir. Je n'ai plus peur de la mort. Aujourd'hui, je crains seulement que la vie ne me laisse pas assez de temps avec toi.

Penser à toi, à l'autre bout du monde, est devenu une sorte de corde à nœuds. Tant que je ne la lâche pas, rien d'affreux ne peut survenir. Et puis, peut-être parviendrai-je à grimper sur un nœud supérieur.

Là-haut est la lumière.

Fall is here and winter is coming. It will last[1].

Je t'aime, Artemis. Prends soin de toi pour moi,

Apollo.

---

1. L'automne est là et l'hiver arrive. Il durera.

Chapitre 2

25 septembre 2013, Mougins, France

Colette Sermattini remonta d'un pas pressé l'allée de pavés qui grimpait vers la maison de style provençal, nichée sur une butte arborée de chênes verts et de cyprès. Plus loin sur la droite s'élevait le robuste mas Notre-Dame-de-Vie, la résidence qu'avait occupée Picasso du début des années soixante à sa mort.

Colette avait acheté un splendide bar de ligne et des tomates si rouges qu'elles semblaient peintes. M. Thomas serait content. Colette se demandait souvent pourquoi il insistait pour descendre dans le Sud, s'installer de la mi-août à la fin septembre dans la demeure de sa tante qu'il avait fait complètement restaurer après en avoir hérité. Tout cela pour ne presque jamais mettre le nez dehors parce qu'il exécrait les touristes, « ces veaux dénudés qui puent la lotion de bronzage », affirmait-il d'un ton navré et distant. Certes, ils avaient leur compte de touristes, mais pas autant ni, dans l'ensemble, pas tout à fait les mêmes, qu'à Juan-les-Pins. Mougins est une très belle ville qui, pour son bonheur, est située à plusieurs kilomètres de la première plage. Colette haussa les épaules et murmura pour elle-même :

— D'un autre côté, le tourisme, ça fait rentrer de l'argent.

13

Depuis sa retraite, deux ans plus tôt, M. Thomas aurait pu prendre ses vacances au printemps, la meilleure saison. Un ancien magistrat du parquet, même si Colette ne savait pas au juste ce que sous-entendait ce titre impressionnant. Pas vraiment le genre boute-en-train, mais un homme correct, assez élégant. Il ne s'était jamais remarié après que sa femme l'ait plaqué pour un confrère, une quinzaine d'années plus tôt. D'ailleurs, il ne l'évoquait pas, même par mégarde. Après tout, Colette préférait travailler pour un homme seul. Les enfants ou petits-enfants, ça colle du foutoir partout. Quant aux femmes, alors même qu'elles ne penseraient pas une seconde à nettoyer les vitres ou à brancher un fer à repasser, elles ont, bien souvent, des idées très arrêtées sur la façon dont il conviendrait de procéder !

La place chez M. Thomas s'était vite révélée confortable à souhait. Il ne sortait guère de son bureau-bibliothèque, se contentait de menus sains mais simples, et ne lui cassait jamais les pieds dès lors que la maison était bien tenue, puisqu'il détestait le « laisser-aller triomphant de certains », ainsi qu'il nommait le désordre. Lors de ses séjours, Colette faisait donc les courses vers 11 heures, rejoignait la maison, préparait le repas qu'ils partageaient à la grande table de la cuisine. Puis elle s'occupait du ménage, du petit entretien des massifs de fleurs jusqu'à 17 heures. Avant de partir, elle préparait un dîner léger que M. Thomas n'aurait qu'à faire réchauffer. Hors saison, c'est-à-dire environ dix mois de l'année puisque M. Thomas semblait préférer Paris, elle s'acquittait pour une moitié de salaire d'un petit ménage de temps en temps, de surveiller un peu, de ramasser le rare courrier déposé dans la boîte. Quelques heures par mois, rondement payées, qui l'aidaient à mettre du beurre dans les épinards, puisque la pension de réversion de son mari lui permettait juste de payer les factures les plus pressantes.

Une fois parvenue en haut de l'allée assez pentue, Colette soupira. Ses genoux la faisaient souffrir aujourd'hui.

L'arthrose. La vieillesse est un naufrage[1], disait le Général. Et quel naufrage puisqu'on le voit seulement arriver lorsqu'il est déjà trop tard. De toute façon, impossible alors de redresser la barre. Les cyprès exhalaient une odeur de résine, l'odeur des pastilles pour la gorge de son enfance. Un croassement rauque et péremptoire lui fit lever le visage. Un corbeau volait haut. Elle s'étonna fugacement de sa solitude. Les corbeaux voyagent le plus souvent en bande. Le long ballet immobile de l'oiseau retint son regard. On eût dit un sous-marin de nuages.

Elle n'aimait pas ces volatiles, même si on les prétend très intelligents. Des charognards impitoyables qui dévorent les oisillons des autres. Les vieux affirment souvent qu'un corbeau isolé relève du mauvais présage. Des superstitions, sans doute. Mais si elles se répètent et se propagent, c'est qu'il existe un fond de vérité en elles.

Sottises ! « Colette, tu commences à radoter », pensa-t-elle. Il fallait plutôt qu'elle prépare le bar. Au four, avec un filet d'huile d'olive, accompagné d'une poêlée de tomates juteuses, avec juste une pointe d'ail et une pincée d'origan. Lorsqu'on a de si bons produits, on ne les dénature pas dans une sauce. De magnifiques fraises, les premières remontantes, nature en dessert et le tour serait joué.

La vieille dame vida le contenu de son cabas dans la vaste cuisine équipée de meubles en bois peint d'un lumineux jaune provençal et s'affaira durant une demi-heure. Elle enfourna le bar ventru et claqua la langue de satisfaction. Belle pièce, 1,6 kg ! Il en resterait pour monsieur ce soir et sûr qu'il lui proposerait d'en emporter une bonne part. Elle n'allait pas tarder à le prévenir que leur déjeuner serait prêt dans une demi-heure. Parce que le bar, contrairement à ce que croit le

---

1. Cette phrase de François-René de Chateaubriand (1768-1848) trouvée dans *Mémoires d'outre-tombe* (« la vieillesse est un naufrage, les vieux sont des épaves ») a été reprise par le général de Gaulle dans *Mémoires de guerre*.

commun des mortels qui pense cuisiner du lieu jaune, ça se cuit à four modéré pour préserver le moelleux de la chair.

Elle grimpa le grand escalier de pierre, s'aidant de la rambarde en fer forgé, et frappa à la porte du bureau de M. Thomas. Une voix étouffée de femme lui parvint. Il écoutait de l'opéra, à son habitude. Colette n'était pas fan d'opéra. On ne comprenait jamais ce que les chanteurs disaient et tout semblait toujours tragique au possible. D'autant que monsieur avait pour manie de programmer la chaîne hi-fi pour que les mêmes morceaux passent en boucle durant des heures. Agaçant ! N'obtenant pas de réponse, elle ouvrit la porte à double battant et pénétra.

Elle avança sur le grand tapis persan rouge et bleu marine, peinant à comprendre ce que ses yeux découvraient. Un dixième de seconde, deux, trois. Un hurlement sortit de sa gorge avant même que son cerveau ne traduise les images qui s'imprimaient sur ses rétines. Elle plaqua la main sur sa bouche. Le sous-marin des nuages. Le corbeau solitaire.

Colette Sermattini n'eut qu'une envie : fuir, dévaler l'escalier, sortir de cette maison, hurler et encore hurler, appeler au secours. Pourtant, elle avança, comme dans un cauchemar.

Il se tenait assis à son bureau, renversé contre le dossier de son fauteuil, le visage ivoire, les lèvres couleur de cendre, les yeux ouverts, presque opaques. Torse nu. Un torse maculé de sang sec. Une pensée incongrue s'imposa à elle : ses rares poils grisonnants étaient piégés dans une gangue rouge-marron. Une inscription était tracée au feutre sur son front, en lettres carrées noires : PORC. Un poignard, rougi jusqu'au manche, était fiché dans le bois roux du bureau, juste devant l'écran de l'ordinateur. Un coin de son cerveau enregistra que les lourds doubles rideaux en velours vert bronze étaient tirés. M. Thomas portait son pantalon d'hier, en coton beige clair. Une large auréole jaunâtre s'étalait sur l'entrejambe.

Une faiblesse lui coupa les jambes et elle se raccrocha au bord du bureau pour ne pas s'écrouler au sol. L'écran de veille de l'ordinateur revint à la vie dans un grésillement. Une phrase vert émeraude nagea : *Dura lex sed lex*[1].

Colette fonça aussi vite que le lui permettaient ses genoux raidis d'arthrose et se précipita vers l'escalier, s'efforçant en vain de juguler le gémissement qui sortait de sa bouche.

---

1. Dure est la loi, mais c'est la loi.

Chapitre 3

30 septembre 2013, Blue Hill Avenue,
Roxbury, Massachusetts, USA

Une effroyable migraine lui faisait exploser les tempes. Julianne Walker, trente-deux ans, transpirait en dépit de la grande fraîcheur de ce début de soirée. Elle enclencha l'air conditionné du coupé Mercedes. À la radio, une chanteuse qui confondait puissance pulmonaire et mélodie bramait *All by Myself* avec la sensualité d'une déclaration de guerre. Julianne soupira. Rien ne vaudrait jamais la version originale d'Eric Carmen. Une nausée de plus en plus violente ramenait dans sa gorge une salive amère et le goût âcre de la gélule d'extrait de thé vert qu'elle avait avalée avec son café de midi, son unique déjeuner.

Mark Brown, le confrère avec qui elle avait monté son cabinet dentaire haut de gamme à Boston, sur Commonwealth Avenue, avait tiré la gueule lorsqu'elle lui avait annoncé qu'elle rentrait, incapable d'assurer ses deux derniers rendez-vous, tant la crise migraineuse l'invalidait. Elle avait la sensation de sentir son cerveau, ses circonvolutions, de suivre le trajet du sang qui l'irriguait. On ne sent jamais son cerveau, sauf durant les pires migraines. Fais chier, Mark ! siffla-t-elle entre ses dents. Après tout, il la sautait de temps en temps, lorsqu'elle

19

n'avait rien de mieux à faire. Il pouvait donc s'occuper de ses deux derniers patients. Ça valait bien cela. D'autant que, comme amant, on trouvait mieux. Bien mieux. Du moins théoriquement, puisque les souvenirs de Julianne en la matière commençaient à dater. Pourtant, de l'avis de tous ou presque, c'était une très belle femme avec ses 1,80 m, sa silhouette fine et musclée, ses longs cheveux blonds, ses yeux bleu héliotrope et ses pommettes hautes.

Merde ! Depuis quand n'avait-elle pas véritablement eu envie d'une bonne baise, d'un bon repas, d'un bon film ou même d'une virée frénétique dans les magasins ? Depuis quand ces crises migraineuses l'assaillaient-elles, hargneuses au point de la laisser pantelante, handicapée, si faible qu'elle trouvait juste la force de se traîner jusqu'à son lit ? À peu près à la même époque, une sorte de brume malsaine semblait avoir envahi sa vie, ses jours, ses nuits. Elle se souvenait de tous ses rêves, au point de redouter l'endormissement. Les rêves ne veulent rien dire. Des impulsions électriques que notre cerveau réécrit pour leur donner un sens. Cerpendant, elle avait la nette sensation d'évoluer dans une sorte de réalité décalée, un univers parallèle. Pas vraiment ici, pas complètement ailleurs. Il ne s'agissait pas de véritables cauchemars. Plutôt de petites séquences déplaisantes et très précises. La nuit dernière, elle s'était réveillée en nage, à 3 heures du matin. Elle se trouvait dans une sorte d'immense mobil-home en compagnie de quatre autres femmes qu'elle ne connaissait pas. Elle devait se rendre de façon urgente quelque part et avait décidé de vider sa vessie auparavant. Elle avait pénétré dans ce qui tenait lieu de salle de bains. Une pièce tout en longueur carrelée du sol au plafond d'une faïence blanc verdâtre. Un grand bac à douche se trouvait dans le coin. Juste devant, une femme nue était allongée, tassée en position fœtale, ses longs cheveux bruns dissimulant son visage. Morte. Sous ses bras repliés, deux mains ensanglantées d'enfant. Une fillette. Julianne avait été certaine qu'il s'agissait de sang, en dépit du fait que le rouge était absent de ses rêves. Un peu embarrassée, elle s'était reculée. Puis elle s'était accroupie pour uriner à même le sol carrelé. L'air lui faisait défaut lorsqu'elle s'était réveillée à ce moment précis, se redressant dans son lit, bouche grande ouverte, la migraine malfaisante enserrant son encéphale.

Elle appuya nerveusement sur le bouton de sélection de la chaîne stéréo. L'impeccable voix de ténor de George Michael se déversa, *Songs from the Last Century*. Un infime soulagement détendit ses lèvres crispées. La Mercedes tangua un peu. Bordel, Julianne, fais attention à ta conduite ! Rentrer chez elle, à Norwood, charmante ville du Massachusetts. Ses habitants pouvaient s'enorgueillir d'afficher un revenu annuel un quart supérieur à celui des habitants du reste de l'État, expliquant l'aspect pomponné des maisons et jardins, les petits cafés, les charmants restaurants, les boutiques de plaisantes inutilités. Prendre une douche fraîche puis se coucher. Bloquer les sons, les images, tous les indices de vie. Se retrouver seule avec elle, en elle-même.

Elle enclencha la fermeture automatique des portières et bifurqua dans Seaver Street pour rejoindre Blue Hill Avenue, large langue de bitume presque rectiligne de six kilomètres qui partait de Dorchester pour rejoindre Blue Hill Reservation. Julianne détestait cet endroit. Environ 70 % des crimes commis dans la région de Boston se concentraient entre Dorchester, Roxbury et Mattapan. Un fric fou avait été déversé pour réhabiliter le logement social de la zone, sans grand résultat dans certaines portions. Les lotissements abandonnés se métamorphosaient en maisons de passe voire en repaires de gangs. Mark ne cessait de répéter :

— Ras le cul de payer des impôts pour ces losers. S'ils sont incapables de vivre comme des humains civilisés, qu'on les parque sur une île déserte. Ils s'entre-tueront puisqu'ils ne savent rien faire d'autre. Ça fera toujours de la fange en moins !

À quoi, peu désireuse de se mouiller dans ce genre de conversation, elle répondait invariablement en hochant la tête :

— Un peu brutal, quand même.

— Brutal ? Tu déconnes ou quoi ? Tu sais, bien sûr, que ce sont eux qui inondent les gosses de came pourrie ? Eux qui leur bousillent les neurones ? Ensuite, ils foutent les filles à l'abattage en échange de leur dose. La prostitution des gamines explose. Elles sont vendues comme esclaves sexuelles[1], nombre n'ont même pas douze ans. Des petits garçons aussi. C'est pas brutal, ça ? Et ils se prennent pour Rambo, ces foireux de merde. Ils sont surarmés. Même les flics ont la trouille.

— Il y a un gros problème d'éducation.

— Éducation ? Mais ils s'en tapent, de ton éducation ! Ça demande des efforts, l'éducation. Et puis, ça paye bien moins. Quoi ? La littérature, la peinture, la musique, la philosophie, les bonnes manières ? Ils pensent que Rembrandt, c'est des bonnes femmes à poil avec un gros cul et que Mozart était un sale pédé. Enfin si du moins ils savent qui étaient Mozart et Rembrandt. Rien, absolument rien ne les intéresse. La seule chose qui compte à leurs yeux, c'est leurs Rolex, leurs chaînes de cou, leurs diamants à l'oreille, leurs bagnoles de luxe, leurs putes interchangeables et leurs fringues tape-à-l'œil.

— On ne doit pas généraliser au risque de tomber dans la caricature, Mark. Ce n'est pas ainsi que nous réglerons le problème.

— Réveille-toi, Julianne ! Et les trois cambriolages du cabinet ? En cinq ans ! Ils ont fauché les ordonnanciers, les analgésiques, les solutions anesthésiantes, le matos qu'ils pouvaient fourguer, en plus de tout saccager. Pour s'offrir les œuvres complètes de Shakespeare ou de Milton, ou une virée au Met ou au Guggenheim ?

---

1. Hausse de la prostitution des mineurs aux États-Unis, Lefigaro.fr, 29/04/2014.

Il avait raison, bien sûr, mais jamais elle ne l'admettrait devant lui. Ni devant quiconque.

Elle tendit la main vers son sac à main posé sur le siège passager et récupéra l'antimigraineux. Elle secoua le flacon de pilules vert luisant. Combien en avait-elle pris depuis ce matin ? Six ou huit ? Dix ? La dose maximale était de quatre par vingt-quatre heures. Elle avala deux comprimés. Pas grave. Elle rentrait et elle se coucherait.

Une pulsation de lumières rouge et bleue, à trois cents mètres devant, lui fit lever le pied de l'accélérateur. Merde ! Encore un accident. Encore un embouteillage en perspective. Julianne se sentait de plus en plus mal. À la nausée se mêlait maintenant une sorte de vertige. Son sang cognait dans les veines de ses tempes, dans les artères de son cou. Une autre pulsation rouge, invisible celle-là, mais très violente. Elle obliqua dans une rue adjacente afin de dépasser le bouchon en formation et de reprendre Blue Hill Avenue plus loin.

Elle se redressait et remontait sa culotte après avoir cherché en vain du regard un rouleau de papier hygiénique. Elle s'approchait de la femme brune, repliée sur elle-même, ses genoux repliés sous son menton. Elle ne distinguait pas grand-chose de la fillette que la morte cachait de son corps nu. Juste ses mains et ses frêles poignets ensanglantés. Peut-être devrait-elle prévenir les quatre autres femmes du mobil-home ? D'un autre côté, elle avait un rendez-vous urgent. Et puis, ces deux-là étaient mortes. Rien n'y changerait.

Un son vague la tira de son infime endormissement. D'instinct, elle enfonça la pédale de frein. Les pneus de la voiture geignirent puis le véhicule s'immobilisa.

Julianne Walker ferma les paupières et se massa les tempes. Elle était toujours dans son rêve, dans cette détestable réalité décalée qui semblait si véritable. Mais elle ne connaissait toujours pas le lieu de son rendez-vous et encore moins qui elle devait rencontrer.

Étrange. Il n'existait aucune parole, aucun son dans ses rêves. Or là, en cet instant précis, cinq jeunes Blacks environnaient sa Mercedes, l'injuriant, vociférant, tapant des poings contre le pare-brise, tentant d'ouvrir la portière verrouillée. Bouches grandes ouvertes, dents blanches, langues rouges, et puis une autre tache blanche puis rouge. Normalement, il n'y avait que du blanc terne, du gris pâle et du verdâtre dans ses rêves.

George Michael chantait *You've Changed*.

Un des jeunes, déchaîné, envoya de grands coups de pied à la carrosserie. Un deuxième traça du bout de son pouce appliqué sur son cou la ligne imaginaire d'un futur égorgement. Deux autres joignirent leurs forces pour tenter de renverser le coupé sur le flanc. La voiture vacilla. La fureur envahit Julianne. Une houle conquérante, qui renversait tout sous son passage. Une tempête d'adrénaline. Pourtant, normalement, elle restait d'une rare indifférence dans ses rêves.

La migraine disparut soudain. Elle sut que ceci était la réalité. Un voile d'un rouge épais s'abattit sur son cerveau. Rouge, comme le sang d'un sweat-shirt blanc, comme les langues de ses ennemis.

Barbares, dealers, pourvoyeurs de malheur et de mort.

Elle tâtonna sous son siège et referma la main sur la crosse de son revolver.

Enfin du rouge. Plus le blanc mortifère du carrelage de la salle de bains des mortes. Blanc, l'odieuse couleur. Blanc, la couleur de la mort et du deuil en Asie. Blanc, la couleur insensée obtenue en mélangeant toutes les longueurs d'ondes. Le blanc qui gobe et digère toutes les autres couleurs pour les annihiler. Le blanc, si vorace qu'il n'existe pas.

Julianne Walker enfonça le bouton de déverrouillage et sortit de son véhicule.

Une patrouille de police la découvrit le lendemain à 7 h 03, après un appel téléphonique anonyme. Tabassée à mort, le visage réduit en pulpe rouge sombre au point qu'elle était méconnaissable. Ses papiers d'identité, jetés sur son cadavre, permirent de l'identifier. On ne retrouva pas son sac à main, sa montre de luxe, ses boucles d'oreilles en diamant, son arme, ni sa Mercedes.

Chapitre 4

30 septembre 2013, Paris, France

Artemis s'approcha de son bureau, soupirant de soulagement. Cette pièce, ces meubles familiers, ces étagères de bibliothèques lourdes de livres lui avaient tant manqué durant son absence. L'ourse formidable avait posé une orchidée phalaenopsis d'un mauve soutenu, aux veinures plus sombres, juste à côté de son ordinateur. Une petite oursonne en peluche au cou enrubanné de rouge vif était adossée contre le pot. Attendrissant présent de bienvenue. Artemis récupéra le jouet et l'embrassa. La perfection géométrique des pétales de l'orchidée l'émouvait. On les eût crus découpés par un orfèvre. Ses paupières se fermèrent avec lenteur lorsqu'elle détailla le petit cœur des fleurs, rouge sang moucheté de jaune. Le pétale central se recourbait en accroche-cœur, évoquant des crocs.

Elle alluma l'ordinateur et pénétra dans sa messagerie protégée d'un mot-clé qu'elle changeait tous les mois, en évitant les mots du dictionnaire puisque des logiciels permettent de tous les passer en revue en quelques minutes.

Les larmes lui montèrent aux yeux lorsqu'elle constata qu'Apollo lui avait écrit chaque jour, alors même qu'il savait qu'elle n'aurait pas accès à sa messagerie durant une dizaine de jours. Elle aimait bien pleurer. Cette humeur tiède et apaisante qui recouvrait ses globes oculaires l'apaisait. Soudain tendue d'impatience, la bouche entrouverte de concentration, elle parcourut à la hâte les différents mails, sautant des lignes. Puis elle s'exclama :

— Non ! Stupide, crétine ! Lis dans l'ordre chronologique !

Elle remarqua que tous les messages avaient été postés entre 00 h 28 et 4 h 47 AM. Apollo meublait ses insomnies. Il ne parlait que fort peu de lui, de ses nuits blanches, de ses difficultés. Comme elle. Au demeurant, leurs échanges s'épargnaient les *selfies* verbaux ou autres. Ils savaient l'un comme l'autre à quoi s'en tenir. Le reste, le monde, était au fond bien plus fascinant que leurs nombrils, d'autant que le temps pouvait leur faire défaut. Elle lui avait fait connaître la phrase de Gaston Bachelard[1], d'une sublime pertinence : « Le monde est ma provocation. »

Elle lut :

Fall is here and winter is coming. It will last.
Thinking of you, Artemis, my beloved sister.
I miss you, your words, this tenacious light in my nights. OK, you are going to be pissed at me if I do not practice my French. I do believe I am improving. Tell me ! The only real pain in the neck is this quirk of yours : sexing things ! How come the moon is feminine and Mars masculine ? Why should a fourchette be feminine[2] ?

Comment ton « séjour » s'est-il déroulé ? N'en parle que si tu le souhaites. J'ai décidé de te constituer une petite

---

1. 1884-1962, théoricien de la connaissance scientifique.

2. L'automne est là et l'hiver arrive. Il durera. Je pense à toi, Artemis ma sœur bien-aimée. Tu me manques, tes mots me manquent, cette lumière tenace dans mes nuits. D'accord, tu vas être furax contre moi si je ne m'exerce pas au français. Je crois vraiment que je fais des progrès. Dis-moi ! Le gros ennui est cette manie que vous avez de sexer les choses. Pourquoi la lune devrait-elle être de genre féminin et Mars de genre masculin ? Pourquoi une fourchette devrait-elle être de genre féminin ?

provision de messages durant ton absence. De prétendre que tu es juste sortie de ton bureau, pour quelques minutes. Je crois que cette illusion me rendra le vide de ma messagerie plus facile.

Les statistiques canadiennes annuelles viennent d'être rendues publiques : la plupart des crimes haineux sont perpétrés par des jeunes et de jeunes adultes, des hommes, non que cela t'étonnera. On dénombre 51 % de récidivistes, contre, sauf erreur de ma part, 3,9 ou 8 % chez vous selon les sources. Sommes-nous un peuple beaucoup plus violent et criminel, ou vos statistiques sont-elles biaisées ? Étonnamment, les récidives en matière de crimes sexuels seraient de 17 %. Pourquoi n'y crois-je pas ? Pourquoi suis-je plutôt enclin à penser que ces criminels deviennent simplement plus intelligents, évitant de laisser leurs empreintes digitales ou leur ADN sur leurs victimes[1] ?

Ha ! Here comes the inevitable question : are we more screwed-up, twisted and ferocious than before ?
Take care, my dear Artemis. Come safely home.
I love you[2],

Apollo.

Durant une heure, elle lut et relut avec soin tous les mails d'Apollo. Son français s'était vertigineusement amélioré en deux ans de correspondance. Non que ce résultat l'étonnât. Elle hésita quelques instants puis décida de lui répondre avant de terminer la compilation qu'elle lui avait promise à son départ.

---

1. Statistiques 2007 du ministère de la Sécurité publique du Canada présentés dans http://rue89.nouvelobs.com/rue-des-erables/recidive-des-pedophiles-le-canada-a-choisi-la-prevention.
2. Ha ! Et voici venir l'éternelle question : sommes-nous plus tordus et féroces qu'auparavant ? Prends soin de toi, ma chère Artemis, et reviens chez toi en toute sécurité. Je t'aime.

Apollo, my precious brother,

I missed you so much. Not a single hour went by without my thinking of you. I did not sleep well, knowing that you could not rest at all. As expected, my stay in Belgium sucked. But I feel much better now. Your French is becoming better than mine. How are you[1] ?

Je n'ai pas eu le temps de terminer le document que je t'avais annoncé. Je m'y remets.

Au fait, j'ai rendez-vous jeudi avec un tatoueur. Il viendra à la maison. Un rendez-vous très confidentiel, tu t'en doutes. Je veux me faire tatouer ton animal emblématique, sous le sein gauche, celui du cœur. Un corbeau. Crois-tu qu'il doive être blanc tel celui qui omit de te prévenir que Koronis, ton épouse enceinte, te cocufiait durant ton absence ? Celle que tu me demandas de cribler de mes flèches. Ou noir, tel qu'il devint après que, rageur, tu eus carbonisé ses plumes[2] ? C'est du reste pour cela que tous les corbeaux sont maintenant noirs de nuit. Allez, j'avoue : j'ai un peu la trouille que ça fasse mal. Mais je suis décidée.

Ah, j'ai aussi une statistique à t'offrir : un retraité a été froidement abattu par des braqueurs qu'il tentait d'arrêter, le 22 août, à Marignane. Un homme courageux. Trop. On a ainsi appris que les tentatives d'homicide non crapuleuses avaient augmenté de 48 % en quatre ans[3], problème statistique ou réalité ? En revanche, les homicides « réussis »

---

1. Apollo, mon frère chéri. Tu m'as tant manqué. Il ne s'est pas passé une heure sans que je pense à toi. J'ai mal dormi, sachant que tu ne parviendrais pas à te reposer du tout. Comme il fallait s'y attendre, mon séjour en Belgique fut merdique. Mais je me sens beaucoup mieux maintenant. Ton français devient meilleur que le mien. Comment vas-tu ?

2. Selon la mythologie, Apollon faisait garder sa femme Koronis par un corbeau blanc. L'animal ne l'avertit pas des visites de l'amant de celle-ci. Apollon carbonisa alors le corbeau et envoya sa jumelle Artémis exécuter son épouse.

3. Source : Observatoire national de la délinquance et des réponses pénales.

seraient stables. Bref, tout va bien puisque les meurtriers en puissance ratent leur cible.

Concernant la récidive sexuelle, les statistiques sont bien sûr biaisées. Elle serait de 2,7 % en France, si l'on en croit le chiffre officiel, fondé sur notre conception juridique du viol et de la récidive qui arrange tout le monde. À ceci près qu'on ne prend pas en compte les auteurs condamnés pour la première fois avant 1984, que la plupart des viols déclarés sont requalifiés en « agressions sexuelles » et qu'on exclut l'ensemble des violences sexuelles autres que les viols. S'ajoute à cela que la majorité des viols ne sont pas déclarés. La récidive sexuelle dans les pays occidentaux serait de 24 %. Et en effet, certains violeurs se font la main et deviennent plus malins. Ah, autre subtilité savoureuse, linguistique cette fois : la récidive désigne des individus qui commettent la même infraction (ou crime) ou alors une comparable d'un point de vue juridique dans les cinq ans. Le reste, ce sont des « réitérants », ceux qui commettent un crime ou une infraction différents. Les mots sont si précieux puisqu'on peut les tordre à l'envi ! Autre chiffre stupéfiant mais très intéressant puisqu'il corrobore ce que nous savons : 30 % des violences, viols, harcèlement sexuel sont perpétrés par des mineurs[1]. Lorsqu'on épluche les faits divers ainsi que nous le faisons, on se rend compte qu'ils s'y mettent maintenant dès onze ans, et en bande bien sûr[2].

Il y a quelques jours, un certain Thomas Delebarre, avocat général, a été retrouvé poignardé devant son ordinateur qui renfermait des images pédopornographiques. Gerbant ! *It means you want to throw-up, but do not use it, it is slang and rude*[3]. La presse est silencieuse au point que l'affaire a sans doute été étouffée.

---

1. Lepoint.fr, 4/4/14.
2. Lefigaro.fr, 01/04/14.
3. Ça veut dire que ça donne envie de vomir. Mais n'utilise pas ce mot, c'est malpoli.

Voltaire a dit : « Le monde, avec lenteur, marche vers la sagesse[1]. » Preuve que les esprits les plus vifs peuvent formuler des âneries. Que nenni ! Le monde, avec entrain, fonce vers la barbarie.

Le Kawaii[2] et ses gentilles niaiseries se développent en France. Elles sont si mignonnes, ces jeunes filles ou jeunes femmes, avec leurs hautes chaussettes à rayures roses, leurs bagues en petits lapins et leur sac à dos nounours, roses aussi, sans oublier leurs couettes. Les garçons ou jeunes hommes s'y mettent aussi. Ils ont de quinze à trente ans, en général. Attendrissant et si cruche. Dans le même temps, trois adolescents de quatorze à dix-sept ans ont poignardé un homme de vingt-trois ans[3] pour lui voler le jeu *Grand Theft Auto V* qu'il venait d'acheter. Tu sais, ce jeu qui met en vedette un braqueur, un escroc et un déséquilibré. Le jeu le plus cher du monde, paraît-il, puisque sa réalisation aurait coûté 200 millions d'euros, preuve qu'il y a du fric à ramasser. Dans le même ordre d'idées, n'omettons pas l'appli gratuite Android, *Flip Flap Bird*, dont la description, en lettres majuscules proclame : *ONCE YOU START, YOU CAN'T STOP !!! YOU WILL BE ADDICTED*[4] !

L'appli qui sert juste à envoyer le mot « yo » a été téléchargée 2 millions de fois en quelques semaines. Elle serait « la plus stupide et la plus addictive », selon le gourou californien des réseaux sociaux.

Panem et circenses[5].

Toute cette fabuleuse technologie, les microcircuits, les puces, Internet, les satellites, etc. au service d'une sorte de

---

1. *Les Lois de Minos*, acte III, scène 5.
2. Qui signifie « mignon » en japonais. Un mouvement qui se développe en Occident aussi.
3. À Colindale, au nord de Londres, le 21/09/13.
4. Une fois que vous avez commencé, vous ne pouvez plus arrêter !!! Vous serez simplement accroc !
5. Du pain et des jeux.

piaf stylisé rondouillet qui bat des ailes. N'oublions pas *Candy Crush*. Là aussi, il s'agirait du jeu le plus « addictif » qui soit. Jeanne a haussé les épaules en marmonnant : « Ouais, bref, un super-morpion numérique et en couleur. Un vrai progrès de société ! »

Une automobiliste qui a tué un ado à vélo et gravement blessé le second exige 1,5 million de dollars de dommages de la famille de ses victimes parce qu'elle souffre d'une dépression depuis l'accident[1]. Pourquoi y vois-je de l'obscénité ? Suis-je en train de chercher des indices de délabrement humain partout ? De cette virtualité métastatique qui gomme de plus en plus les contours du réel ?

Pourquoi le terme d'« addiction » revient-il toujours comme un critère d'excellence ? Le kidnapping de nos cerveaux est-il la seule option souhaitable qu'il nous reste ? Avons-nous si peur d'être seul à seul avec notre tête qu'il nous faille des jeux, souvent débiles, pour l'aveugler, lui couper les cordes vocales, l'étouffer, la noyer ? N'avons-nous pas compris que le naufrage de nos neurones est une manne pour ceux qui savent toujours se servir des leurs ?

Un homme, par ailleurs très cultivé, Patrick Le Lay, à l'époque PDG de TF1, une importante chaîne de télévision française, a dit un jour : « Ce que nous vendons à Coca-Cola, c'est du temps de cerveau disponible. » Ils lui sont tous tombés dessus. Pourquoi ? Il disait vrai.

L'automne est là et l'hiver arrive. Il durera.

Je t'aime,

Artemis.

Elle souffla un baiser au message avant d'enfoncer la touche d'envoi. Elle allait demander à Jeanne de lui préparer un bon thé très fumé, très infusé et se plonger dans le travail.

---

1. www.lefigaro.fr/international/2014/05/02/01003-20140502ARTFI G00135-la-responsable-de-l-accident-reclame-15-million-de-dollars-a-ses -victimes.php?pagination=4

Une familière et glaçante sensation lui arracha un soupir. Ça n'aurait jamais de fin. Elle, un autre, une autre, quelle importance ? Ils n'étaient que de besogneux témoins dont l'impotence manifeste ne parviendrait jamais à incliner le cours des choses, ou quoi que ce fût. Elle se fit la réflexion qu'elle ressemblait à la passagère d'un hélicoptère qui voit se préparer la collision de deux voitures sur une autoroute. Balancée dans sa coquille suspendue dans les nuages, elle crie, tempête, cogne les parois d'épais Plexiglas dans l'espoir d'attirer l'attention des deux conducteurs, tout en bas. En vain. Les voitures se rapprochent, à pleine vitesse, et se percutent. Ne reste à la passagère de l'hélicoptère qu'à fermer les yeux pour s'épargner la vision d'un carnage.

Chapitre 5

2 octobre 2013, University of Massachusetts, medical school, Worcester, USA

Plantée au milieu d'un vaste campus arboré dans North Lake Avenue, non loin de Belmont Street, la faculté de médecine de Worcester réalisait la plupart des autopsies non hospitalières du grand-Boston. Le bâtiment récent, à la façade arrondie en verre bleuté, avait une allure curieusement inoffensive encore renforcée par la multitude de tables et de bancs semés sur la vaste pelouse qui l'entourait. Ils étaient pris d'assaut à la belle saison. Les étudiants ou des familles y engouffraient leurs déjeuners entourés par une nuée d'écureuils gris, peu farouches voire même insistants, qui tentaient d'attirer leur attention pour profiter de quelques miettes de sandwich.

Satya Singh, en première année de spécialisation de médecine, boutonna la grosse veste en laine qu'elle portait sur sa blouse. Elle faisait partie des rares obstinés qui déjeunaient toujours à l'extérieur, en dépit de la fraîcheur de ce début d'automne. Elle jeta un regard à sa montre : 13 h 38. Un bon thé chaud et elle s'y recollait. Brillante et bosseuse, têtue comme une mule – de l'avis de son frère aîné, médecin lui aussi –, la jeune femme aurait pu opter pour n'importe quelle spécialisation. Cependant, réservée, peu diserte par timidité, Satya faisait partie de ces êtres dont les ailes sont rognées par leur pénible lucidité. Elle songeait parfois, avec une franche propension à l'autodérision, que mieux valait un ego en acier trempé qu'un cerveau exceptionnel. Combien d'étudiants, bons mais sans plus, réussiraient mieux qu'elle dans leur carrière médicale, alors même que ses capacités intellectuelles étaient largement supérieures aux leurs ? On ne se refait pas et un ego déficient, sans aucune raison, relève de la maladie incurable. Seuls existent quelques sparadraps pour y remédier transitoirement, ou du moins cacher le bobo.

Satya adorait son grand frère, Baridbaran, « couleur de nuage » en hindi. Il avait veillé sur elle et sur leur mère après le décès, douze ans plus tôt, de leur père. Sa mère était morte trois ans après et Baridbaran s'était transformé en mère poule doublée d'un cerbère pour s'occuper de sa cadette. Il avait fait transformer son prénom en Barry, plus prononçable pour des Américains.

Baridbaran l'avait toujours fascinée. Il était beau, gentil et surtout rayonnant. Lorsqu'il ne savait pas, il affirmait quand même avec autorité alors qu'à sa place, elle aurait rougi et baissé la tête. Lorsqu'il arrivait en retard, une constante, son explication finissait toujours par convaincre l'autre que c'était lui qui était en avance. Lorsqu'il oubliait quelque chose, rarement, la chose en question finissait par n'avoir aucune importance. Bref, Baridbaran-Barry possédait un somptueux ego. Satya y voyait le signe que les divinités s'étaient tout particulièrement penchées sur son berceau. Il avait choisi une spécialisation en médecine réparatrice et esthétique. Son charme, son aisance en société ajoutés à son talent lui avaient garanti un prestigieux répertoire de patients en quelques années. Mais Barry n'était pas n'importe qui, ce qui expliquait la dévotion de sa petite sœur. L'argent qui affluait sur son compte en banque le satisfaisait, sans pour autant le combler. Elle aimait sa passion lorsqu'il déclarait en faisant danser ses belles mains, sculptant l'air comme s'il s'agissait d'un visage abîmé :

— Te rends-tu compte de ce que nous pouvons faire ? Prodigieux ! Rendre à quelqu'un le goût de vivre après un affreux accident. Rectifier une mauvaise plaisanterie de la nature qui gâche l'existence depuis la naissance.

Toujours était-il qu'elle se savait incapable d'apaiser, de plaisanter, de séduire comme son grand frère. Pour cela, il faut parler, sourire, affirmer, rassurer, et elle perdait ses moyens au bout de deux ou trois phrases. Elle avait donc songé à la pédiatrie, se sentant à l'aise en compagnie des enfants. Malheureusement, les parents les accompagnent. Ou alors à devenir médecin dans une structure dédiée aux démunis. Ils parlent beaucoup, trop soulagés d'être pris en compte et soignés. Elle n'aurait donc pas à les interroger. Cependant, le manque de moyens chronique auquel elle serait alors confrontée lui saperait le moral. Elle avait ainsi passé en revue toutes les spécialités, toutes les possibilités. Une seule avait persisté : légiste avec une spécialisation en anatomopathologie. Satya avait donc entrepris son premier stage cinq mois plus tôt, sous la direction du Dr Neal Roberts, directeur du département médico-légal de la fac de médecine de Worcester. Roberts, une force de la nature qui paraissait à l'étroit dans sa blouse de labo, avait une soixantaine d'années. Satya avait remarqué les belles rides profondes qui marquaient son front et les plis de sa bouche, ses cheveux encore épais, gris argenté. Roberts ne cachait pas qu'il était en quête d'un successeur. Lorsqu'il l'avait reçue la première fois, il avait tapé dans ses mains de bonheur en rugissant :

— Et vous vous prénommez Satya ? Oh, bordel, quel signe ! Ça signifie bien « la vérité » en hindi, non ?

— En effet, monsieur, avait-elle répondu, déroutée par ses vociférations joyeuses.

— Eh bien, mais c'est exactement ce que nous cherchons ici : la vérité !

Soudain grave, il avait ajouté :

— Mais voyez-vous, Satya, lorsqu'on veut la vérité, il faut avoir la carrure pour la supporter, parce que, croyez-moi qu'en ce lieu, elle pue presque toujours, au propre comme au figuré.

Satya avait vite découvert à quel point Neil Roberts, l'un des meilleurs anatomopathologistes d'Amérique du Nord, avait raison. Sans doute aurait-elle mis un terme rapide à son stage sans son étonnante personnalité, sans sa stupéfiante vitalité. D'autant que Baridbaran-Barry avait hurlé lorsqu'elle lui avait annoncé son intention de devenir légiste :

— T'es malade ou quoi ? Tu fais médecine pour t'occuper de macchabées ? Mais enfin, la médecine c'est la vie, l'aider, la préserver ! Pas constater chaque heure sa fin.

Elle avait été incapable de lui avouer la vérité, faisant mentir son prénom. La vie, ce sont des patients qui parlent, exigent, pleurent, s'affolent, crient, insultent parfois. Elle ne pouvait pas. Une nervosité pathologique lui coupait le souffle face aux autres. Au moins ses patients décédés seraient-ils gentils et muets.

Elle appréciait de plus en plus Neil Roberts. Certes, plus de trente ans les séparaient et il était le pur produit d'une culture très différente de la sienne. Cependant, après avoir été tétanisée par ses éclats de voix, ses plaisanteries gamines, ses coups de gueule et sa masculinité rayonnante, mais jamais phallocrate, la finesse intellectuelle et la culture de cet homme l'avaient séduite. Beaucoup.

Elle se souvenait de cette fin de nuit, après les cinq autopsies des victimes d'un carambolage, dont un bébé. La scène s'était déroulée au début de son stage, à l'époque où il la terrorisait au point qu'elle clignait nerveusement des paupières à chaque fois qu'il haussait le ton. Souvent.

Épuisé, il l'avait entraînée jusqu'à la cafétéria déserte et lui avait servi un gobelet de café noir. Elle n'aimait pas le café. Tant pis. Il s'était avachi dans une des chaises en aluminium, avait fermé les yeux et murmuré :

— La mort… c'est la dissolution. Pas seulement des cellules, mais de tout ce qui fait un être humain. Ses espoirs, ses peurs, ses projets, ses amours, ses haines.

Il l'avait soudain fixée de son regard bleu glacé intimidant et avait pointé un index agressif dans sa direction.

— Il faut que tu comprennes un truc, Satya, un truc fondamental. Ceux qui atterrissent sur nos tables en Inox, avant d'être ouverts comme des carcasses, n'ont pas eu l'opportunité de dire la dernière chose, l'ultime chose qui leur importait. C'est la femme tabassée à mort par son poivrot de mari qui n'a pas eu le temps de lui hurler : « Même morte, je te ferai payer. » C'est le petit vieux abandonné dans un logement sans chauffage qui n'a pas pu régler leur compte aux gosses qu'il avait élevés et qui l'ont laissé crever seul. C'est l'enfant violé, torturé et battu par un parent, qui juste avant de mourir a pensé que personne ne le secourrait et que ce monde était un enfer. Nous sommes la dernière étape qui précède la dissolution. Aucun mort n'est moins important qu'un autre, même si certains sont beaucoup plus chiants, quand les politiques s'en mêlent, par exemple. Ce sont aussi tous les camés qui, même s'ils ont pourri la vie de leurs proches, voulaient savoir pourquoi ils en étaient arrivés là. Tous avaient un dernier truc à exprimer. Tu sais, une existence se résume à deux opposés : la vie et la mort, et ils doivent être traités avec le même sérieux. Tu comprends ce que je te dis ?

Terriblement émue, elle avait hoché la tête en signe d'acquiescement et bu le café, pas aussi mauvais qu'elle le redoutait. Avec le recul, sans doute était-ce cette nuit-là qu'elle était tombée amoureuse de Neil. Après tout, il était divorcé et son unique fils, plus âgé que Satya, vivait au Mexique. Ce sentiment platonique, dont Neil Roberts n'était sans doute pas conscient, la satisfaisait pleinement depuis plusieurs mois. De plus, elle ignorait comment réagirait Baridbaran si elle lui annonçait qu'elle était amoureuse d'un Blanc, catholique et largement assez âgé pour être son père. Lui-même avait épousé une charmante jeune femme d'origine indienne.

Elle longea le couloir qui sentait le désinfectant et descendit au sous-sol. Elle adressa des petits signes de main cordiaux aux assistants et techniciens qui s'acquittaient des autopsies banales et des prélèvements biologiques, et fila vers le bureau de Neil. Il terminait le repas de sushis et de sashimis qu'il s'était fait livrer plus tôt. Pour la centième fois, elle osa :

— Je ne trouve pas cela hygiénique de manger ici.

— Moi non plus, mais j'avais la flemme de monter. Bon, allez, on se change. Trois autres sont arrivés en deux heures. Une overdose médicamenteuse, accidentelle a priori, un accident de voiture et une femme tabassée à mort dans Roxbury.

— En lien avec le trafic de drogue ?

— Sans doute pas. Une certaine Julianne Walker, dentiste sur Commonwealth Avenue. Côté « plein de thunes ». D'après les flics, on lui a piqué son sac, ses bijoux, sa Mercedes. Un carnage, un véritable acharnement. Nous avons une photo trouvée sur Internet. Jolie, très jolie. Canon, même. Il n'en reste pas grand-chose.

Satya s'en voulut de la question inepte qui lui traversa l'esprit. Que voulait dire « jolie, très jolie, canon » pour lui ? Une grande blonde aux yeux bleus, à longues jambes, et petit nez droit ? Blanche ? Satya était petite, menue, yeux marron foncé, la peau pain d'épices, avec la chevelure typique d'une Indienne. Noir de nuit, très longue, épaisse. Certes, jamais elle ne le soupçonnerait du moindre racisme, mais l'attirance est le plus souvent conditionnée par ce que nous connaissons depuis l'enfance.

Elle oublia vite son inquiétude lorsque, habillée d'une blouse bleue jetable, d'un tablier en plastique, les mains protégées de hauts gants en nitrile mauve, elle découvrit le corps de Julianne Walker. En effet, un massacre.

Neil opérait, photographiait différents détails, dictant ses découvertes et observations au petit micro suspendu. Tout était retranscrit presque instantanément par le logiciel de dictée spécialisée. Il faudrait ensuite vérifier le rapport, son travail à elle. Ledit logiciel, pour performant qu'il fût, commettait parfois des bourdes stupéfiantes, aidé en cela par le masque chirurgical de Neil, qui étouffait ses propos, voire le heaume en Plexiglas en cas de décès potentiellement dangereux pour le personnel médico-légal.

Les mots affreux se succédaient, sur un ton plat. *Fractures multiples du crâne, ayant provoqué la mort… Enfoncement du pariétal et du temporal, face latérale gauche, fractures de la mandibule. Objet contondant… asséné avec une extrême violence… pas de résidus métalliques dans les plaies… sans doute une ou des battes de baseball… Le sujet a cessé de vivre en quelques minutes, résultat d'une hémorragie profuse… Vraiment très profuse, recherche d'anticoagulants et aspirine… cicatrices en « T » inversé sous les seins… un travail de chirurgie esthétique, bien fait… sans doute une réduction mammaire ou une correction de ptose… cicatrice d'appendicectomie… pas de tatouages… pas de marques de défense sur les poignets, les mains ou les pieds… Aucun signe d'agression sexuelle…*

Il s'écoula quelques secondes, le temps qu'il pratique l'incision en Y qui descend des clavicules jusqu'au pubis. Satya, qui n'était pas encore autorisée à participer aux autopsies « délicates », ne perdait aucun de ses gestes, précis, efficaces.

Pas de signe d'utilisation de substances illicites… Sujet, à l'évidence, en bonne santé… Ah merde… Elle était enceinte… Comme ça, je dirais deux mois, deux mois et demi… bon, à l'histologie. Prélèvements sanguins, de foie, contenu stomacal… panoplie classique avec screening toxico de base. A priori, rien, hormis des coups d'une rare brutalité. Ça sent la haine et la fureur à plein nez.

Neil Roberts redressa sa grande carcasse et recula de deux pas.

Satya osa :

— Euh… il y a un petit truc brillant dans ses cheveux… là… un peu derrière, vers la nuque.

Neil se rapprocha et se plia afin d'examiner les cheveux collés de sang sec.

— Ah merde, j'étais passé à côté !

Elle sourit de son agacement perceptible. Neil remarquait tout, la moindre trace de piqûre de junkie sous la langue ou entre les doigts de pieds, par exemple, zones privilégiées par ceux qui s'efforçaient encore à la discrétion.

Il récupéra le fragment à l'aide d'une pince fine et l'examina sous ses lunettes loupe. Le petit cercle bleu avait été déchiré, mais on distinguait sa circonférence plus foncée et son centre transparent. Le bleu n'était pas uniforme mais très finement strié de nuances plus claires ou plus sombres.

— Une lentille de contact, déclara-t-il. Bravo, Satya. On va passer le cadavre à la douchette pour le nettoyer de tout ce sang. On aurait perdu la lentille.

Il la déposa dans un tube à essai et fronça les sourcils.

— On vérifie s'il s'agit d'une lentille correctrice.

Satya déclara d'une voix perplexe :

— Il y a un truc que je ne comprends pas : pourquoi une femme qui a les yeux bleus, d'après ses papiers, porterait-elle des lentilles bleues ? Ça se conçoit lorsqu'on veut changer de couleur d'iris mais sans cela…

— Il ne s'agit peut-être pas de la sienne… peut-être celle de son agresseur, dans la fureur du moment ? offrit-il. Mais l'hypothèse peut se révéler intéressante. Analyse ADN, donc.

— Ou alors, elle n'aimait pas le bleu de ses yeux… Il existe plein de bleus, du très pâle au presque violet.

— Il existe des centaines de couleurs d'yeux. Tu sais pourquoi ?

— Parce qu'il n'y en a qu'une. En fait, il n'existe qu'un seul pigment marron foncé, la mélanine, répondit-elle. Il n'y a pas de pigment vert ou bleu. C'est la concentration de la mélanine et sa répartition dans l'iris et la lumière absorbée par l'épithélium pigmentaire qui font la couleur. Ça explique d'ailleurs que les yeux pâles foncent lorsque l'intensité lumineuse est faible. Et l'inverse dans le cas des yeux marron qui verdissent en plein soleil.

— Tout juste. À quoi tiennent nos coquetteries, hein ? Les yeux bleus et gris correspondent aux individus dont les iris synthétisent le moins de mélanine.

Il souleva avec délicatesse les paupières collées de sang sec de Julianne Walker. Un voile opaque recouvrait sa cornée. Il prit quelques clichés des iris gris pâle.

Intriguée, Satya vérifia à nouveau la fiche informatique de Julianne Walker et souligna :

— Blonde naturelle, yeux bleus, un bleu qualifié de « soutenu », quoi que cela veuille dire. Or, ils sont gris. Un artefact post-mortem ? suggéra-t-elle.

— Peut-être, mais je n'ai jamais vu cela en quarante ans de carrière ! Du moins pas lorsque le décès remonte à quelques heures. En revanche, la lentille est bien d'un « bleu soutenu ». Bon, j'ajoute cette précision au rapport.

Il héla un des techniciens et lui confia la morte, afin qu'elle soit recousue, nettoyée, enveloppée d'un drap propre avant d'être poussée dans un caisson réfrigéré.

Neil arracha ses gants, son tablier maculé de sang et sa blouse jetable qu'il roula en boule avant de balancer le tout dans un grand sac en plastique rouge transparent, tenu ouvert par un cercle métallique. Le sac partirait ce soir dans l'incinérateur de déchets biologiques.

L'esprit ailleurs, il produisait de petits bruits de bouche, entre sifflotement et chuintement. Une intuition prévint Satya que la suite serait terrorisante pour elle, même si elle n'en pouvait plus de l'attendre. Par prudence, elle s'appuya contre le bord du bureau sur lequel il rédigeait parfois des notes qu'il avait oublié d'enregistrer.

— Euh… Je me plante peut-être, mais… Enfin… je pense qu'une discussion s'impose… Non professionnelle, je veux dire… Je me goure ?

Elle déglutit avec peine, incapable de le regarder, et bafouilla :

— Non. Euh… je veux dire, non, tu ne te trompes pas.

Elle se serait volontiers balancé deux claques tant elle se trouvait pitoyable.

— Bien… il semble donc que nous soyons sur la même longueur d'onde… demeure un problème de taille… une substantielle différence d'âge.

— J'ai vingt-cinq ans. Plus une adolescente. Si ma mère était encore en vie, elle se désespérerait de me savoir vieille fille. D'ailleurs, mon frère pense sans doute un peu la même chose, même s'il est né ici…

Soudain, elle sentit le rouge lui monter au front. La panique lui fit trembler ses joues. Quelle gourde, mais quelle gourde ! Elle débita à toute vitesse :

— Je, je… enfin, je ne parle pas du tout de mariage ou autre… enfin… c'est juste que chez nous… les filles…

Il eut un sourire amusé mais très doux et murmura :

— Je sais. On ne va pas poursuivre ce type de conversation ici. Ce serait déplacé… pour nous et pour eux, précisa-t-il en désignant d'un geste les trois tables d'autopsie sur lesquelles étaient allongés des corps. Tu es libre ce soir ? Un restau ?

Elle hocha la tête, incapable de prononcer un seul mot. À tous les coups, elle allait fondre en larmes. Décidément, quelle gourde !

— Chez Mother Gaea, 20 heures ? Je réserve ?

Un autre acquiescement de tête.

— Tu ne me poses pas un lapin et tu ne te sauves pas à l'autre bout de la planète ? Il s'agit juste d'une rencontre d'amis, pas encore d'un rencart. Juste afin d'y voir un peu plus clair, de discuter, d'accord ?

— Oui. Oui, oui ! Euh… Eh bien… à ce soir.

Elle tourna les talons et fonça vers les vestiaires.

Neil Roberts retint un vrai beau rire. Il se sentait si bien. Depuis quand n'avait-il pas pris autant de précautions ? Depuis quand avait-il tant attendu, hésité, évalué avant de faire le premier pas vers une femme qui lui plaisait ? Qui lui plaisait vraiment. Sans doute presque un demi-siècle.

La vie est fabuleuse et parfois si inattendue, songea-t-il en réintégrant son bureau.

Étrangement, elle peut devenir problématique de façon concomitante.

Chapitre 6

28 novembre 2013, hôtel de Beauvau, Paris, France

Yann Lemadec présenta son badge au planton qui surveillait les hautes grilles en fer forgé. L'élégante dentelle de métal protégeait l'entrée de l'hôtel particulier de Beauvau, construit en 1770 par l'architecte Nicolas Le Camus de Mézières. Il abritait depuis 1861 le ministère de l'Intérieur, ou ses ancêtres. Une magnifique bâtisse même si le style décoratif, et notamment le bureau du ministre, alourdi de meubles Empire surchargés d'ornements de bronze, le laissait assez dubitatif. Cela étant, en quatre ans d'affectation, il n'y avait été convié que trois fois, parmi une douzaine d'autres collaborateurs. Il ne regrettait certes pas la rareté de ses visites, puisqu'elles sous-entendaient qu'une catastrophe venait de leur tomber dessus.

Yann Lemadec, vingt-neuf ans, titulaire d'un master de chimie organique et d'un autre de psychologie – il n'était jamais parvenu à déterminer la carrière qui l'intéresserait le plus – avait passé les concours de la fonction publique, un peu au pif. D'ailleurs, force lui était d'admettre qu'il avait jusque-là mené sa vie personnelle et sa carrière en usant et abusant de la technique du doigt mouillé. Ce « bof, pourquoi non, mais pourquoi oui ? » lui avait somme toute assez réussi. Difficile d'être déçu lorsqu'on n'attend rien de particulier. Son salaire de fonctionnaire convenait à ses besoins et envies modestes puisqu'il lui permettait l'essentiel : louer un studio confortable dans le XVe arrondissement et acheter des livres, qu'il revendait pour la plupart, faute de place. À chaque congé, il faisait expédier en Bretagne une ou deux caisses des ouvrages dont il n'était pas parvenu à se défaire. Il les rejoignait en train et s'installait durant quelques semaines dans la maison de granit sombre héritée de sa grand-mère. Il remplissait avec bonheur les étagères des bibliothèques dont il avait tapissé tous les murs de son bureau. Il se sentait bien dans cette maison trapue, aux petites fenêtres, à la courte cheminée, typique de la région, construite pour résister aux coups de boutoir des tempêtes. Elles pouvaient se déchaîner, rugissant en pointes de 250 km/h, balançant des trombes d'eau marine avec une hargne qui prenait des allures de vengeance. La maison résistait depuis trois siècles. Yann y lisait une sorte de parabole sur le génie humain. Des hommes disparus, qui n'avaient que leurs mains, des charrettes et surtout leur obstination et leur sens de l'observation étaient parvenus à ériger des maisons et des cathédrales qui défiaient les siècles et les éléments. Pas sûr que les réalisations actuelles, trop rapides et souvent économes, soient encore debout dans trois cents ans. Une implacable donnée avait vampirisé le goût de créer, de lutter, d'avancer, de laisser derrière soi l'œuvre d'une vie, même anonyme : le profit. L'argent comme ultime étalon.

Yann haussa les épaules et traversa le jardin situé à l'arrière de l'hôtel particulier. Il grimpa les marches plates qui menaient à l'ancienne orangerie, un magnifique bâtiment, du moins de l'extérieur. Il traversa un hall et scanna son badge. La vaste serre avait été transformée en bureaux. La surface de l'hôtel de Beauvau était assez modeste, expliquant que certains services se soient déployés dans des bâtiments annexes du quartier. Yann attendait avec appréhension le jour où sa brigade serait déménagée à quelques rues ou carrément en banlieue. Les transports en commun ne le gênaient pas, puisqu'il lisait ou rêvassait, imperméable à ce qui se passait autour de lui. En revanche, l'idée de quitter ce sanctuaire de silence en plein cœur de Paris, cette architecture robuste mais d'une rare élégance l'attristait.

Il suivit le couloir et parvint devant la porte de l'avant-dernier bureau, le sien. Un nouveau frôlement de badge contre le lecteur numérique, un déclic, et il soupira. Une autre journée commençait pour Yann Lemadec, analyste de la BIS, la Brigade d'intervention secondaire, qu'ils nommaient entre eux la *bis repetita*, à quoi il ajoutait pour lui-même *non placent*[1]. Certes, les quelques fielleux du ministère, assez jaloux de leur agencement et matériel et des tolérances dont ils jouissaient, leur avaient trouvé un autre sobriquet : les Bis-ous. Les huit membres de leur escouade dénotaient un peu, il est vrai. La définition et les missions de la BIS restaient assez floues, un flou volontaire qui permettait de les affecter au gré des besoins.

Bon, il reprenait à zéro cette affaire d'avocat général, assassiné fin septembre de deux coups de couteau profonds dans sa villa de Mougins. Ordre de la hiérarchie qui exigeait la vérité, quitte à se débrouiller pour qu'elle glisse discrètement sous le tapis dans l'éventualité où celle-ci se révélerait aussi fâcheuse qu'on le redoutait. Thomas Delebarre, né à Paris, âgé de soixante-sept ans, divorcé, sans enfant. L'affaire avait jusque-là pu être étouffée. Du moins l'espérait-on. En tout cas, aucun média n'en avait rien révélé. Cent quarante-cinq photos pédopornographiques violentes, mettant en scène des bébés ou de très jeunes enfants, avaient été découvertes sur son disque dur. Quelques vidéos de courte durée également. Lorsqu'il les avait visionnées, Yann avait senti son café au lait lui remonter dans la gorge. Et encore, il n'avait consulté que quelques fichiers, s'épargnant le reste. Détail crucial : Thomas

---

1. Ce qui est répété ne séduit plus.

Delebarre n'était autre que le frère aîné de Charles Delebarre, procureur général, fort bien en cour auprès de l'ancienne majorité et même de la nouvelle, grosse fortune française. Les loups ne se mangent jamais entre eux. Le pékin moyen peine à le comprendre mais ce petit monde-là se congratule en grande cordialité, du moins derrière les caméras et les micros, pour l'excellente raison que nul ne sait quelle sera la couleur du prochain loup dominant. Hormis quelques purs, une fragile minorité. Delebarre Charles était **donc** intervenu, outré que l'on puisse soupçonner son cadet de s'être livré à d'aussi répugnants vices, épaulé par Eugénie von Hopenburg, sa fille, la nièce du défunt. Eugénie, baronne von Hopenburg, trente-deux ans, magnifique plante brune, appartenait à cette catégorie d'êtres qui ne comprennent simplement pas qu'on puisse leur opposer une fin de non-recevoir. Le monde lui appartenait, peuplé de créatures interchangeables dont le seul objectif consistait à satisfaire ses besoins et envies. À part cela, une femme intelligente et séduisante, mariée à un Argentin d'origine autrichienne, un des hommes les plus riches et les plus discrets de la planète, un de ces hommes qui ont leurs petites et grandes entrées dans tous les palais présidentiels, toutes les ambassades du monde. En d'autres termes, une grosse colère de la baronne était de nature à faire transpirer d'angoisse pas mal des huiles des ministères. Or Mme von Hopenburg avait tempêté, formelle : son oncle qu'elle avait adoré était incapable d'une « saloperie » comme celle que révélait le contenu de son disque dur. Une enquête feutrée avait donc été confiée à la BIS pour établir la vérité. Tout le monde devait avancer comme sur des œufs, ce qui expliquait que le SRPJ concerné ait été mis de côté.

La veille, Yann Lemadec avait été chargé de ce dossier dont il se serait volontiers passé. Excellent analyste, ses années d'études en psychologie lui permettaient de digérer les données différemment, de les interpréter en composant une sorte de partition neuronale. Il laissait les téléchargements, les liens, les tentatives plus ou moins habiles d'effacement de mémoires, les anonymiseurs, aux analystes informaticiens. Lui se concentrait sur l'esprit humain. Yann avait procédé selon une stratégie qui lui réussissait bien : chercher la faille, la faille humaine qui se traduirait par une faille numérique. Aucune construction intellectuelle, aussi habile soit-elle, n'y échappe. En revanche, cette approche implique une caractéristique assez particulière : une insatiable curiosité pour les êtres, leurs œuvres, ou leurs actes. Elle sous-entend aussi d'avoir appris à lire sous les masques. *Prends l'habitude, à chaque action d'autrui, de t'adresser, autant que possible, cette question : « Quel est son but véritable*[1] *? »* Bien davantage qu'une devise ou une simple maxime. En fait, Yann savait d'expérience qu'il s'agissait là du résumé des comportements humains. *Sui generis*[2]. Nous faisons ce que nous sommes, informatique ou pas. Nos actes parlent de nous plus sûrement qu'une déclaration. Sous nos maquillages d'intentions, d'espoirs ou de regrets, bref sous le voile de nos fantasmes ou de nos mensonges, l'acte met à nu notre esprit, notre âme, ce que nous sommes. Les subterfuges de la parole, des attitudes, des affirmations ou dénégations ne résistent pas à la crudité de l'acte dépouillé de ses cosmétiques.

Yann avait passé la journée précédente à éplucher les jugements des procès dans lesquels Thomas Delebarre avait été le représentant de la loi. Une voie déjà suivie par la PJ lors de son enquête préliminaire. Sans surprise, feu l'avocat général avait appliqué la sèche rigueur des textes. À l'instar des flics avant lui, Yann n'était pas parvenu à mettre en évidence un acharnement particulier ou une complaisance suspecte lors des trois procès de pédophiles dans lesquels il avait été impliqué. L'un d'entre eux concernait un réseau démantelé grâce à l'opération Icare, une collaboration de plusieurs pays européens

---

1. Marc-Aurèle, *Pensées pour moi-même*.
2. De sa nature, de son essence.

dont le Danemark, via l'organisation policière européenne Europol. Les enquêteurs étaient parvenus à remonter jusqu'à des studios de tournage de films d'un genre très particulier où des bébés et des enfants en bas âge étaient violés par des adultes. Les fichiers étaient ensuite échangés en peer-to-peer, neuf mille heures de vidéos qualifiées par les enquêteurs « d'extrêmes et des pires images imaginables[1] ». Six personnes au contact direct avec leurs petites proies avaient été arrêtées en France. D'une voix qualifiée d'implacable par un chroniqueur judiciaire, Thomas Delebarre avait exigé et obtenu la peine maximum pour chacun des accusés. Il avait terminé son impitoyable plaidoirie d'un : « Vous êtes la lie, le honteux déchet de cette humanité ! Vous êtes pis que des meurtriers. Vous saccagez l'innocence, notre bien le plus précieux, pour satisfaire vos vomitifs désirs ! »

La formule avait intrigué le psychologue en Yann. Delebarre, de l'avis prudent de tous, n'avait rien d'un homme chaleureux ni même sympathique. En revanche, tous vantaient son sens de l'éthique et sa connaissance encyclopédique de la loi. Une de ses anciennes secrétaires, interrogée par les policiers, avait confié : « En plus, il ne se prenait pas pour de l'eau de bidet. Mais c'est de famille, son frère Charles est pareil. À leurs yeux, les Delebarre sont le sel de la terre ! » Un tel homme n'aurait pas qualifié des individus ayant les mêmes penchants sexuels que lui de lie de l'humanité, de honteux déchets. Certes, il ne s'agissait que d'une évaluation très superficielle à partir d'un profil psychologique que Yann commençait à peine à dessiner. Il ouvrit l'épais dossier d'enquête qu'on lui avait remis avec l'ordinateur portable de l'avocat général. Une moue plissa ses lèvres. Rien n'avait été laissé au hasard. L'identification judiciaire avait travaillé presque deux jours dans la maison de Mougins. Cette débauche de moyens et d'effectifs se justifiait sans doute par la position du défunt, et

1. Décembre 2011. 112 personnes furent arrêtées.

surtout celles de son frère et de sa nièce baronne. Il ne leur avait fallu que quelques dizaines de minutes pour faire apparaître sur l'écran de l'ordinateur portable des photos et des vidéos mettant en scène des enfants en très bas âge.

Quoi qu'il en fût, le meurtrier de Thomas Delebarre n'avait laissé aucun indice permettant de dégager la plus infime piste. Ni ADN ni empreinte digitale, ni empreinte de pas. La femme de ménage, une certaine Colette Sermattini, avait certifié lors d'un interrogatoire marathon n'avoir jamais aperçu dans la maison le couteau qui avait tailladé l'avocat général. Un couteau dit de chasse, dont la lame possédait un fil cranté, terminé d'un manche en plastique épais imitant la corne. Une arme banale qu'on devait trouver dans tous les magasins de bricolage de France et de Navarre, voire les étals d'ustensiles de cuisine sur les marchés. Colette Sermattini avait été priée d'inspecter scrupuleusement la demeure afin de déterminer si quelque chose avait été dérobé. Rien, selon elle. Les paupières gonflées de sa crise de larmes, elle avait conclu : « Ce sont pourtant pas les belles choses qui manquent ici ! Des choses chères, et des tableaux et puis des objets en argent et des beaux livres dont M. Thomas disait qu'ils mériteraient de se retrouver au musée. Des ouvrages de droit très anciens. Paraît qu'ils valent une fortune. »

Les enquêteurs restaient donc avec trois hypothèses, si du moins l'on accordait foi aux pulsions malsaines de l'ancien avocat général : la vengeance d'un parent, la découverte fortuite du contenu de son disque dur par une autre personne ayant dégénéré en explication puis en meurtre, ou un litige avec un pourvoyeur de pédopornographie. Cette dernière possibilité semblait la moins probable puisque ce type de « denrées » s'échange en général sur des circuits très confidentiels, notamment sur le web profond.

Yann explora durant une bonne heure le portable de l'avocat général. Un truc le déroutait, sans qu'il parvienne à le définir. Il se leva. Un bon café s'imposait. Enfin, « bon » en ce lieu relevait d'un optimiste certain. Du moins était-il gratuit, pour l'excellente raison que, hormis la nicotine, interdite bien sûr, la caféine restait un alcaloïde légal propice au travail intellectuel. Jusqu'à ce qu'un pisse-vinaigre en mal de minuscule notoriété se mette en tête de monter un jour une croisade anti-café.

Il avala le breuvage âcre mais revigorant adossé au mur du couloir, en réfléchissant. Un truc ne collait pas. Plusieurs, même. Quoi ?

— Tu sais que mon cœur, ma main et plus sont toujours disponibles, mon tout beau ?

Il tourna la tête et sourit. Lucie. Aussi haute que large, âgée d'une cinquantaine d'années, Lucie Dormois, ex-Mme de Noisoury, était leur meilleure analyste informaticienne. Elle avait été virée une dizaine d'années plus tôt d'une boîte d'informatique qui assurait la maintenance du parc d'ordinateurs de très grosses entreprises, au prétexte qu'elle était trop vieille, plus assez rapide. « Et trop grosse », ajoutait-elle, vacharde. « Sûr que je détonais au milieu de toutes ces nanas qui entrent en tornade dans une pièce, sans faire le moindre courant d'air. » Yann adorait ses reparties cinglantes : « Quoi, rapide ? Et quand tu baises, faut que ce soit rapide ? Ben, un ordinateur, c'est pareil. Quand tu lui fais ça à la va-vite, il frémit et ça s'arrête là. Si tu prends le temps, que tu le câlines, il s'ouvre et se découvre. Le coït façon lapin, ça ne marche pas. Ni avec les femmes, ni avec les bécanes. »

Lucie était divorcée, mère de deux grands enfants, l'une vivant en Australie, l'autre à la Réunion. L'éloignement la peinait, mais elle avait l'élégance de ne l'évoquer que rarement.

— Je sens que tu as des soucis, mon poussin.
— Ouais.
— Je peux t'aider ? proposa l'informaticienne.
— Sans doute. Ça coince pas mal. Il s'agit de l'affaire concernant ce type...
— L'avocat général ?

— Hum…

— Pas le genre dont je raffole… Tu penses qu'il est soupçonné à tort de pédophilie ?

— Je ne sais pas encore… En tout cas, je suis surpris de la facilité avec laquelle on a pu cracker le mot de passe.

— Ah, alors là, il faut te démener, Yann. On ne peut pas permettre qu'une telle dégueulasserie entache la réputation d'un homme s'il est innocent.

— Bien d'accord avec toi, jolie Lucie.

Le qualificatif « jolie » la fit pouffer.

Il détailla sa chevelure très frisée, retenue par deux grosses barrettes, qui lui dessinait une aura autour du crâne, sa belle peau fraîche et sa lèvre supérieure découpée en cœur. Les plus belles bouches féminines, selon Yann, qui sourit :

— Je maintiens !

— Je pourrais perdre dix kilos, minauda-t-elle, quand même flattée.

— En effet, mais si c'est pour te friper, ou perdre ton énergie, inutile !

— T'es vraiment pas mal non plus, tu sais, dans le genre viking.

Yann le savait, non que cette caractéristique l'intéressât beaucoup, si ce n'est que la beauté rend tout plus facile. Grand, d'une belle minceur musclée, les yeux d'un bleu profond de mer froide, les cheveux ondulés très blonds, il était, en effet, considéré comme un beau spécimen de mâle. Les regards insistants et conquis des dames et de quelques messieurs l'avaient d'abord intimidé. Il n'y prêtait désormais plus attention.

— En costume, tu dois en jeter. Enfin, je veux dire sans tes pulls informes et tes jeans fatigués. Tu sais ce qu'est un costume, au moins ?

— Oui, j'en ai porté un à l'enterrement de ma grand-mère puis de ma mère il y a deux ans. Le même.

Lucie le dévisagea, son sourire amusé mourant.

— Désolée. Je voulais juste plaisanter. Pas drôle. Nulle.

— Pas grave. Écoute, Lucie, je vais continuer et je prends très au sérieux ta proposition d'aide.

— Ça marche ! En ce moment, je n'ai pas grand-chose. Je m'ennuie un peu et quand je m'ennuie… je mange. Et pas des bâtonnets de carotte, ou de céleri !

Durant l'heure qui suivit, Yann Lemadec se contraignit à visionner à nouveau les fichiers renfermant des photos et vidéos vomitives. Il éplucha les mails de feu l'avocat général. Rien que de très banal. Quelques échanges avec son frère Charles, avec sa nièce Eugénie, des discussions techniques et jargonneuses sur des points de droit avec d'anciens pairs, des propositions d'ouvrages émanant de libraires d'occasion spécialisés dans la loi. Yann déroula le journal de bord de ses récentes connexions sur Internet. Là encore, rien de surprenant ou d'intéressant.

La phrase qu'aimait à répéter l'une de ses profs de psychologie lui revint à l'esprit. *Ce qui manque est aussi révélateur, sinon plus, que ce qui est présent.* Que manquait-il sur cet ordinateur ? Un ordinateur de pédophile violent. Tout reprendre au début, en inversant le raisonnement. L'ordinateur d'un avocat célèbre, qui continuait à s'intéresser de près au droit. Le droit, les divers codes épais comme des bottins, la monumentale jurisprudence, le Journal officiel. Des giga-octets. D'autres giga-octets pour stocker les photos et les vidéos clandestines. Il se redressa et souffla de stupéfaction. Les pédophiles sont obsédés par leur vice. Il remplit une grande part de leur vie intime. Ils téléchargent le plus souvent des milliers de photos et des centaines de vidéos. La bécane de Thomas Delebarre n'avait pas assez de mémoire pour satisfaire une telle obsession. Surtout, manquaient les codes épais, la jurisprudence, le Journal officiel. Or, dans ses mails à ses anciens confrères, Delebarre citait la loi assortie des pages concordantes dans les ouvrages de référence, et il y a longtemps que les bureaux d'avocats ne sont plus surchargés de codes « physiques ». La recherche des suppressions devenait un peu trop calée pour lui, mais Lucie allait se plonger dedans avec délice, surtout si ça lui évitait d'engouffrer un paquet de madeleines.

De fait, Lucie s'immergea voracement dans les mémoires de l'ordinateur. Elle sembla oublier la présence de Yann à ses côtés. Il était toujours surpris par cette propension des informaticiens à parler à leurs machines. Lucie ne dérogeait pas à la règle, y allant de mots doux ou d'admonestations sur le mode « Allez, mon poussin, dis la vérité à maman. Faute avouée est à moitié pardonnée », ou « Bon, je vais m'énerver. Faudrait pas me prendre pour une débile, mon gars. » Après trois quarts d'heure de manips diverses et variées durant lesquelles Yann l'avait laissée à son monologue avec l'ordinateur, elle leva enfin le regard vers lui et serra la bouche d'exaspération avant de lâcher :

— Tu es certain qu'il devait y avoir de gros PDF sur la bécane ? Ou des zip ?

— Quasi certain. Il devait y avoir au moins le Code civil, le Code pénal, et la Jurisprudence.

— Alors, c'est qu'on a utilisé un logiciel d'effacement. Parce que balancer des fichiers dans la corbeille et la vider ensuite ne suffit pas.

— Mais on peut effacer l'effacement, non ? Enfin, retrouver les données supprimées.

— Tout dépend du logiciel, d'autant qu'il existe d'autres astuces. Mais en effet, nous avons des logiciels béton de récupération des données effacées.

Elle croisa les bras sur son torse et se laissa aller contre le dossier de son fauteuil en gonflant spasmodiquement les joues de perplexité. Elle se décida enfin :

— Je suis comme toi. Il y a des trucs qui me chiffonnent. Les utilisateurs qui stockent des images ou des vidéos ont besoin de beaucoup de mémoire. Là, on a vraiment le sentiment qu'il s'agissait d'un ordinateur strictement destiné au travail, à quelques mails et à des consultations d'Internet. Penser à utiliser un effaceur de données, sous-entend une personne un peu informée sur les réelles capacités d'une bécane. Or, il n'a jamais lancé la compression, ce qui lui aurait fait gagner de la place. Et puis tant qu'à effacer des données, en général tu écrases définitivement les sensibles, pas des codes civil, pénal ou rural ou des impôts ou que sais-je. Enfin et surtout, si tu stockes des données graphiques et quelles qu'elles soient, le mieux est quand même d'acheter des gigas supplémentaires.

— Juste. D'autant qu'il y a relativement peu de « documents » du genre illicite. Ça ne cadre pas avec le profil classique de ces mecs.

— Attends, je fais une dernière vérif facile. Ensuite, il faudra passer à l'artillerie lourde pour tenter de récupérer les données effacées.

Les doigts de Lucie volèrent sur les touches et il remarqua qu'elle avait enfin ôté son alliance, après l'avoir conservée des années suite à son divorce. Un autre amour, ou avait-elle enfin tiré un trait sur le premier ? Peut-être avait-elle tout simplement oublié l'anneau.

— Ha ! Merci, mon chouchou ! Le gentil ordinateur donne du grain à moudre.

— Quoi, quoi ?

— Tous les fichiers qui me donnent envie d'envoyer le mec qui a ça sur son ordi à l'hôpital, avant la case prison, ont été téléchargés en quelques minutes le même jour...

— Ce sont des malades, Lucie, l'interrompit-il.

— M'en fous ! Ils bousillent des gosses pour leur satisfaction, alors je m'en tape ! J'ai mis au monde et élevé deux enfants, Yann. Si un type de ce genre s'était approché d'eux, il aurait passé un sale quart d'heure.

Il n'insista pas, percevant sa virulence. Elle sourit et admit :

— Les enfants, une des rares choses qui me fasse encore sortir de mes gonds. Bref, tous ces fichiers, je dis bien tous, ont été téléchargés le 25 septembre. Thomas Delebarre s'est connecté à Internet à 22 h 14, connexion qui s'est interrompue à 23 h 06. Les images pédophiles ont été chargées entre 23 h 17 et 23 h 19. S'il faisait dans les bébés, ça lui a pris d'un seul coup.

— Le jour de son meurtre. La femme de ménage l'a retrouvé le lendemain.

— Et je parierais mon prochain paquet de tuiles aux amandes que les gros fichiers « bénins » ont été effacés peu avant pour trouver de la mémoire.

— Oh, merde !

— Double merde, puisque onze minutes avant le téléchargement, Delebarre consultait le site d'un libraire d'occasion qu'il avait mis en marque-page. Ouvrages anciens de droit. À mon avis, ses goûts de « collectionneur » se limitaient à cela.

— Quelqu'un a donc implanté les fichiers peu après sa mort.

Lucie acquiesça d'un mouvement de tête et conclut :

— Si c'est le meurtrier, il ou elle avait une sacrée dent contre maître Delebarre. Le tuer puis pourrir sa réputation.

— La réputation de la famille, rectifia Yann.

— Pardon ?

— Ils se prennent tous un peu pour la crème de la crème. Je ne veux éliminer aucune hypothèse à ce stade. À part cela, tu es une bête et un cœur.

— Oui oui, je sais, mais ça fait toujours plaisir de se l'entendre répéter par un connaisseur ! plaisanta-t-elle en affectant le plus grand sérieux. Bon, je vais vérifier le reste.

— L'artillerie lourde ?

— Le bazooka maison !

Yann réintégra son antre en sifflotant. Quelques personnes en très haut lieu seraient soulagées, d'autres afficheraient sans doute une satisfaction de façade. Dans le premier camp, les amis ou relations, voire simples alliés des Delebarre. Dans le second, ceux qui avaient sablé le champagne lorsque l'aîné avait pris sa retraite et qui savonnaient assidûment la planche du cadet. Lemadec conservait d'ailleurs ce camp au chapitre « suspects potentiels ».

La nuit était tombée lorsque Yann Lemadec expédia son rapport ultra-confidentiel au commandant Henri de Salvindon, qu'il appelait son ultra-chef ou son archi-supérieur, supérieur au point qu'il ne l'avait rencontré qu'une demi-douzaine de fois depuis son affectation à la BIS.

Contrairement à ce qu'il pensait, la réponse fut presque immédiate. Il reposa son duffle-coat en entendant la sonnerie d'avertissement de message.

« Le portable ainsi que le dossier sont à sécuriser dans le coffre de la BIS. Vous ne les quittez jamais de l'œil et personne d'autre n'y a accès sans mon accord préalable. RV demain, 7 h 10, rue de Villiers. Jusque-là, aucune communication. Je dis bien *aucune*. En aucun cas vous ne travaillez via BYOD (disaster) ! »

Rue de Villiers, à Levallois-Perret, la DCRI[1]. Yann songea que les choses prenaient un tour assez alarmant. Aucune communication ? Il en avait longuement discuté avec Lucie. Mais après tout, elle faisait partie de la BIS.

Quant à BYOD, certes, il n'était pas informaticien de génie, mais pas niais non plus. BYOD, les initiales de *Bring You Own Device*, bien sûr très vite transformées en *Bring Your Own Disaster*[2]. La pratique, économique pour les entreprises, s'était développée quelques années auparavant. Les boîtes demandaient à leurs cadres de travailler grâce à leur ordinateur et portable personnels, rabiotant ainsi sur les coûts d'équipement, jusqu'à ce qu'elles comprennent que les appareils personnels sont le plus souvent mal protégés du piratage. Très mal.

---

1. La DCRI, Direction centrale du renseignement intérieur, est née de la fusion entre la DST et les RG.
2. « Apportez votre matériel personnel » transformé en « Apportez votre désastre personnel ».

Chapitre 7

Le lendemain, 29 novembre, immeuble de la DCRI,
Levallois-Perret, France

En arrivant à 7 heures du matin devant l'immeuble, une réflexion saugrenue avait traversé l'esprit de Yann Lemadec. L'ensemble du bâtiment formait une sorte de « L » déséquilibré assez moche, mais sans doute fonctionnel. Surtout, la façade était trouée d'immenses panneaux vitrés, un comble pour une des directions les plus secrètes et opaques de France. Au creux de ces bâtiments dépourvus du moindre charme s'organisaient la défense du territoire et bien d'autres choses. Les missions de la DCRI vont du contre-espionnage à la lutte anti-terroriste, en passant par la protection du secret de la défense nationale et du patrimoine économique du pays, la surveillance des communications et la lutte contre le cybercrime, sans oublier la surveillance des groupes subversifs violents et des phénomènes de société pouvant engendrer des menaces. S'y ajoutent la lutte contre la prolifération des armes nucléaires, bactériologiques, chimiques, et balistiques et la surveillance des entreprises françaises privées et publiques dites sensibles.

Yann avait vainement cherché en quoi le meurtre de Thomas Delebarre et la tentative visant à ternir sa réputation en le faisant passer pour un pédophile violent relevaient de ces attributions. A priori, la carrière de l'avocat général, pour prestigieuse qu'elle ait été, n'avait rien de trouble, ni même de simplement déroutant. Une belle carrière, bien rectiligne dans les clous, d'une « traçabilité » remarquable. Peut-être trop, après tout ?

D'un autre côté, peut-être se creusait-il les méninges inutilement. Peut-être le commandant Henri de Salvindon avait-il des réunions prévues un peu plus tard et le recevait-il ici par commodité ?

Une sorte d'appréhension déplacée ne le quittait pas depuis qu'il avait avalé son café, debout dans sa kitchenette. Il avait travaillé durant des années en étroite collaboration avec des flics. Pourtant, ce que l'on nomme généralement les « espions », bref les services de renseignement, le mettait mal à l'aise. Il admettait l'infantilisme de sa réaction à leur égard. Il oscillait entre fascination de petit garçon fan de romans d'espionnage et réflexion critique de citoyen qui se demande combien de drames humains, de renversements de gouvernements, combien de conflits armés parés des habits vertueux de la protection des populations ou de la défense des droits de l'homme ont été facilités et parfois fomentés par les agences d'intelligence de la planète. Le monde n'étant jamais noir ou blanc, mais de toutes les nuances de gris, les mêmes agences avaient également évité plusieurs catastrophes majeures à l'Occident, notamment lors de la guerre froide.

Il passa les multiples contrôles, menés avec une impeccable courtoisie par des agents de sécurité. Yann ne douta pas que la moindre manifestation agressive de sa part lui vaudrait de se retrouver plaqué au sol, le bras retourné dans le dos. La dernière jeune femme, dont le regard fixe démentait le sourire cordial, vérifia son rendez-vous à l'écran, son badge, et passa un coup de téléphone pour l'annoncer.

— Entendu. Il monte. M. Lemadec, je vous escorte jusqu'à l'ascenseur, c'est au troisième, ajouta-t-elle en le fixant à

nouveau. Vous avez laissé votre téléphone portable au premier vigile ?

— Oui. Et je suis bien passé sous deux portiques magné-
tiques. Les employés n'ont pas de téléphone ?

— Pas d'armes ?

— Non, je ne suis pas policier, comme vous le voyez.

— Bien. Suivez-moi.

Elle patienta et attendit que les portes de l'ascenseur se
soient refermées sur lui. La cabine s'éleva, sans qu'il ait besoin
d'appuyer sur un bouton d'étage.

Une femme d'âge moyen l'attendait à l'ouverture des portes
de la cabine. Même sourire cordial, même regard intense. Il
réprima un sourire. Redoutaient-elles qu'il sorte un pistolet
bricolé grâce à une imprimante 3-D, en matière plastique,
donc indétectable sous les portiques ?

Il la suivit le long d'un couloir si désert qu'il en devenait
inquiétant. L'espèce de résine qui recouvrait le sol absorbait
l'écho de leurs pas et seul le lointain ronronnement de la cli-
matisation trouait le silence. Toutes les portes gris soutenu
qu'ils dépassèrent étaient closes. La femme s'arrêta devant
l'une et frappa discrètement avant de l'ouvrir. Elle se retourna
vers Yann et annonça l'évidence :

— Vous êtes attendu. À tout à l'heure, monsieur Lemadec.

Planté devant une grande baie vitrée, le commandant Henri
de Salvindon lui tournait le dos.

— Bonjour, monsieur, commença Yann.

Le grand homme presque maigre lui fit face. Yann fut à
nouveau saisi par le contraste entre son épaisse chevelure
argentée coupée court et ses yeux d'un marron presque noir.
Sans doute un beau spécimen du genre masculin, en dépit
de ses traits marqués, et de ses mâchoires très dessinées qui
suggéraient une austérité presque déplaisante.

— Bonjour, Lemadec. J'espère ne pas vous avoir fait lever
trop tôt.

Le ton indiquait tellement qu'il s'en fichait que Yann ne résista pas à une menue impertinence :

— Si, mais quelle importance ?

Une brève pause, puis :

— L'affaire Thomas Delebarre ?

Yann jugea à nouveau plus prudent de ne pas mentionner l'aide précieuse de Lucie, songeant qu'il avait sans doute commis une erreur en la sollicitant, sans en référer auparavant. Inutile d'avoir des ennuis et d'en procurer à l'informaticienne.

— Eh bien, c'est trouble. J'ai donc déterminé que tous les fichiers avaient été chargés sur la bécane peu après l'assassinat de…

— Je sais, Lemadec, j'ai lu votre rapport hier soir, l'interrompit Salvindon, d'un ton impatient. Vos hypothèses ?

Yann jeta un coup d'œil vers le fauteuil qui faisait face au grand bureau. Seuls un ordinateur portable, un smartphone et un stylo trônaient sur l'épaisse plaque en verre fumé. Il n'osa pas s'asseoir, n'y ayant pas été invité. Henri de Salvindon interpréta-t-il son regard ? Toujours est-il qu'il proposa avec brusquerie :

— Asseyons-nous. (Un peu radouci, il sourit.) Il ne s'agit pas de mon bureau. Nous y recevons des… invités de passage.

S'expliquait le meuble bibliothèque vide à l'exception de quelques numéros du *Monde* et du *Figaro*, qui dataient sans doute d'un mois, l'absence de tout signe personnel. Yann songea pour la première fois qu'il ignorait où se trouvait au juste le véritable bureau du commandant. Il n'avait pour le joindre, de façon très exceptionnelle et à son ordre, qu'une adresse mail. Les autres interactions remontaient la chaîne hiérarchique et Henri de Salvindon n'était presque jamais mentionné. Il se souvint de ce film des années soixante avec Cary Grant et Audrey Hepburn, *Charade*. La fragile Audrey, veuve, rencontre un agent de la CIA dans des locaux tout à fait officiels. Elle ne se rend compte qu'à la fin que leurs rendez-vous ont toujours eu lieu à l'heure du déjeuner. Lorsqu'aucun des employés ne se trouve là pour s'étonner de la présence du faux agent.

Il se morigéna. On se calme, Lemadec. Cinq personnes de la DCRI ont vérifié ton identité et ton rendez-vous avec Salvindon. En d'autres termes, il ne s'est pas introduit en douce ici. Tu lis trop de polars et de livres d'espionnage ! Cette pièce doit être équipée de telle façon que rien n'en sorte.

Salvindon posa les coudes sur le bureau et joignit les mains sur ses lèvres, ne le lâchant pas du regard.

— Euh… Donc d'une mise en scène… jusqu'au mot « PORC » inscrit sur le front de la victime, reprit Yann. D'autant que, d'après l'extrait du rapport du légiste que j'ai pu consulter, les deux coups de couteau ont été portés avec force mais précision, pour tuer. Pas l'acharnement de fureur que l'on devrait constater si, par exemple, le parent d'une petite victime s'était vengé.

— Ce qui change complètement la donne quant au mobile derrière son meurtre.

— Pas nécessairement, monsieur. Mais dans ce cas, bien sûr, il ne s'agit pas d'une vengeance liée à la pédophilie. En revanche, elle peut découler d'autre chose. Tuer puis saccager le souvenir que pouvait laisser cet homme. Terrible ! Une vengeance dans le genre implacable et vraiment haineuse. Cependant, s'ajoutent aujourd'hui, à la lumière de ces découvertes, d'autres mobiles : crapuleux ou… politiques, ou de chantage, ou…

— Politiques, du chantage ?

— Une bonne grosse boule puante politique. Ça ne serait pas une première, non ? balança Yann, acerbe. La pédophilie de l'aîné ferait désordre pour la carrière de Charles Delebarre, et puis n'oublions pas Eugénie, la nièce, baronne von Hopenburg, épouse de Günter, un personnage très important. En plus de ce que j'ignore, ironisa-t-il.

— Je ne suis pas certain d'aimer votre ton, Lemadec, lâcha Salvindon.

— C'est Bill Gates qui a dit, je crois, que lorsqu'on recrute des gens pour qu'ils pensent différemment, il ne faut pas espérer qu'ils parlent, ou s'habillent comme les autres. À quoi j'ajouterai, avec tout mon respect, que lorsqu'on souhaite que quelqu'un reconstitue un puzzle géant, mieux vaut allumer la lumière. Ça facilite la tâche.

La métaphore tira un mince sourire au commandant. Il se redressa sur sa chaise et croisa les bras. Yann y vit un geste de défense, dans son cas pas la crainte, mais l'incertitude.

— Lemadec... Je doute que vous connaissiez le Pr Alexandra Beaujeu.

— Jamais entendu parler.

— Moi non plus, du moins avant début octobre.

À la façon dont son regard filait vers l'écran de l'ordinateur, Yann sut qu'il mentait, sans en saisir la raison. Le commandant récupéra le smartphone, fit défiler les contenus puis le tendit à Yann en précisant :

— L'agenda retrouvé sur le bureau de Thomas Delebarre, non loin du poignard. Une feuille avait été arrachée, celle correspondant aux trois premiers jours de la semaine du 15 juillet 2013. Grâce à une microscopie en lumière inclinée des marques d'écriture en creux portées par la feuille précédente, les techniciens du labo sont parvenus à reconstituer ce qui était inscrit sur la page manquante. Comme vous le voyez, on trouve un rendez-vous chez l'ostéopathe le lundi à 15 h 30, plusieurs appels à passer à d'anciennes connaissances professionnelles, lundi et mardi. Tout a été vérifié, rien de suspect. En revanche, Delebarre avait tracé un triangle avec un point d'exclamation sur le mercredi 17 juillet. Comme le panneau routier qui signale un danger, crut bon de préciser Henri de Salvindon.

— J'ai obtenu, par miracle, mon permis de conduire. Bon, en Bretagne, et à part des menhirs, pas beaucoup de dangers... si on exclut les Bretons.

La boutade, un brin insolente, n'eut pas l'heur de plaire au commandant. Une moue d'agacement crispa ses lèvres. Il poursuivit :

— Ce jour-là, il avait donc rendez-vous à 14 h 45 devant le grand bassin du jardin du Luxembourg. Avec le Pr Beaujeu.

— Un lieu ouvert, bourré de touristes à cette époque de l'année, plus rassurant lorsqu'on craint d'être surveillé. Ou « surveillée » au féminin.

— Tout juste. Inutile de préciser que, sur le moment, ce nom n'a rien évoqué à personne, ajouta Salvindon en le fixant d'une étrange manière, et Yann fut à nouveau convaincu qu'il mentait. Mais le panneau de signalisation qui le flanquait a tiré une sonnette d'alarme.

Le commandant tendit la main pour récupérer son portable avant de poursuivre :

— Après recherches, il s'avère qu'Alexandra Beaujeu dirigeait le service de neurologie d'un hôpital lyonnais. Médecin-chercheur, prof à la fac de médecine, excellente praticienne. Une impeccable notoriété, jusqu'à un avertissement de l'ordre des médecins il y a une quinzaine d'années.

— À quel sujet ? voulut savoir Yann, ne comprenant pas trop le sens que prenait la discussion.

— Ah ça, à moins d'ouvrir une enquête officielle à son sujet, nous ne l'apprendrons pas facilement. Pour l'instant, nous préférons… comment dire… jouer la partie hors procédure. Toujours est-il qu'elle a démissionné peu après de l'hôpital pour raisons personnelles.

— Le lien avec Thomas Delebarre, si je puis ?

— Jusque-là ? Aucun. Il se noue plus tard. Alexandra Beaujeu était mariée à un Anglais. Un certain Terence Osborne, physicien, plus âgé qu'elle. Mariage précoce, elle était enceinte. Ils ont eu un fils unique. Colin. Un garçon décrit comme extrêmement brillant, assez timide, très gentil et bien élevé… probablement gay.

— Gay ? C'est important ?

— Pédé, pour être clair. Une caractéristique cruciale. Rien n'aurait dérapé de cette façon s'il avait été déménageur ou karatéka et fort en gueule. Aussi, ne me faites pas rigoler avec le prêt-à-penser angélique.

— La doxa bien-pensante ? Ben, ça repose parfois, contra Yann.

— Sans doute. Mais ça endort aussi. Colin était en terminale S. Il avait seize ans. L'enquête a révélé qu'il était attiré, peut-être amoureux d'un garçon de vingt ans, en terminale L. Un certain Jérôme Launay. Un dur, connu des services de police pour des vols, des deals, des coups et blessures, une petite racaille, quoi.

— A priori, mauvais choix ! Et ?

— Et Colin Osborne a été massacré. Je pèse le mot. Ils l'ont torturé au chalumeau, au cutter, émasculé, violé avec différents objets. Une boucherie qui a duré des heures, selon le légiste. Dans un garage abandonné. Cons comme leurs bites, leur unique cerveau, ils ont abandonné leurs ADN sur place.

— Ils s'y sont mis à plusieurs ? s'enquit Yann, secoué par la description assez squelettique du commandant et les heures de tortures qu'il imaginait derrière.

L'insondable sadisme humain le révoltait. Aucune espèce animale, hormis l'homme n'en est capable. Les animaux peuvent être féroces. Mais la férocité n'est jamais jouissive, contrairement au sadisme. Il existe dans le véritable sadisme une sorte de recherche d'esthétisme malsain, de délectation tordue de la souffrance d'autrui qui n'appartient qu'à l'homme. Il excluait de son propos les mises en scènes érotiques consentantes qui n'ont, le plus souvent, de sadique que le nom.

— À trois. Jérôme Launay l'a attiré. Jonathan Barbier, vingt et un ans, le meilleur copain de Launay, limite crétin, également connu des services de police, lui a prêté main-forte durant leurs… amusements. Hacine Boumaza, dix-neuf ans, a répété qu'il faisait le guet, et n'avait participé à rien d'autre. Les deux autres l'ont chargé et nous avons retrouvé ses empreintes digitales et son ADN sur une des cartouches de gaz du chalumeau, ce qui ne signifie pas pour autant qu'il s'en soit servi contre Colin. Le téléphone portable, la montre et les Nike de la victime étaient planqués chez la mère de Launay. Détail qui tue : on avait ôté les baskets du gamin avant le reste. Vu le sang qui le couvrait lorsqu'on l'a retrouvé, elles auraient été souillées et invendables.

Yann souffla en se passant la main dans les cheveux. Le commandant poursuivit :

— Nous avons mis la main sur un poème de Colin, adressé à Jérôme Launay. Assez mièvre, glorifiant son « héros ». Il avait dessiné des centaures en marge.

Le ton plat d'Henri de Salvindon trahissait sa colère mieux qu'une explosion.

— Thomas Delebarre était l'avocat général au procès des trois tueurs ? devina Yann.

— Tout juste. En appel.

— Ils ont pris combien ? C'est trente ans, non, un meurtre avec préméditation et actes de barbarie en raison de l'appartenance ethnique ou, dans ce cas, de l'orientation sexuelle de la victime ?

— Dans les textes. Mais la justice française est individualisée, rectifia le commandant, d'autant que Colin n'était plus un « mineur de moins de quinze ans ».

— Quelle *individualisation* en ce qui concernait ces trois tordus ?

— Vie de merde, pères absents, mères seules galérant dans les trois cas. Ils étaient bourrés et défoncés au moment des faits. Du moins si l'on en croit leurs avocats. De surcroît, selon les tests des experts, tous ont des QI en dessous de la moyenne. Dans le cas de Jonathan, très en dessous.

— Et Colin était brillant, ne buvait pas, ne se déchirait pas la tête à la dope et avait des parents aimants, intellectuels et très aisés. Lourd passif ! Combien ont-ils pris ? réitéra Yann.

Le commandant Henri de Salvindon récupéra le stylo et l'aligna avec soin le long de l'ordinateur. Il lâcha un soupir avant de répondre :

— Dix-sept ans en première instance, puis quinze ans pour Jérôme et Jonathan. Douze pour Hacine. Delebarre avait requis quinze ans pour les trois. Relativement clément sans être laxiste. Assez dans la norme.

— Dans la norme aussi qu'un ado en pleine confusion de sentiments meure après d'interminables heures de souffrance ?

— Lemadec, épargnez-moi les leçons de morale à deux balles. Quoi qu'il en soit, Hacine est sorti il y a trois ans et Jérôme l'année dernière. Après douze ans de réclusion. Jonathan Barbier a été égorgé en prison quelques mois après son incarcération. Dans les douches. Personne n'avait rien vu, rien entendu, sans surprise.

— Quand le Pr Alexandra Beaujeu entre-t-elle dans l'image ?

— C'est justement ce que nous ignorons. Cela étant, nous n'avons déterré aucun autre lien entre elle et l'avocat général.

— Un peu mince, réfléchit Yann.

— Oui et non. Hacine a repiqué aux deals peu après sa sortie de taule. Il a pris deux balles en pleine tête un soir, devant une boîte qu'il fréquentait. Sans doute un règlement de comptes entre petits caïds de la drogue. À ceci prêt que le tireur avait des talents de *sniper* et c'est rarement ce qu'on constate dans ce genre d'exécution. En général, ils arrosent au semi-automatique.

— Et Jérôme Launay a suivi, je suppose ?

— Hum… un malencontreux accident de la route, trois mois après sa sortie. Presque un *overkill*[1], en fait.

---

1. Sur-meurtre, emploi d'une force ou violence excessive par rapport à celle pouvant provoquer la mort. Lorsque les coups portés sont multipliés, souvent par rage.

Chapitre 8

Ludovic Bordieux souffla d'agacement. Il détestait l'odeur de ce fond de teint trop foncé et de la poudre sèche lui évitant de transpirer sous les projecteurs. Ce nécessaire plâtrage avant toutes ses apparitions devant les caméras avait pour but de lui donner bonne mine. Et encore, lui s'évitait le mascara et le rouge à lèvres infligés aux filles.

Ludovic avait obtenu une notoriété certaine en présentant la météo sur une grande chaîne publique, occupation très répétitive à ceci près qu'elle lui permettait maintenant de « faire des ménages » à droite et à gauche, présentations et campagnes commerciales, salons divers et variés ou animations d'émissions de radio. Il triplait un salaire assez modeste grâce à cela, sans compter les avantages en nature, pas toujours déclarés : frais de déplacements ou de bouche, costards neufs de marques cherchant une « visibilité » peu onéreuse, montres, vacances dans des centres de thalassothérapie ou des *resorts* à l'étranger, bagnole de simili-fonction, etc. De façon bien pragmatique, il avait décidé de profiter de cette manne tant qu'elle durerait.

Avenant, un gentil sourire en permanence vissé aux lèvres, plutôt poupin, blondinet aux yeux bleus, de taille moyenne, il représentait typiquement le genre d'homme rassurant qu'adorent toutes les belles-mères potentielles. Une grosse chance, dans son cas.

En effet, un sourire qui devenait presque une grimace. Ludovic parvenait à le maintenir dans n'importe quelle situation, faisant dire à tous ceux qui le côtoyaient : « Oh, quel type facile à vivre ! » Pourtant, il en avait avalé des couleuvres et des humiliations, sans jamais se rebeller. Et depuis sa plus tendre enfance. Au fond, lui-même n'était pas dupe. Les êtres qui s'efforcent d'ignorer toutes les vexations, les coups vicieux dans les couloirs de l'école, puis dans le travail et ailleurs se rangent en trois catégories : les saints ou, plus modestement, les vraiment bonnes pâtes – et ils sont rares –, ceux qui se contrefichent de l'avis ou du regard des autres – et ils ne sont pas fréquents –, ceux qui savent ou croient qu'ils n'auraient pas le dessus en cas d'affrontement, et/ou en redoutent les retombées – la majorité. Ludovic possédait assez de lucidité et d'honnêteté intellectuelle pour se ranger dans cette dernière sous-population.

Laetitia, la maquilleuse, continuait sans presque reprendre son souffle :

— Non, mais attends, c'est complètement dingue… il flotte et flotte et reflotte… Si ça continue on n'aura pas de neige pour les vacances d'hiver… ou alors ça va se mettre à tomber d'un coup et bonjour la galère avec les transports en commun ! Attends, l'année dernière avec mon copain Frédéric, on a été bloqués deux heures… tu te rends bien compte, DEUX heures sur l'autoroute en rentrant de week-end… le temps que les foutues sableuses arrivent… merde, quoi, c'est pas la Roumanie, ici ! Et encore, en Roumanie, la neige, ils connaissent…

Énervée, elle lui fila un coup d'éponge à fard dans l'œil.

— Oups… pardon. J't'ai pas fait mal, hein ? Tu crois que je peux retenir une semaine à la mi-janvier, à Méribel, on a un super-plan location grâce au boulot de Fred ?

— Ben, tu sais, difficile de prévoir le temps de janvier en novembre, tenta-t-il d'argumenter en luttant contre les larmes qui liquéfiaient son œil droit, irrité par le coup d'éponge.

— Ouais, ben, si c'est pour prédire le temps qu'il fera hier ou dans une heure, pas la peine ! J'ai ou j'ai pas mon parapluie, pesta-t-elle.

Ludovic s'efforça de juguler son aigreur. Cette fille était conne à bouffer du foin, inutile d'argumenter. Il avait juste envie qu'elle se taise. Mais elle ne la fermait jamais, en tout cas pas durant les trois années où il avait dû la subir quotidiennement ou presque. Il était saoulé de « Fred-ci ou Fred-ça », et redoutait le moment où elle serait enceinte, certain qu'elle gaverait tout le monde dès la rencontre réussie entre le topissime spermatozoïde de Frédéric et l'un de ses non moins génialissimes ovules. Enfin, le supplice du maquillage-monologue se termina.

Ludovic esquissa un de ses gentils sourires pour remercier Laetitia et déclara hypocritement :

— Tu es la meilleure de la chaîne.

— Ouais, je sais, mais c'est pas pour ça qu'on me paie mieux ! grinça-t-elle.

Il patienta quelques instants sur son petit plateau plongé dans l'obscurité avant l'habituelle accroche de Magalie, la présentatrice de la matinale :

— Et maintenant, Ludovic va tout vous dire sur le temps que nous aurons aujourd'hui et pour le week-end, et répondre à certaines des questions postées hier soir sur notre site.

Lumière, sourire de premier communiant réjoui. Ludovic embraya, presque en pilotage automatique. Les nouvelles météorologiques s'annonçaient fraîches et pluvieuses. A priori, la neige serait encore retenue pour quelques semaines, cependant, avec l'anticyclone, l'indice de fiabilité n'était que de 3 sur 5. Des messages, dans l'ensemble agressifs voire injurieux, défilaient sur l'écran de l'ordinateur portable posé sur le grand bureau en fer à cheval. Entre les « Vous êtes des nuls ! Vous aviez dit éclaircies sur l'ouest mardi et mercredi et il a flotté non-stop » et les « Inutile de nous rappeler le temps qu'il a fait le matin pour boucher les trous entre deux pubs. On sait ! » ou les « Bon, vos prévisions météo sont aussi fiables qu'un jet de pile ou face » ou encore les « Et on te paie combien pour cette daube ? », il en avait soupé. C'était chaque jour la même chose. Un dernier message s'afficha : « Marre de la pluie et de ce froid et ensuite, à tous les coups, on va s'emmerder avec la neige, je suppose ? »

Il vit la fureur l'envahir. Il la vit véritablement, puissante vague rouge sombre. Elle déferla dans son cerveau, tiède et réconfortante. Son éternel sourire benoît s'évanouit. Il poussa un long soupir de soulagement. Soudain, il lâcha d'une voix forte, en détachant les syllabes :

— Je vous emmerde tous ! Vous me faites chier. Ouais, il flotte et il fait froid. Ouais, il risque de neiger, c'est l'hiver, pauvres cons ! Et cet été, il va faire chaud et peut-être caniculaire. Ce sera l'été, débiles !

À l'autre bout du plateau, Magalie le fixait, la bouche entrouverte d'affolement. Un cameraman tournait la tête en tous sens, espérant l'ordre de couper l'image. En régie, les techniciens et le producteur hurlaient dans l'oreille de Ludovic, tentant de l'interrompre. Il leva le regard vers l'immense baie vitrée qui les séparait et lâcha :

— Et vous aussi, vous me faites chier ! Quant à cette conne de Laetitia, la prochaine fois qu'elle me saoule avec ses histoires pourries, je lui en colle une, et je ne plaisante pas, feula-t-il, mâchoires crispées de colère.

Les caméras se tournèrent précipitamment vers Magalie, figée d'incompréhension, pendant que le son de la liaison de Ludovic était coupé. Il arracha son oreillette et son micro-épingle, les balança au sol avant de les écraser à coups rageurs de talons. Un instant de pur bonheur. Infime mais réjouissant.

Il sortit sous l'œil médusé des gens du plateau.

Chapitre 9

— Un *overkill* accidentel ? Peu banal, rétorqua Yann tout en songeant que son ton sarcastique allait lui valoir des ennuis.

Peut-être s'était-il montré suffisamment subtil puisque le commandant ne releva pas :

— Je ne vous le fais pas dire. L'affaire a été classée en accident, chauffard en fuite. Vu le casier du défunt, les flics du coin ne se sont pas vraiment affolés. Avec la réduction des effectifs, l'explosion du trafic de drogue dans la région, les bandes de grands délinquants qui opèrent en Suisse ou autre, ils ont bien plus urgent à traiter. Cela étant, ils ont fait leur boulot. Nous avons étudié les photos de traces de pneus, sanglantes pour certaines, prises sur le lieu de l'accident, et celles du pare-chocs du véhicule de Launay. Sa voiture a été percutée par l'arrière puis poussée, à l'évidence par un gros 4 × 4 si on en juge par la hauteur de l'impact. Le scénario, qui vaut ce qu'il vaut, est qu'il est sorti de sa voiture pour aller en découdre avec l'autre conducteur. Ce dernier a embrayé et lui a roulé dessus. Puis, est reparti en marche arrière, pour l'écraser à nouveau, et a fui.

75

Yann Lemadec ouvrit la bouche. Il se ravisa et fronça les sourcils, baissant le regard vers ses chaussures.

— Oui ? l'encouragea Salvindon.

— Attendez… heu… seriez-vous en train de suggérer qu'Alexandra Beaujeu a vengé son fils en butant ses deux tueurs encore en vie dès leur sortie de prison, puis l'avocat général ? Mais c'est complètement insensé !

— Et pourquoi cela ?

— Cette femme doit avoir une bonne cinquantaine d'années aujourd'hui. Elle est neurologue et roulerait sciemment à deux reprises sur un mec, en éliminerait un autre avec la précision d'un *sniper,* avant de se faire le troisième à l'arme blanche ? Dingue !

— Elle a cinquante et un ans et a pu payer un homme de main. Il s'agit de notre unique piste.

Un signal d'alarme s'alluma dans le cerveau de Yann. Salvindon mentait, et depuis le début, entrecoupant ses bobards de faits vérifiables, la meilleure technique pour rendre un mensonge crédible. Sur toute une carrière d'avocat général, qui avait dû mécontenter pas mal de gens, parents de victimes ou coupables, on ne parvenait à déterrer qu'une piste ? Une mère dont le fils avait été massacré treize ans plus tôt ? Il eut envie de se lever et de partir en claquant la porte. Pourtant, quelque chose le retint.

— Et le père de Colin, Terence Osborne, il est mort ?

— Pas que je sache. Ils ont divorcé un an et demi après l'assassinat, peu de temps après l'adoption d'un bébé cap-verdien. Ce genre d'effroyable épreuve soude un couple ou le démolit, chacun rejetant la faute sur l'autre.

— Dans l'inepte espoir de trouver un coupable à qui s'en prendre… compléta Yann.

— À ceci près que deux véritables coupables allaient sortir de taule et qu'elle le savait, rectifia le commandant.

— Et pourquoi pas le père ? Pourquoi le père n'aurait-il pas descendu les tueurs de son fils ?

— À cause de ce rendez-vous du Pr Alexandra Beaujeu avec Thomas Delebarre dans le jardin du Luxembourg, et d'une intuition.

La repartie cinglante sortit avant que Yann ne puisse la retenir :

— Si on fait dans l'intuition et la boule de cristal, on n'est pas sortis de l'auberge !

— Parce que la psychologie serait une science exacte ? ironisa Salvindon.

— Certes pas, mais on en tire des techniques qui ont fait la preuve de leur efficacité, contrairement au marc de café. D'ailleurs, vous me payez pour analyser des données ! Je suppose que ma formation en chimie organique vous intéresse moins.

À nouveau, ce plissement de bouche mécontent. À nouveau ce soupir d'agacement. Le commandant Henri de Salvindon n'avait l'habitude ni de l'obstination, ni de l'insolence de la part de ses subordonnés. Pourtant, il temporisa :

— Lemadec, je persiste à croire que vous êtes l'élément idéal pour débroussailler le chemin. Bien sûr, un échelon au mérite est envisagé.

— Dans mon cas, la carotte a toujours mieux fonctionné que le bâton.

Et Yann n'eut plus aucun doute. Salvindon le promenait et le manipulait depuis une bonne demi-heure. Cette certitude l'ulcéra d'abord puis, très vite, l'amusa. Pourquoi ? Obtenir son aide, bien sûr. Mais pourquoi lui ? Le commandant avait à sa disposition au moins une cinquantaine d'hommes, très formés et bien plus obéissants. Mais justement, il protégeait SES hommes, sur une base classique de donnant-donnant. Tu fais ce que j'ordonne, je te protège. Lui avait toujours un peu été considéré comme un électron libre, un « raisonneur », et il semble que le raisonnement critique ne soit pas prisé dans certains corps de métier. Il faisant donc office de fusible « cramable » en cas de besoin. Toutefois, cela n'expliquait pas tout, loin de là. Yann ne doutait pas que Salvindon disposait d'une pleine pochette de fusibles. L'affaire Delebarre était infiniment plus complexe qu'il n'y paraissait. Qu'y avait-il derrière ? Pour qui courait Salvindon ? L'État, la DCRI, le ministre de l'Intérieur, des gens très importants mais tout aussi discrets, ou lui-même ? La colonne des « pour » versus celle des « contre » défila dans son esprit. Un seul item retint véritablement son attention : autant l'admettre, il s'emmerdait pas mal dans le bel hôtel de la place Beauvau. La perspective de continuer sur le même train-train en attendant la retraite lui donnait parfois le vertige. L'idée qu'il allait passer sa vie à analyser des documents, des interrogatoires, des photos, le tout derrière son écran, le hérissait. Gérer quelques urgences aux yeux des deux ministres qu'il avait côtoyés, urgences qui lui semblaient si secondaires qu'il avait peine à déterminer pour quelles raisons elles mettaient la BIS sens dessus dessous, le fatiguait d'avance. Un peu d'aventure et d'inconnu, mon bon Yann ? Oui, mon bon Lemadec, mais tu gares la peau de ton cul ! Ça commence maintenant. Ne montre pas que tu flaires l'arnaque. Joue-la fonctionnaire diplômé de psycho, méfiant juste ce qu'il faut.

Il prit son élan et débita d'un ton un peu tendu :

— Je ne suis pas flic mais analyste.

— Justement, nous avons besoin de quelqu'un qui réfléchisse différemment.

Ou d'un pigeon, rectifia Yann pour lui-même.

— Je n'ai aucun pouvoir en termes d'investigation.

— Merci de me rappeler ce qu'est un flic, le rembarra Henri de Salvindon.

Ce fut au tour de Yann de marquer son déplaisir. Il hésita une seconde et déclara d'un ton ferme :

— Je ne joue pas le rôle de fusible lorsque existent de grosses chances de me faire griller ! Je le répète : je suis fonctionnaire, pas flic, et encore moins agent de renseignement sur le terrain. J'obéis à ma hiérarchie, au descriptif de mon poste. En d'autres termes, je fais dans mon bac à litière et je gratte la sciure ensuite !

— Je *suis* votre hiérarchie.

— Faux. Ma hiérarchie ultime n'est autre que le ministre de l'Intérieur.

Une véritable stupéfaction se peignit sur le visage du commandant, qui ouvrit la bouche pour protester. Mais Yann lui coupa la parole :

— Parce que, franchement, je ne comprends pas. On demande à un analyste psychologue d'enquêter sur le meurtre d'un avocat général et sur la culpabilité éventuelle d'une femme, ancien professeur de médecine ? Le tout dans la plus grande discrétion ? Sans juge d'instruction, rien ?

Le poing d'Henri de Salvindon s'abattit sur la plaque de verre. Le stylo frémit et roula. Il éructa :

— Mais qu'est-ce que vous croyez, Lemadec ? Que je bosse pour mon compte ou pour celui d'obscurs intérêts politiques ou financiers ?

— Non, non… mais… rétorqua Yann dans un haussement d'épaules faussement embarrassé.

— Changez de littérature !

— Elle s'inspire le plus souvent de quelque chose. Écoutez, monsieur… Je ne veux pas me mettre en porte-à-faux. En d'autres termes, je veux un ordre de mission signé de vous. Je veux des certitudes qui indiquent que je ne suis pas en train de me fourrer dans le pire guêpier qui soit.

— Vous souhaitez que le ministre de l'Intérieur vienne vous chanter une berceuse ?

— On peut sauter l'étape berceuse.

— Et, en contrepartie, vous vous engagez. Nous exigeons une absolue confidentialité pour l'instant.

— Sauf si je me retrouve en taule.

— Personne ne vous jettera en prison sans mon accord, voyons.

— Justement.

— Je devrais mal le prendre, mais je commence à me faire à votre humour de chiottes, lâcha le commandant. Un peu petit garçon rebelle, toutefois.

Yann secoua la tête en souriant :

— Ah, mais l'enfance jouit d'un énorme privilège : garder ses rêves.

— Certains adultes aussi, mais, c'est plus ardu, je vous le concède, murmura Salvindon. Nous sommes d'accord ? Je peux compter sur vous ?

— Après l'ordre écrit, oui.

Salvindon se leva et se dirigea vers la bibliothèque en bois sombre. Du pur Ikea, songea Yann, grand amateur du modèle Billy dont il avait tapissé les murs du salon de Bretagne. Le commandant ouvrit les battants du placard situé sous les étagères et en tira un dossier qu'il fit glisser sur le bureau en indiquant :

— Tout ce que nous avons glané au sujet d'Alexandra Beaujeu. Elle n'a pas de comptes sur les réseaux sociaux, aucun.

— Oh là, une lourde sociopathe, je vois, ironisa à nouveau Yann. Au fait, moi non plus.

Le commandant le détailla et jugea sans doute préférable de ne pas relever. Au lieu de cela, il déclara :

— Vous aurez une lettre de mission signée de ma main dès cet après-midi. Les différents services concernés seront informés afin de vous laisser le champ libre. M. le ministre vous confirmera, si vous avez le culot de le lui demander, que je ne suis ni une taupe à la solde de la CIA, de la NSA[1], du MI5 ou des Martiens. À part cela, M. le ministre fait partie des gens très très occupés. On arrive donc devant lui avec la solution, pas avec le problème et des états d'âme ! Ça vous va ou dois-je signer avec mon sang ? railla-t-il.

---

1. National Security Agency.

À ceci près que Salvindon savait parfaitement bien que Yann n'irait jamais frapper à la porte du ministre de l'Intérieur.

— Quel crédit pourriez-vous m'accorder si je ne me méfiais pas, monsieur ?

— Touché. Encore une fois, Lemadec, je suis et reste votre unique interlocuteur dans cette affaire. Utilisez votre cerveau, votre… je ne sais pas… expertise psychologique, flair, intuition… Vos muscles et les techniques policières habituelles ne m'intéressent pas.

— Je ne saurai bien sûr pas ce qui se cache derrière ? Car il ne s'agit pas simplement d'une enquête sur un meurtre, en dépit de la personnalité de feu l'avocat général, résuma Yann.

— En effet. Vous n'avez pas à le savoir. Pour l'instant. Bonne journée, Lemadec.

Il ne lui tendit pas la main mais composa un numéro sur son portable :

— Claudine, pourriez-vous raccompagner M. Lemadec à l'ascenseur ? Merci. Yann, considérez que votre mission commence dès maintenant. J'attends de vos nouvelles.

— Bien, monsieur. Au revoir.

Une fois seul dans la cabine, il se laissa aller contre la paroi. Quelle histoire ! Avait-il réagi avec intelligence ?

Il récupéra sa pièce d'identité, son badge et son portable et sortit du bâtiment. Une petite balade dans Levallois-Perret, un café-croissant lui détendraient les nerfs. Il abandonna la rue de Villiers et marcha au hasard. Quelques minutes plus tard, il plongea la main dans une des poches de son treillis marron et en tira un petit enregistreur numérique Olympus. Une merveille de plastique rigide et d'aluminium, indétectable par un portique.

Il poussa le bouton de lecture :

— *Bonjour, Lemadec. J'espère ne pas vous avoir fait lever trop tôt.*

— *Si, mais quelle importance ?*

Il avança dans l'enregistrement :

— *Thomas Delebarre était l'avocat général au procès des trois tueurs ?*

— *Tout juste. En appel.*

Un peu plus loin :

— *Parce que la psychologie serait une science exacte ?*

— *Certes pas, mais on en tire des techniques qui ont fait la preuve de leur efficacité, contrairement au marc de café.*

Parfait. Toute la conversation était enregistrée. Psychologue, chimiste, mais pas fusible complaisant !

Chapitre 10

Dire qu'elle avait jusque-là détesté les dimanches, jusqu'au jour où avait débuté sa correspondance avec Apollo, rencontré sur un forum spécialisé. Il était très brun, les cheveux mi-longs, épais, coupés en carré. Il ne pouvait en être autrement avec un tel pseudonyme. Ses yeux, presque noirs, trahissaient un métissage indien d'Amérique du Nord, qui émouvait Artemis. C'est insondable, un regard presque noir, évoquant l'eau d'une cuvette volcanique. En réalité, elle est limpide, du pur cristal. La roche en dessous la fait paraître noire.

Ils n'avaient échangé qu'en de rares occasions par webcam interposée. L'oral ne convenait pas à leurs discussions. Cependant, elle lui avait envoyé une photo du petit corbeau blanc, du blanc laiteux de sa peau, bec entrouvert, ailes déployées, stylisé par le jeune tatoueur. D'un ton las mais bougon, celui-ci avait refusé l'emplacement qu'elle avait choisi, sous le sein. Trop risqué, selon lui, et elle avait opté pour le haut de la cuisse. Lorsqu'elle l'avait savonnée dans son bain le lendemain soir, frôlant à peine la peau encore rouge d'irritation, Jeanne avait exigé des explications d'un ton nerveux. Artemis avait évoqué un pari avec une amie rencontrée sur Facebook. Elle se contraignait deux ou trois fois par semaine à quelques échanges de platitudes sur le réseau social. Elle n'avait rien à dire à des êtres qu'elle ne connaissait pas, et qui ne savaient d'elle que l'inoffensive fable qu'elle avait inventée à leur unique profit. Mais la mention du réseau, de cette prétendue amie avait rassuré Jeanne. Celle-ci avait quand même lourdement insisté sur la stérilisation des instruments. Artemis avait ri, l'assurant que les tatoueurs n'avaient plus rien à voir avec les scarificateurs d'antan.

Jeanne avait exigé :

— Bon, un petit oiseau de 4 cm², en haut de la cuisse, ça va encore. Mais tu ne te fais pas tatouer un gros machin sur le cou, le bras ou la jambe. Et si jamais tu te fais tatouer un truc sur le visage, je t'étrangle. En plus, si la mode passe, l'effacement n'est pas simple. C'est quoi, comme oiseau ?

— Je ne sais pas au juste. Je l'ai choisi sur le book du tatoueur, avait menti Artemis.

Jeanne savourait son long bain dominical. Une douche de *Marines*, comme elle disait, deux minutes montre en main, était réservée aux jours de semaine. Au contraire, le rituel du bain durait en général deux bonnes heures, puisqu'elle en profitait pour se faire un masque, s'épiler les sourcils, se raser les mollets et les aisselles, se masser avec un lait hydratant, se manucurer et se « pédicurer ». Elle terminait en se maquillant, alors même qu'elle ne sortirait pas le soir, et se démaquillerait trois heures plus tard, juste pour le plaisir. Elle l'avait nommé le plan-poupée-Barbie-presque-senior, ajoutant à chaque fois :

— Un peu de frivolité n'a jamais nui à une femme !

Tendant quand même l'oreille pour s'assurer que Jeanne ne risquait pas de débouler dans son antre, Artemis tapa son mot de passe et pénétra dans sa messagerie. Un sourire fit frémir ses lèvres. Ainsi qu'elle s'y attendait, un mail d'Apollo était arrivé dans la nuit.

Artemis, *my beloved twin,*

How do I feel ? did you ask[1]. Comme un nageur à bout de force lorsqu'une île minuscule mais très ferme est apparue à l'horizon. Tu es mon île. Une île magnifique et sauvage. Une île que la montée inexorable des eaux ne submergera jamais.

You said : « *I know you were terribly disappointed, maybe devastated. I was, I cried all night*[2]. » Non, précieuse Artemis. La nouvelle ne m'a pas laminé parce que je m'y attendais un peu. Ce n'est pas en moi. Ce qu'ils recherchent n'est pas en moi. Souviens-toi : je n'ai pas pu tuer Koronis, mon épouse adultère. Je t'ai suppliée de l'exécuter à ma place.

Mon seul regret dans ce jugement, dans cette sentence, devrais-je dire, se résume à toi. Cette option était la dernière de nature à me permettre de t'accompagner longtemps. Le reste importe peu, au point qu'il ne me semble pas utile de m'étendre à ce sujet.

Parlons d'autre chose, veux-tu ?

Les meurtres avec démembrement ou cannibalisme se multiplient ici. Le cannibalisme, contrairement à la doctrine lénifiante, a existé très longtemps et dans de nombreuses peuplades, dont celles d'Europe. Mais il s'agissait d'honorer des morts, de s'approprier leur force et leur valeur, ou simplement de bouffer lorsqu'il n'y avait plus rien d'autre. On passe maintenant à une sorte d'esthétisme gerbant, comme tu dis. Certains postent leur vidéo de meurtre ou de « festins » sur le web, notamment profond. Un trophée, une super-blague, une réussite ? Je ne sais pas trop, si ce n'est qu'il s'agit de la négation de la vie et même de la mort de l'autre.

---

1. Artemis, ma jumelle aimée. Comment je me sens ? m'as-tu demandé.

2. Tu as dit : « Je sais que tu as été terriblement déçu, peut-être même assommé. Personnellement, j'étais effondrée. J'ai pleuré toute la nuit. »

Andrea H. Japp

Tu parles avec justesse de la pyramide des besoins de Maslow[1], indémodable, sans doute en raison de sa vertigineuse pertinence. D'abord, bien sûr, la satisfaction des besoins physiologiques, la respiration, le sommeil, l'élimination, la faim, la soif, la sexualité. Les besoins de sécurité ensuite : la recherche d'un environnement stable, connu, prévisible. La tanière, la maison. Puis viennent les besoins d'appartenance et l'affection des autres : la recherche de la compagne ou du compagnon, l'amour des enfants. Arrivent ensuite les deux derniers besoins, dont le défaut explique bon nombre de carrières de tueurs en série. Le besoin d'estime, obtenir la confiance et le respect de soi, la reconnaissance et l'appréciation des autres. Enfin, le besoin d'accomplissement : faire quelque chose qui prouve que nous existons à nos propres yeux et à ceux des autres. Laisser une sorte de trace, quelle qu'elle soit. Avant, on traversait l'océan en solitaire, on grimpait en haut de l'Himalaya, on inventait les vaccins, on découvrait l'ADN. Ou alors, on se contentait d'être un bon père de famille et un voisin précieux. Aujourd'hui, on tue et on poste ses œuvres sur Internet. Ça demande bien moins d'efforts intellectuels, bien moins d'efforts tout court. À ceci près que plus personne ne sait qui a traversé l'Atlantique en solitaire, et que peu de gens ont appris les noms des découvreurs de l'ADN. Tout le monde se souvient en revanche de ce beau connard de Luka Rocco Magnotta qui, après avoir étouffé des chatons et posté les vidéos, aurait dépecé un étudiant et envoyé des bouts de cadavres à des partis politiques[2]. On en fait une star. Il a été élu « personne ayant le plus marqué l'actualité en 2012 » par la presse canadienne. Tout le monde a par ailleurs, ici, entendu parler de Russell Williams, un colonel.

1. Abraham Maslow. Cette théorie apparut dans son article de 1943, « A theory of human motivation », *in Psychological Review.*
2. Lefigaro.fr, 31/05/2012.

Il a plaidé coupable. Il a filmé le martyre de deux femmes qu'il a violées, martyre qui, pour l'une, a duré quatre heures et demie. Alors qu'elle le suppliait, il lui a collé les narines et la bouche avec du scotch et l'a filmée suffoquant, jusqu'à la fin[1]. Un étudiant du Maryland a quant à lui avoué avoir tué son colocataire avant de le découper pour manger son cœur et un bout de son cerveau[2]. Et puis, bien sûr, ce dingue de Miami qui s'est jeté sur un SDF et lui a dévoré 80 % du visage[3]. La police a mis en cause les *bath-salts*[4] et/ou le PCP[5]. Un autre s'est découpé la peau et les intestins pour se servir de ses bouts de barbaque comme projectiles contre des policiers[6].

J'arrête, la liste est interminable.

Les questions lancinantes se succèdent dans mon esprit. Comment expliquer que nous bousillions si volontairement la plus éclatante réussite de la biologie, qu'aucune machine ne parviendra jamais à reproduire : le cerveau humain. Cette fabuleuse machinerie qui apprend avec son intellect, avec ses émotions, avec ses sens. Les enfants gravement malades physiquement ont rarement de conduites à risque :

1. Le 23 novembre 2009. Lepoint.fr, 20/10/2010.
2. Lemonde.fr, 01/06/2012.
3. Lefigaro.fr, 28/05/2012.
4. Les sels de bains (*bath-salt*), appelés ainsi parce que les trafiquants les conditionnaient dans des flacons de ce produit, renferment souvent de la méthylènedioxypyrovalérone (MDPV), de la méthylone ou de la méphédrone. Cependant, comme avec toutes les drogues de synthèse, leur composition peut varier. On sait assez peu de choses concernant leurs actions sur le cerveau, mais ils agissent sur des neurotransmetteurs. Ils sont souvent associés à des épisodes de paranoïa aiguë, des hallucinations, des attaques de panique et des comportements très violents.
5. La phencyclidine, très dangereuse, à l'origine synthétisée comme anesthésiant. En raison de son faible coût, on la trouve souvent mélangée à la cocaïne ou aux *bath-salts*. 8 % des adolescents canadiens l'auraient déjà expérimentée.
6. Dans le New Jersey, lemonde.fr, 30/05/2012.

drogues, jeux à la con ou autres. Pourquoi ? Faut-il avoir connu la souffrance au tréfonds de ses cellules, avoir vu sa mort pour aimer et choisir avant tout la vie ? Est-ce cela dont souffrent nos sociétés : un ennui de confort qui émousse tant les sensations qu'on les cherche dans des poisons létaux à plus ou moins brève échéance ? Faut-il être véritablement malheureux pour apprécier le bonheur ?

Fall is here and winter is coming. It will last[1].

Je t'aime, Artemis.

Apollo.

Artemis avala la dernière gorgée de thé, maintenant froid. Elle aimait le thé très fumé, très fort et très noir. Du Tarry Souchong avec juste une goutte de lait, une hérésie selon Jeanne. Celle-ci barbotait toujours dans son bain de mousse parfumé à l'iris. Sans doute avait-elle vidé un peu son bain devenu trop tiède afin de faire couler une eau presque bouillante. Ainsi, elle pourrait encore rêvasser un quart d'heure. Artemis l'imaginait, l'ourse magnifique, modelant des amas de mousse, soufflant sur les minuscules bulles agglomérées pour les projeter vers ses pieds comme de petits nuages humides.

---

1. L'automne est là et l'hiver arrive. Il durera.

Chapitre 11

Au même moment, 1er décembre, Paris, France

Une heure plus tôt, Ludovic Bordieux avait reçu un appel, celui d'un interlocuteur masculin, lui enjoignant de façon comminatoire de prendre du recul et de se faire oublier. L'homme avait conclu d'un : « Premier et dernier avertissement, Ludovic. »

La communication avait été coupée.

La panique lui avait coupé les jambes. Enfin, il était parvenu à se traîner dans la salle de bains pour s'asperger le visage d'eau glacée.

D'une main tremblante, il porta son verre à ses lèvres et avala le whisky d'un trait. Il récupéra le carnet qui traînait non loin de son ordinateur portable et jeta quelques phrases, les ratura, arrachant une feuille, recommençant.

Dix minutes plus tard, Ludovic Bordieux présenta d'émouvantes excuses via les réseaux sociaux. En dépression nerveuse à la suite d'une éprouvante rupture, bourré d'antidépresseurs et de somnifères, il avait perdu le contrôle de ses nerfs lors de la matinale et le déplorait terriblement. Conscient qu'il avait dû décevoir nombre des téléspectateurs qui le suivaient depuis des années, il avait décidé, après mûre réflexion, de remettre sa démission à la chaîne.

Pour une fois, des messages chaleureux, d'encouragement et de compassion, affluèrent en quelques heures sur ses différents comptes. Quelques admiratrices suggérèrent qu'elles pouvaient remplacer la traîtresse qui lui avait brisé le cœur, et qu'il n'aurait pas à le regretter.

Ludovic ne les lut pas. Il remplissait à la hâte une lourde valise. De fait, il allait prendre du recul, très loin, à l'autre bout du monde.

Chapitre 12

Au même moment, 1er décembre, Candiac,
Québec, Canada

La ville moyenne de Candiac s'était élevée à partir de rien dans les années cinquante sur la rive sud de l'île de Montréal. Elle devait son nom à la Candiac Development Corporation, un groupe d'investisseurs européens et canadiens qui avaient réuni les fonds pour sa naissance. Cette grande banlieue paisible et assez cossue de Montréal, au bord du Saint-Laurent, était réputée pour ses espaces verts, sa qualité de vie et ses belles maisons de brique rouge ou de pierre grise rappelant un peu les maisons bretonnes. Elle pouvait s'enorgueillir d'un splendide club de golf, chemin d'Auteuil, non loin de la place Adélaïde, proposant un parcours de niveau championnat entretenu avec un soin presque maniaque été comme hiver. Cependant, en ce dimanche, Rodolf Bourbon avait opté pour le golf privé Saint-François-Xavier, situé non loin du parc de même nom et de la clinique vétérinaire, bref à l'opposé de la ville. Moins de gens puisque l'adhésion était chère, pas de familles avec leurs chiards, pas de père s'improvisant coach pour donner des leçons à fiston ou à fifille dans l'espoir d'en faire un Tiger Woods ou une Ai Miyazato. La paix.

Rodolf Bourbon pénétra sur le parking réservé aux adhérents et gara sa BMW flambant neuve. Il n'était pas encore 13 heures. Le moment idéal, surtout un dimanche. Il allait pouvoir faire quelques trous, les plus retors, ceux qui lui résistaient encore. Il devait améliorer sa technique, déjà bonne, de façon à battre ses habituels partenaires. Rodolf détestait perdre, surtout devant témoins. Certes, il admettait volontiers que perdre une partie de golf était bien moins grave que de prendre une raclée professionnelle, mais il n'en demeurait pas moins qu'il voulait être le premier en tout. Un mâle alpha. Il n'avait pas hésité à se faire prescrire des patchs de testostérone par un médecin peu scrupuleux. Tout juste avait-il vérifié, à la hâte, qu'a priori cette supplémentation ne semblait pas augmenter le risque de cancer de la prostate lorsqu'elle était prescrite pour remédier à une déficience objective. Pas son cas, mais rien à foutre. Les résultats n'avaient pas tardé : il se sentait très sûr de lui, parfaitement apte, puissant, et sa masse musculaire avait progressé. Quant au reste, ces études qui mettaient en parallèle prise de risques inconsidérés chez les traders et hauts niveaux de testostérone, il s'en balançait. Qui ne risque rien n'a rien. Même s'il essuyait une veste un jour, comme avant-hier, il se referait plus tard. Il allait se refaire. Il avait perdu pas mal d'argent. Cependant, il était bien plus doué et malin que les autres.

Il jeta un regard inquisiteur par les vitres de la berline. Pas un chat. Il se pencha sous le tableau de bord et sniffa une ligne de coke. Il ferma les yeux et se laissa aller quelques instants contre l'appui-tête en cuir cognac. Bordel, qu'il se sentait bien ! L'adrénaline dévalait dans ses veines. C'était encore meilleur que le sexe. Il ne regrettait rien. Aucun de ses choix, quoi qu'ils puissent coûter. Et même s'il réduisait sa longévité de quelques années, il préférait vivre à trois cents à l'heure durant soixante-dix ans que vivoter et devenir centenaire.

Il récupéra son sac de golf dans le coffre et fila vers le parcours, les clubs s'entrechoquant au rythme de sa vive allure. Il faisait un temps magnifique, très froid, mais lumineux. Bon, ce putain de trou 6 ! Une vraie vacherie ! Il ne distingua qu'une silhouette très loin sur sa gauche, sans doute un joueur valeureux, désireux lui aussi de profiter du calme, d'avoir presque le sentiment que le parcours n'appartenait qu'à lui.

Il arriva en vue des arbres impressionnants qui bordaient l'étang artificiel. Le jeu d'eau avait été éteint par crainte du gel. Dommage. Rodolf aimait les improbables statues produites aux gueules des fontaines par l'eau figée.

Il s'arrêta et réfléchit. Il allait se le faire au bois n° 3 d'une assez longue distance et il passerait au fer ensuite avant de le terminer au putter, bien qu'espérant secrètement sauter le deuxième. Il claqua rythmiquement des doigts, très satisfait de lui.

Satisfaction qui mourut bien vite lorsque la balle fila vers les hauts arbres. Si ça se trouvait, elle avait même roulé jusqu'à l'étang. Connasse !

Il abandonna son sac posé sur le sol et trotta dans cette direction. Il se plia, scrutant l'herbe desséchée par l'hiver et le produit de déneigement. Un pas très léger à sa gauche. Ah merde, encore un crétin qui allait lui proposer son aide ou une partie. Les gens ne pouvaient-ils pas comprendre que si on venait golfer à l'heure du déjeuner un dimanche, c'était précisément pour avoir la paix, être seul ? Mécontent, il se releva et tourna la tête pour signifier au nouveau venu que s'il avait besoin de compagnie, la télé ferait l'affaire. Il rencontra un éclatant sourire.

Avant même qu'il ne puisse y répondre, un sifflement péremptoire zébra le silence. Une flèche se logea dans sa gorge. Il plaqua les mains sur son cou dans l'inepte espoir d'endiguer l'hémorragie. Il voulut foncer vers son attaquant, le rouer de coups, mais un autre sifflement le prit de vitesse. La seconde flèche perfora ses poumons.

Rodolf Bourbon s'écroula à genoux, une salive d'abord rosée puis rouge, dégoulinant de sa bouche vers son menton, tachant sa belle veste. Son souffle rauque lui évoqua les tuyaux d'un orgue d'église. Depuis quand n'avait-il pas mis les pieds dans une église ?

Il eut à peine le temps de voir le sourire se rapprocher de lui.

Il ne croyait en rien, sinon en lui. Durant une fraction de seconde, la dernière, il le regretta.

Chapitre 13

1er décembre au même moment, Paris, France

Un doute lancinant habitait Artemis. Elle relut le mail d'Apollo, tentant de comprendre entre les lignes, de découvrir des signes, des indices. Lui mentait-il pour dulcifier la réponse qu'il avait reçue ? Pour l'épargner ? Ce rejet, ou plus exactement cette ultime possibilité qui leur filait entre les doigts la blessait terriblement. Elle lutta contre les larmes qui liquéfiaient son regard. Inutiles. Elle répondit :

Apollo, mon si précieux frère,

Tu m'accompagneras toujours. Existe-t-il un au-delà, un paradis, un outre-tombe rayonnant, un quelque part après la dissolution organique ? Les âmes sœurs se rejoignent-elles, par-delà le temps et l'espace ? Je n'en sais rien. Jeanne l'affirme mais je la soupçonne de vouloir m'en convaincre pour me tranquilliser. Elle a tort, je ne suis pas inquiète. Aimante Jeanne. Si elle le pouvait, elle me forcerait à croire au Père Noël, aux gentilles fées et à la Petite Souris. Ce que je sais en revanche, c'est que tu es en moi, une part indissociable de moi. Je te porte comme je porterais un embryon, un fœtus. Non, plutôt un organe greffé sans lequel je ne pourrais survivre.

Avoir connu la souffrance dans chacune de ses cellules, avoir vu sa mort, engage-t-il à aimer et choisir avant tout la vie ? Peut-être. Et pourtant, ceux-là, ceux qui acceptent les poisons de l'esprit voient leur mort s'approcher, rôder autour d'eux. Ils expérimentent chaque jour leur délabrement et les souffrances qui l'accompagnent.

L'Europe, la France n'ont pas été épargnées par cette vague de cannibalisme. Dans les Hautes-Pyrénées, un SDF a agressé trois personnes et mangé le cœur et la langue, cuisinés, de l'une d'elles[1]. En banlieue parisienne, un homme a égorgé et tailladé un SDF et bu son sang. On a parlé de deux « marginaux[2] », bien souvent un euphémisme pour camés et/ou alcoolos lourds.

D'autres affaires révèlent un dysfonctionnement cérébral majeur sans que la came ou un désordre psychiatrique précis ne soient évoqués.

Un père fourre un petit garçon de trois ans « pour le punir » dans un lave-linge qu'il met en marche. L'enfant meurt, bien sûr. La mère, présente, est décrite comme soumise[3]. Ian Watkins, un hard rocker tendance sataniste vient de prendre trente-cinq ans. Il avait une attirance certaine pour les viols de bébés, filmés. Il avait convaincu des groupies de lui offrir leurs nourrissons, voire de les violer elles-mêmes[4]. Dans les Vosges, un couple et un père de famille ont été mis en examen, soupçonnés d'avoir violé leurs enfants et filmé leurs « ébats ». Le père devait livrer sa fillette au couple après l'avoir violée[5]. Bas-Rhin, une mère amène son fils de quatre ans à son compagnon, au parloir de la prison, afin qu'il puisse le violer. La mère tenait les bras du

1. Lefigaro.fr, 15/11/2013.
2. Lemonde.fr, 29/12/2012.
3. Leparisien.fr, 28/11/2011.
4. Telegraph.co.uk, 18/12/13.
5. Lemonde.fr, 08/01/2013.

petit garçon pour faciliter la « tâche » du violeur. Elle aurait également violé son fils à plusieurs reprises pour permettre à son compagnon incarcéré de suivre les faits sur son téléphone portable[1]. En Grande-Bretagne, une femme bat son petit garçon à mort, à l'aide d'un bâton, parce qu'il ne parvient pas à réciter le Coran par cœur[2].

Règle de femme numéro 00 de Jeanne : « Une femme, une femelle, protège ses petits, coûte que coûte, même s'il faut se battre contre le mâle qui s'y attaque. C'est ce que font les ourses, les lionnes et plein d'autres. C'est dans nos gènes, dans notre biochimie. » Pourquoi le numéro 00 ? Parce que cette règle est incontournable. Qu'est-ce qui ne fonctionne pas/plus dans les gènes et dans la biochimie de ces mères, de tant de mères ?

J'ai trouvé une statistique canadienne qui devrait t'intéresser, Apollo, mon bien-aimé. 21 % des femmes victimes de violences conjugales ont été maltraitées alors qu'elles étaient enceintes. Pour 40 % de ces femmes, les violences ont commencé durant leur grossesse[3]. Ces femmes sont ensuite trois fois plus susceptibles d'agresser leurs enfants que des femmes non-victimes de violence[4]. Les coups sont principalement portés au ventre. Tu t'en doutes, la situation est identique ici[5]. Mais chez nous, on n'en parle pas, ou alors trop peu. Que se passe-t-il chez ces mecs qui veulent tant un enfant mais cherchent à s'en débarrasser, à le faire disparaître, à le tuer avant même qu'il ne soit né ? Et certains psys de leur chercher des excuses : ils seraient victimes d'un choc post-traumatique. Pauvres poussins ! Un père

---

1. Nouvelobs.com, 23/09/2013.
2. Lefigaro.fr, 07/01/3013.
3. CRI-VIFF (Centre de recherche interdisciplinaire sur la violence familiale et la violence faite aux femme), Québec, 2009.
4. Casanueva et Martin, 2007.
5. Lemonde.fr, 08/03/2014.

vient de tuer sa fillette de trois ans à coups de couteau, en dépit de la présence de la police[1]. Des parents battent leur bébé d'un mois et mettent sa photo sur Facebook. Le père aurait reconnu les faits et déclaré avoir diffusé la photo pour « s'amuser ». L'enfant gardera probablement des séquelles neurologiques[2].

Qu'est-ce qui ne fonctionne pas/plus dans les gènes et la biochimie des pères, de tant de pères ? Et qu'est-ce qui ne va pas chez une femme qui tente pour la sixième fois de faire un enfant avec un type qui les a tous exterminés dans l'œuf, à coups dans le ventre[3] ?

En Corse, un ado tue ses parents et ses frères avant de voler un peu d'argent. Entendant gémir ces derniers, il revient les achever[4]. Les expertises psychiatriques seraient contradictoires d'après la presse. Une stagiaire de l'Infrep[5] tente d'égorger sa formatrice, l'accusant d'être « jalouse de sa beauté[6] ». Appâté sur Facebook par une ado de seize ans, un jeune de dix-sept ans est torturé durant une nuit par trois autres qui voulaient juste « faire mal et humilier », sans le connaître[7]. La fille a servi d'appât, comme celle du gang des Barbares qui a torturé à mort Ilan Halimi. La première a également participé aux sévices. En Moselle, un enfant de dix-huit mois est lourdement frappé par un autre de deux ans, dans une crèche[8]. Tu as bien lu : un agresseur de deux ans. En Seine-et-Marne, cinq garçons tabassent un camarade, lui balancent du déodorant dans les yeux pendant

---

1. Lefigaro.fr, 09/05/2014.
2. Lepoint.fr, 31/07/2014.
3. Lemonde.fr, 08/03/2014.
4. En août 2009. Huffingtonpost.fr, 12/11/2012.
5. Institut national de formation et de recherche sur l'éducation permanente.
6. Lefigaro.fr, 20/02/2014.
7. AFP, 13/05/2011.
8. Lefigaro.fr, 27/12/2012.

qu'une fille filme la scène pour pouvoir la poster sur Facebook[1]. À Poissy, un ado de treize ans est séquestré, torturé, violé pendant deux jours par trois jeunes de seize à dix-huit ans[2]. À Montargis, une jeune fille de dix-sept ans se défenestre du quatrième étage, pour échapper à ses tortionnaires : trois lycéennes[3]. En quatre mois, les violences gratuites – ça veut dire juste pour blesser, faire mal – ont augmenté de 8 % en France[4]. Aux États-Unis, dans l'Oklahoma, deux ados abattent un homme qui passait dans la rue pour « tromper leur ennui[5] ». Un jeu devient populaire ici : des jeunes braquent un rayon laser vers la cabine de pilotage d'un avion en train d'atterrir pour voir s'il va se crasher[6]. En Seine-et-Marne, un enfant de huit ans sème la panique dans une école. Il écrase le nez d'un instituteur, frappe la directrice et cogne la tête d'un camarade avec violence. L'article titre « Un enfant turbulent[7] ». Amusant. J'aurais dit un danger public en herbe. En Isère, trois adolescents de douze à quinze ans tabassent un garçon de quatorze ans et lui portent des coups de couteau, sans raison. Ils n'étaient ni alcoolisés, ni sous l'influence de stupéfiants[8]. J'arrête là, précieux Apollo, la liste est trop longue et mon dossier trop épais. De plus, je ne voudrais pas que Jeanne voie tous les articles que j'ai réunis. Je refuse qu'elle apprenne à quel point nous en sommes. Ah, si, une dernière : des adolescentes « fascinées » envoient des lettres enflammées à Marc Dutroux, le pédophile qui avait enlevé,

---

1. Lepoint.fr, 16/01/2013.
2. Actu.orange.fr, 06/09/2013.
3. Lemonde.fr, 03/08/2013.
4. Chiffres de l'Observatoire national de la délinquance, entre janvier et avril 2014, relayés par lefigaro.fr, 04/05/2014.
5. Lepoint.fr, 21/08/3013.
6. Lepoint.fr, 14/10/2013.
7. Lefigaro.fr, 22/11/2013.
8. Lefigaro.fr, 05/11/2013.

séquestré, torturé, violé et tué six fillettes et adolescentes, avec la complicité de sa femme[1].

Qu'est-ce qui ne fonctionne pas/plus dans les gènes et la biochimie des jeunes, de tant de jeunes ?

Or les jeunes sont les futurs pères et mères.

Alors certes, Apollo mon bien-aimé, se repose l'insistante question qui clive le camp des « ça a toujours été comme ça », alors même que la barbarie passée ne saurait justifier la présente, et celui des « après un âge d'or, nous retournons vers la cruauté gratuite, le sadisme conquérant, la loi du plus féroce et du plus dingue ». Les premiers, les « banalisateurs » ainsi que je les appelle, qu'ils se sentent impuissants, soient lâches ou tentent de se rassurer sur notre époque, y vont de démonstrations bien minces. Quelle violence dans les faubourgs parisiens du XIXe et du début du XXe siècle ! Quel Far-West sur les Grands Boulevards ! Les bourgeois s'y faisaient rançonner à la sortie des théâtres. Certes, mais ils étaient armés pour la plupart. Et les faits divers sanglants dans les gazettes de l'époque, ma bonne dame ! Mais où sont les statistiques de ce camp ? Il n'en existe pas. Les tenants du « c'était mieux avant » ne disposent que d'anecdotes invérifiables, de rubriques des chiens écrasés qui voisinent avec des publicités d'onguents pour avoir l'haleine fraîche dans des feuilles de chou sujettes à caution. De quelques beaux textes littéraires, aussi, ou d'ouvrages de médecine légale de l'époque. Comment en déduire le portrait général d'une criminalité ? Mais, me diras-tu, notre camp, celui qui assiste à l'émergence ou à la réémergence du pire de l'humain, est confronté à la même difficulté comparative. Nous savons aujourd'hui, hier, mais supputons avant-hier. À ceci près qu'aujourd'hui s'achemine vers le pire, alors qu'hier laissait croire au meilleur. Qu'ont trouvé les politiques de tous bords, face à leur impuissance

---

1. Lepoint.fr, 20/02/2014.

ou leur indifférence, pour masquer le gouffre qui s'entrouvre ? Des statistiques tronquées. La véritable criminalité est trois fois supérieure aux chiffres officiels, du moins en France. Sa hausse a commencé dans les années soixante. Les flics sont débordés. On leur impose des « objectifs » de baisse de la criminalité et de la délinquance, comme on impose à un placier d'assurances un nombre de contrats signés. Dans le même temps, leurs effectifs s'amenuisent, leur matériel est obsolète. Solution à cette quadrature du cercle ? Flics et gendarmes tentent de décourager certaines plaintes. Ça fait baisser les statistiques et permet aux politiques de pavoiser. Ou alors, on accuse les logiciels de comptage. Là encore, en fonction de la couleur politique du moment, selon que tu ouvres un journal plutôt à droite, ou plutôt à gauche, tu sais déjà ce que tu liras. Inutile de perdre son temps. Il semble que les statistiques et la sécurité des citoyens ne puissent se passer d'une couleur, entre bleu marine et rouge vif en passant par bleu ciel et rose. Sans doute aussi, les forces de l'ordre sont-elles démotivées par un « laxisme » politique qui n'en est pas un. On ne saurait l'imputer à un bord ou à l'autre, tant l'absence de solution est identique ou presque, tant elle se constate dans l'Occident tout entier. C'est bien pire que du laxisme. Il s'agit d'un constat de défaite, d'une honteuse abdication. Une scandaleuse gestion selon la tactique de l'autruche. Pour d'autres, cela se traduit en une savoureuse opportunité : balancer leur incompétence à ceux d'en face, alors même que leur propre échec en la matière est flagrant, alors même, que hormis des déclarations tapageuses, l'écrasante majorité d'entre eux n'a aucune solution applicable. Une solution économiquement viable, puisque c'est ainsi qu'ils posent le problème. Les dommages collatéraux ne les menacent pas, ne menacent pas leurs sièges ou portefeuilles douillets. Lesdits dommages sont balayés sous le tapis grâce à quelques déplacements, quelques mots de condoléances aux familles, une ou deux médailles pour des policiers tombés dans l'exercice du devoir, quelques vertueuses mais inter-changeables indignations. Leur propose-t-on, à tous ces politiques, une sorte de glossaire lénifiant, dans lequel le point Godwin flirte en permanence avec le point Ubu ? *Inacceptable, scandaleux, effroyable, les-heures-les-plus-sombres-de-notre-histoire, la-justice-sera-implacable* et *la-punition-exemplaire, la-république-est-en-deuil, c'est-toute-la-nation-qui-pleure/s'insurge/s'indigne,* etc. De la tarte à la crème sur le sang, les morts, les désespoirs, les terreurs. Trois petits tours et puis s'en vont. On lance des anathèmes contre l'ancien camp, les magistrats ou autres et puis on remballe. Jusqu'à la prochaine fois. Jusqu'au point critique. Jusqu'à l'explosion.

L'automne est là, l'hiver arrive. Il durera.

Béatrice, soixante-deux ans, la mère de Jeanne, dit que la fureur empire. Elle dit qu'il y a encore quarante ans, elle n'avait pas peur de rentrer tard le soir, ne se méfiait pas aussitôt lorsque quelqu'un l'abordait pour lui demander son chemin. La porte de leur appartement était fermée d'une simple serrure. Aujourd'hui, elle est blindée, équipée d'une chaîne de sécurité, d'un œilleton, de trois verrous. Il ne s'agit pas non plus de statistiques. Il s'agit, en revanche, d'un indice certain que l'humain se méfie avant tout de l'humain, son plus implacable ennemi, son unique préda-teur. Le site de Bill Gates a compilé les données de l'OMS et de la FAO, entre autres. Les loups et les requins tuent vingt humains par an. Les serpents 50 000. L'homme tue presque un demi-million de ses semblables dans le même temps. Comment allons-nous vivre ainsi ? Comment pou-vons-nous progresser ainsi ? Ils parlent de repli sur soi, ces politiques protégés dans leurs cocons luxueux, par leurs gardes du corps. Foutaises ! Y croient-ils seulement ? Je n'en suis pas certaine. Il s'agit de peur, d'une méfiance qui met à mal l'idée même de société, de communauté humaine. La peur s'autoalimente à chaque fois qu'on lit ou écoute un journal d'informations, à chaque fois que la voisine de palier raconte son agression dans le métro ou le voisin son cambriolage.

Des résidences sont maintenant protégées de grilles, de systèmes électroniques, de gardiens. Des groupes de voisins patrouillent la nuit dans des quartiers ou des villages. Les gendarmes s'en inquiètent, assez mollement selon moi. Ils sont vingt pour plusieurs centaines de kilomètres carrés et ils le savent. À quand les villes fortes du Moyen Âge, les murs d'enceinte, les herses et les douves ? Thomas Hobbes[1] n'a jamais été autant d'actualité. Relis-le, Apollo, celui dont le *homo homini lupus est*[2] est si célèbre qu'on a oublié son auteur. Dans *Du citoyen*, il écrit : « Nul n'est obligé de ne pas résister à celui qui va pour lui donner la mort ou le blesser, quelque convention précédente qui soit intervenue. » Et plus loin : « On ne doit donc pas s'imaginer que quelqu'un se soit obligé à un autre, ni qu'il ait quitté son droit sur toutes choses avant qu'on ait pourvu à sa sécurité et qu'on l'ait délivré de tout sujet de crainte. » Il est selon moi le meilleur sociologue de tous les temps. Hobbes le sait bien. L'homme n'accepte de vivre en société, de subir ses contraintes, d'obéir à ses lois, de payer des impôts qu'en échange de sécurité. Si elle vole en éclats, la société périclite. C'est le retour à la barbarie, aux hordes, aux tribus et aux clans, à la loi du plus fort…

— Chérie, je suis enfin sortie de ma marinade ! Rouge comme un homard trop cuit. Oh, mince… 7 heures du soir… mais je suis toute belle, je sens bon et j'ai une peau de bébé. Je prépare le poulet ? On se vautre devant deux épisodes de *Scandal* et on mange avec les doigts ? En plus, tu auras le même poulet en version froide pour tes pique-niques.

---

1. Philosophe anglais, 1588-1679.
2. L'homme est un loup pour l'homme.

— Yummy-miam, j'adore le poulet, lança Artemis, ses doigts volant sur le clavier. Avec des frites ?

— On se calme sur la patate ! Et sur la nouille aussi, d'ailleurs. Index glycémiques élevés, te dis-je et te reupeuteus-je ! Surtout pour le dîner.

— Il serait insensé d'évoquer les index glycémiques un dimanche.

— Bon, mais ensuite, plus une de la semaine !

— Et un peu de ketchup, peut-être ? plaisanta Artemis, tout en tapant.

— Je n'ai pas entendu. Je ne veux pas entendre ! Et ne mentionne même pas le double « C » je viens de me faire un masque antirides.

— CO… COCO… COCOCA… COCA… COCA-COL…, brama Artemis pour amuser Jeanne. Pour la réjouir aussi. Jeanne rayonnait lorsqu'elle la savait heureuse et gaie. Aussi s'efforçait-elle de le paraître.

— Mes mains, manucurées de frais, sont plaquées sur mes ravissantes oreilles. Inutile, je n'ois rien, gente dame !

… il me faut te laisser, Apollo. Jeanne est sortie de son bain. Je pense à toi sans fin. Lorsque je n'y pense pas, chaque battement de mon cœur répond aux tiens.

Je ne t'abandonnerai jamais. Et tu resteras toujours en moi.

L'automne est là, l'hiver arrive. Il durera.

Take very good care of you, my beloved brother[1],

Artemis.

---

1. Prends grand soin de toi, mon frère bien-aimé.

Chapitre 14

Au même moment, 1ᵉʳ décembre, Candiac,
Québec, Canada

Le RIPR[1], basé chemin Saint-François-Xavier à Candiac, reçut à 14 h 04 un appel anonyme, signalant un cadavre sur le parcours de golf, à hauteur du trou 6.

Bob Lasalle, de garde ce dimanche-là, s'y rendit avec l'un de ses hommes.

Ils repérèrent vite le groupe qui se tenait non loin de l'étang : quelques employés de maintenance et le directeur du club de golf, Gérald Beaurepaire, appelé en catastrophe. Celui-ci, un grand homme sanguin, crispait les mâchoires. Reconnaissant l'inspecteur Lasalle, un de ses adhérents, il lui demanda d'une voix blanche :

— Ça va, Bob ?

— Pas pire, pas pire. Tabarnak, c'est quoi, cette affaire ?

— Il était à moitié dans l'étang. On l'a presque pas touché, mais on l'a tiré par les pieds et retourné sur le dos, vu qu'il était la face dans l'eau. On a pensé à une crise cardiaque. Mais là, c'est pas possible, admit-il en désignant le corps. Il

---

1. Régie intermunicipale de Police de Roussillon, qui assure la sécurité policière à Candiac et dans d'autres villes voisines.

s'appelle… s'appelait Rodolf Bourbon. Un habitué, depuis des années. Assez bon joueur. Pas très avenant, mais correct. Il travaillait dans la finance. Le genre qui se prend pas pour de la roupie.

Bob Lasalle s'approcha et s'agenouilla à côté de la dépouille trempée. Il entrouvrit les mâchoires pas encore raidies, preuve que la mort remontait très approximativement à moins de trois-quatre heures. Il examina l'intérieur de la bouche puis leva la tête vers Gérald et annonça :

— Non, avec ces blessures à la gorge et au torse, ça ne peut pas être une crise cardiaque. D'autant qu'on l'a énucléé.

Le visage déjà cramoisi de Gérald vira à la couleur brique. Il déglutit et s'enquit :

— Ostie ! Énucléé comme dans… les yeux ?

— Ouais. On les lui a arrachés.

— Crisse de pourri… mais… dans mon club ? s'étrangla Gérald.

— Faut qu'on sécurise le périmètre, qu'on cherche des indices, déclara Bob Lasalle.

— Je pense bien, oui. Son char est toujours sur le parking. Une grosse BM. Mais… enfin…

— Écoute Gérald, à mon avis, ça ira vite parce qu'on va rien trouver. Il désigna le cadavre et expliqua : Lui, le coroner[1] va l'embarquer après les constatations. Il est en route.

À l'évidence, Gérald Beaurepaire ne se remettait pas qu'on ait pu arracher les yeux d'un de ses adhérents sur son parcours si réputé.

— Ce genre de… brutalité… ça te fait penser à quoi, Bob ? Enfin, c'est pas juste qu'on l'a tué…

— A priori, pas d'autres sévices. Il n'a pas été déshabillé. On ne lui a pas arraché la langue, ni rien. C'est pas de la brutalité, ça.

---

1. Le coroner mène l'enquête, établit les premières constatations, souvent sur la scène de crime.

— Alors quoi... ?

— Pas un meurtre de psychopathe. Plutôt un truc de gang, je dirais. Sans certitude, hein. Il a vu un truc qui fallait pas.

Chapitre 15

2 décembre 2013, Mortagne-au-Perche, France

La nuit était tombée lorsque Yann Lemadec s'arrêta devant le grand portail de métal, peint en noir.

Il avait prévenu de sa visite une dizaine de minutes auparavant, précisant appartenir à la PJ, une « tolérance » accordée par le commandant Henri de Salvindon qui simplifiait les choses. À l'homme jeune qui lui avait répondu, s'il en jugeait par le timbre de sa voix, il avait annoncé vouloir s'entretenir avec Mme Beaujeu.

— Avec le professeur Alexandra Beaujeu, vouliez-vous dire ?

— En effet.

— Je suis son fils, Grégoire. Et pour quelle raison ?

Grégoire, le garçon adopté au Cap-Vert par les époux Osborne-Beaujeu, un an après le meurtre de Colin, peu avant qu'ils ne divorcent. Yann avait perçu une très légère trace d'accent dans la voix éduquée et grave qui lui répondait. Plutôt une intonation chantante. Sans doute portugaise.

— C'est assez délicat par téléphone. Une affaire criminelle dans laquelle son nom est apparu.

— Criminelle, rien que cela ? avait répondu l'autre, goguenard.

— Je préférerais en discuter de vive voix avec votre mère.

— Patientez quelques instants.

Quelques secondes plus tard, une voix de femme, grave elle aussi, avait demandé sans ambages, ni formule de courtoisie :

— Et vous êtes ?

— Inspecteur Yann Lemadec, police judiciaire, avait-il menti, puisque expliquer qu'il officiait comme analyste de données pour la BIS était exclu.

— Quelle affaire criminelle ?

— Le meurtre de l'avocat général Thomas Delebarre, en septembre dernier. Je crois savoir que vous le connaissiez à titre… professionnel.

— On peut le formuler ainsi, en effet. Eh bien, mais… à ce que je comprends, vous seriez à proximité ?

— Oui.

— Nous vous attendons.

La communication avait été sèchement coupée.

Yann claqua la portière du véhicule prêté par la BIS au moment où la sonnerie de son portable se déclenchait. Il déchiffra le numéro de l'appelant. Merde, Emma, une ex ! Très ex, puisqu'ils avaient rompu trois ans plus tôt. Il hésita et décida de ne pas prendre l'appel. Le problème avec Emma… il se retint de rire. À chaque fois qu'il pensait à elle, ses phrases commençaient invariablement par : le problème avec Emma… Un jour, il écrirait un roman portant ce titre. Il aimait beaucoup Emma. Mais elle était, comment dire… lourde. Non pas qu'elle fût butée ou crampon, d'autant qu'il s'agissait d'une femme intelligente. Mais rien ne pouvait être léger avec elle. Tout devenait terriblement sérieux, révélateur, sujet à d'interminables dissections sur le mode « si tu dis ceci, n'est-ce pas parce que tu penses cela ? » Emma, psychologue-généalogiste-morpho-astrologue-ésotériste-schtroumpf qui se croyait un peu médium par-dessus le reste. Oui, vraiment, il l'aimait beaucoup, mais… mais de loin et quand il avait le temps. Durant les seize mois de leur relation, il avait eu le sentiment de mijoter en permanence dans un ersatz de « la psychanalyse pour les crétins ». Pour peu qu'elle soit en train de se séparer de son actuel petit ami, il en prendrait pour deux heures de discussion, ou plutôt de monologue de sa part. Plus tard.

Il enfonça le bouton du vidéophone. Aussitôt, Grégoire, sans doute, répondit d'une voix amusée :

— Inspecteur Lemadec ? Nous vous attendons avec impatience. On manque parfois de distractions en province !

À l'évidence, les Beaujeu mère et fils adoptif n'étaient pas impressionnés par sa prétendue qualité policière, ni par son entrée en matière assez grandiloquente.

Le portail s'ouvrit automatiquement.

Un chemin gravillonné, balisé de bornes solaires, se déroulait devant lui pour se perdre cinquante mètres plus loin au détour de tilleuls serrés. Le mieux ne consistait-il pas à reprendre sa voiture ? Voyons, Lemadec, tu peux te taper cent mètres à pied, comme ça, tu auras fait de l'exercice pour la semaine, songea-t-il.

Il avança d'un bon pas, se demandant si la propriété était équipée d'une vidéosurveillance balayant le grand jardin, ou plutôt le parc. Non que cela eût une quelconque importance, hormis le fait que Yann se sentait mal à l'aise à l'idée que les moindres mouvements, expressions de chacun puissent être captés, stockés. Étrange civilisation que celle où l'on rejette la notion d'intimité, de vie privée, de solitude choisie. De déroutante manière, les gens en venaient à payer pour fliquer et être fliqués, dans chaque aspect, à chaque seconde de leur vie. Nul besoin d'un pouvoir coercitif pour l'imposer. Tous le réclamaient, le mettaient en place. Aucune civilisation antérieure n'était parvenue à ce résultat sans provoquer de puissants mouvements de rejet, de résistance ou de rébellion.

Une buée légère sortait de sa gorge en bouffées. L'air froid lui faisait monter les larmes aux yeux. Dans la lueur incertaine des bornes solaires, il devina un parc arboré, de magnifiques pelouses, des massifs de fleurs en dépit de la saison peu propice. Enfin, la maison apparut au détour du chemin. Une gentilhommière d'un étage, ou une ancienne grande ferme restaurée avec goût. Des lampes brillaient derrière toutes les fenêtres du rez-de-chaussée aux doubles rideaux entrouverts. Le crépi jaune pâle tranchait avec le gris soutenu des volets. Un choix peu fréquent dans la région qui privilégiait l'ocre jaune et le vert, entre amande et lichen. Une tour ronde et trapue, un peu plus basse que la maison, flanquait le bâtiment sur la gauche. Une multitude de petites ouvertures carrées trouait la maçonnerie. Un ancien pigeonnier, sans doute du Moyen Âge.

Un flot de lumière le figea. L'éclairage automatique avec détecteur de mouvement venait de se déclencher. Il avança d'un pas et la violente lumière s'éteignit. Seul persista le halo doux des lampes d'extérieur, d'une sobre élégance, en fer forgé bombé.

La grande porte à double battant s'ouvrit, laissant apparaître deux silhouettes découpées en ombre chinoise. L'une descendit avec lenteur les trois marches du perron à sa rencontre et s'annonça :

— Professeur Alexandra Beaujeu. Inspecteur Lemadec ?

— Bonsoir, professeur.

Sans le lâcher du regard, ni lui tendre la main, elle désigna l'autre silhouette immobile :

— Grégoire, mon fils.

Assez grande, elle portait ses cheveux blanc argenté coupés très court, saisissant contraste avec ses yeux très bleus. Elle lui fit penser à Judi Dench, extraordinaire « M » des derniers James Bond.

— Passons au salon, voulez-vous ? Un bon feu ronfle dans la cheminée.

— Je m'en veux de…

— L'heure tardive ? N'exagérons rien, il n'est que 19 h 30. Certes, les poules sont déjà couchées, mais nous allons faire un effort pour vous.

Elle le précéda en haut des marches et il se rendit compte qu'elle se mouvait avec une certaine difficulté. Grégoire souriait, toujours amusé. Il était étonnamment beau. Grand, mince dans son jean et son pull gris trop large, pieds nus. Sa peau et ses yeux couleur châtaigne, ses cheveux noirs très frisés, mi-longs, trahissaient les innombrables métissages des habitants de l'archipel du Cap-Vert. La finesse de ses traits et ses pommettes un peu hautes n'avaient pourtant rien de féminin. Yann se fit la réflexion qu'il se dégageait de lui une sorte d'aisance, cette aisance rare que possèdent certains êtres qui occupent leur corps en parfaite harmonie. Lui non plus ne tendit pas la main au prétendu inspecteur.

Contrairement à ce qu'il attendait sans même y penser, sans doute influencé par l'architecture du bâtiment, l'intérieur était meublé de façon assez moderne. Un escalier partait du vestibule vers l'étage, en bois faussement brut et rambarde métallique stylisée. À droite, s'ouvrait une vaste cuisine, ultramoderne, avec éléments en acier brossé, et piano de cuisine noir. Il entrevit du coin de l'œil le long comptoir, sans doute en béton ciré.

À gauche, un immense salon dont le plafond était retenu par deux énormes poutres maîtresses en chêne clair. Deux canapés et trois fauteuils Le Corbusier en cuir noir entouraient une table basse faite d'un plateau d'épaisse ardoise. Des tapis gris anthracite ou souris étaient jetés sur les dalles de pierre blond rosé. Deux verres de vin blanc et une petite coupe en raku de crackers japonais trônaient au centre, entourés par deux piles de magazines de décoration. Le feu crépitait dans la cheminée au manteau de bois clair.

Alexandra Beaujeu désigna un des canapés et proposa :

— Asseyez-vous, inspecteur. Ah, nous allons vérifier si les séries policières sont fiables : un verre de chablis ou « jamais en service » ?

— Un verre de chablis, avec grand plaisir.

Grégoire disparut quelques instants vers la cuisine et revint avec un verre renflé à pied haut et la bouteille. Sa mère adoptive attendit qu'il ait servi le faux flic, puis :

— Bien, je ne doute pas que votre temps soit précieux, d'autant que nous sommes à plus de deux heures de route de Paris, aussi, venons-en au fait, voulez-vous ?

Yann jeta un regard gêné au beau jeune homme qui s'était installé à côté d'elle. Elle le renseigna :

— Mieux vaut que Grégoire assiste à notre… entrevue puisque je vais la lui répéter dans le moindre mot.

— Euh… Il s'agit donc de l'assassinat de l'avocat général, Thomas Delebarre, hésita Yann.

— Quand ?

— Dans la nuit du 25 au 26 septembre. Dans sa maison de Mougins.

— J'ignorais qu'il habitait Mougins, remarqua la professeur de médecine, en avalant une gorgée de vin. Bien, donc il est mort, et ?

Le calme presque insolent de la mère et du fils avait eu raison de l'appréhension de Yann Lemadec. En réalité, ils commençaient à l'agacer.

— Une résidence secondaire, familiale. Il vivait à Paris… d'ailleurs, vous devriez le savoir puisque vous aviez rendez-vous avec lui, au jardin du Luxembourg, le 17 juillet, à 14 h 45, balança-t-il d'un ton sec.

— Et ? Avoir rendez-vous avec quelqu'un à Paris ne signifie pas pour autant qu'il y vit, releva-t-elle.

Il fut un peu interloqué. Elle ne niait pas, ni n'exigeait de savoir comment la PJ avait appris le lieu et la date de ce rendez-vous.

— Vous confirmez donc avoir rencontré l'avocat général, ce jour-là ?

— En effet, à ceci près que je ne me souviens pas au juste de la date, mais c'était bien en juillet, dans le jardin du Luxembourg, en début d'après-midi, devant le grand bassin. Et ?

— Pourquoi avait-il assorti ce rendez-vous sur son agenda d'un triangle orné d'un point d'exclamation, un signe d'alerte, de danger ou de difficulté ?

— Pas la moindre idée. Il faudrait le lui demander, et je crains qu'il ne soit trop tard.

Il avait beau s'efforcer de traduire ses gestes, ses regards depuis son arrivée, cette femme demeurait un mystère psychologique. Yann savait qu'il ne fallait jamais se focaliser sur les mots des gens, surtout des gens éduqués pour qui la parole peut aisément devenir une stratégie, un déguisement. En revanche, la gestuelle, ce que l'on nomme la communication non verbale, ne trompe pas, sauf excellent entraînement. Il s'agit de réactions presque réflexes, que le cerveau peine à contrôler. Encore faut-il savoir la décrypter, un art difficile. Alexandra Beaujeu ne semblait ni inquiète, ni sur la défensive, ni satisfaite. À peine curieuse. Tout comme son fils adoptif d'ailleurs, qui n'avait pas dit un mot et écoutait l'échange, sans impatience ni émotion.

— De quoi avez-vous parlé ce jour-là, si je puis me permettre ?

— N'est-ce pas le moment où ma mère devrait vous demander si vous avez une commission rogatoire ? s'enquit soudain Grégoire, de sa voix grave et un peu chantante.

Lemadec sentit le rouge lui monter aux joues. Il avait toujours fait un pathétique menteur, du moins en réponse à une question directe :

— Il s'agit simplement d'une prise de contact. Mais je peux en obtenir une, très vite, tenta-t-il, ébranlé.

Grégoire se leva pour resservir sa mère et destina au faux inspecteur un regard dans lequel brillait une lueur indéchiffrable :

— Je n'en doute pas.

Comme si de rien n'était, Alexandra Beaujeu reprit, mâchoires serrées mais d'une voix plate :

— En substance, je lui ai expliqué que je lui pardonnais sa… mansuétude envers ces trois dégénérés lors de son réquisitoire. Quinze ans ! Quinze ans pour d'inimaginables tortures qui ont duré des heures, jusqu'à ce que le cœur de Colin lâche. Tout cela pour un poème un peu romantique ! Lorsque je dis « inimaginables », ne croyez pas que je choisisse l'adjectif au hasard… Le légiste n'osait pas le découvrir lorsque je suis allée le reconnaître, alors qu'il me savait médecin. Il n'a tiré le drap que jusqu'au torse… assez pour deviner le reste.

— J'ai été… informé des atrocités commises par les trois jeunes.

— « Jeunes » ? Cette expression frise le grotesque. Elle s'applique maintenant à des hommes de presque trente ans. Assez descriptif de l'infantilisation de notre société, laquelle va de pair avec une déresponsabilisation, non ? Quoi qu'il en soit, dans leur cas, « bourreaux », « tortionnaires », « tordus », « dégénérés », me paraissent des termes plus adéquats.

— Mais alors, pourquoi avoir pardonné à l'avocat général ce que vous nommez sa « mansuétude » ?

Elle reposa avec douceur son verre sur le plateau d'ardoise et leva les sourcils de stupéfaction :

— Parce qu'ils sont tous morts, comme ils avaient vécu, en moins que rien.

— Je ne pense pas que la mort d'un coupable change quoi que ce soit à la perte, osa Yann.

Elle contre-attaqua, un sourire aux lèvres :

— C'est ce qu'affirment les saints ou ceux qui n'ont jamais eu grand-chose à venger… sans oublier ceux à qui on a bourré

116

le crâne pour qu'ils oublient l'essence d'un parent : protéger les petits, tuer s'il le faut.

— Tu vas te faire mal voir par l'inspecteur, maman. Il a l'air si aimable, ironisa Grégoire.

— Vous saviez donc que Jonathan Barbier, Jérôme Launay et Hacine Boumaza étaient décédés ?

— Bien sûr. Eux sont décédés. Mon fils a crevé, pis qu'une bête, après des heures de tortures, dans un garage.

Elle récupéra son verre d'une main ferme et avala une gorgée avant de reprendre de la même voix placide :

— Que croyez-vous ? Qu'une mère, dans ces conditions, se déconnecte après un verdict et continue sa petite vie ? Voyez-vous, ces tordus n'ont pas tué que mon fils. Ils ont détruit, saccagé quatre vies, joli palmarès, non ? Colin bien sûr, moi, mon ex-mari Terence, parti je ne sais trop où, et ma sœur, Alice.

— Tuée dans un accident de la route, deux ans après le décès de Colin, n'est-ce pas ?

— On peut voir cela de cette manière, c'est plus confortable, rectifia-t-elle. Alice a commencé à boire, beaucoup trop. De façon méthodique.

— Il s'agissait de votre aînée, je crois ?

— Hum… nous avions un an et demi de différence. La grande sœur protectrice. Elle enseignait les mathématiques à l'université, filière Sciences de la nature et de la vie. Elle ne s'était pas mariée, par choix. Quoi qu'il en soit, ma sœur était une femme très organisée, très méticuleuse. L'alcool ajouté aux neuroleptiques lui a permis de lancer sa voiture à pleine vitesse contre un mur.

— Un suicide ?

— Quoi d'autre ? Si vous aviez vu les photos, la route en question, il n'y avait aucune possibilité que son véhicule s'écrase contre ce mur. Sauf à foncer dedans de façon délibérée. Il s'agissait d'un énorme mur d'enceinte. Connaissant Alice comme ma poche, elle a dû le sélectionner avec soin, parce qu'elle ne risquait pas de blesser quelqu'un, pas même un chien. Elle savait que le mur serait sans pitié pour la mince carrosserie.

Yann baissa les yeux et refusa d'un geste le verre que s'apprêtait à lui servir Grégoire. Il murmura :

— Elle était très attachée à son neveu ?

— Hum… surtout, elle se sentait très responsable. Stupide, tellement stupide ! Ce jour-là, un 3 octobre, Alice avait promis d'emmener Colin au restau puis au cinéma. Elle avait des règles douloureuses avec migraines et a décommandé au dernier moment. Colin s'ennuyait. Il a appelé Jérôme Launay. Il avait un petit coup de cœur pour lui. Éternelle et ridicule histoire du gentil ou de la gentille fasciné par un voyou. Alice ne se l'est jamais pardonné. Crétin. Si ça n'avait pas été le 3, ils l'auraient massacré le 5 ou le 10 ou le 23. Ils voulaient le massacrer.

Lemadec se sentait mal depuis quelques instants. Au fond, il aurait préféré une mère en larmes, ou hurlant en pleine crise de nerfs. Il aurait su quoi faire : la consoler, la rassurer, lui raconter n'importe quoi. Le regard bleu de mer froide ne le quittait pas. Cette voix plate, sans aucune emphase, lui donnait le vertige.

Il tendit la main vers la bouteille de chablis et demanda à Grégoire :

— Je peux ?

Celui-ci devança son geste et le servit en précisant :

— Bien sûr. N'oubliez pas que vous conduisez, même si je doute qu'on vous colle un PV. Mangez quelques crackers au riz, ça « éponge » un peu. Maman les adore. Je préfère les chips. Le cas échéant, vous pouvez dormir dans la chambre d'ami. Promis, on ne vous égorgera pas dans votre sommeil !

— Professeur, pourquoi affirmez-vous qu'ils voulaient le massacrer ?

— Pour plein de raisons, l'homosexualité n'étant qu'un prétexte supplémentaire. Il s'agissait d'individus au minable QI, incapables de se concentrer, incapables d'attention sauf pour le foot et les films pornos. Colin était très brillant, cultivé, fin, bien élevé, beau. Tout le monde l'adorait. Mon fils leur renvoyait, sans en avoir conscience, leur nullité à la figure. Ils ne le supportaient pas, c'est aussi simple que cela. La haine, l'envie, la jalousie des ratés qui refusent d'admettre que leur ratage vient d'eux.

— Les parents de Colin étaient des intellectuels, très à l'aise financièrement. Colin vivait dans un très bel appartement lyonnais en duplex et son père allait parfois le chercher au lycée en Jaguar, compléta Grégoire sur le même ton détaché, comme s'il évoquait des inconnus. De grâce, ne nous gavez pas avec leurs circonstances atténuantes, leur prétendu dénuement. Leur impitoyable sadisme naissait d'eux-mêmes. Tant de gens bien, dignes, sont issus de familles pauvres, parfois illettrées et/ou d'origine étrangère. Personnellement, je suis né dans une hutte. Ma mère biologique avait quatorze ans à ma naissance. J'étais son deuxième enfant. Elle ne savait ni lire ni écrire. Quand elle est tombée enceinte pour la cinquième fois, elle n'a pas eu le choix. Elle voulait le meilleur pour moi et a supplié pour qu'on me confie à l'adoption. Je sanglotais de trouille lorsque Alexandra et Terence sont arrivés. Elle sanglotait de soulagement.

— Une très jolie jeune fille, terriblement attachante, offrit sa mère adoptive.

— Pourquoi le Cap-Vert… enfin, si je puis, si…

— Les adoptions étaient plus faciles, sans l'invraisemblable paperasse française. Je ne… pouvais pas supporter des années d'attente. Terence, mon ex-mari, n'était pas véritablement… convaincu par cette envie d'adoption. Les Cap-Verdiens sont très vigilants, ne vous méprenez pas. La juge chargée de ces affaires était un véritable cerbère. Le Cap-Vert n'a rien du supermarché à enfants. Le dossier de demande est contraignant. Elle avait exigé que nous venions passer deux mois dans l'archipel, pour comprendre un peu la vie de là-bas. On ne choisit pas, ni le sexe, ni l'âge, ni… l'état médical, notamment un éventuel sida ou une hépatite B. Une effroyable perspective à l'époque lorsqu'on l'associait à « son enfant », même si les trithérapies existaient déjà. Cependant, on ne savait pas trop quelle longévité elles permettraient, ni si elles étaient vraiment compatibles chez le très jeune enfant. Quoi qu'il en soit, c'était à prendre ou à laisser. Elle s'interrompit, croqua un petit cracker et avala une gorgée de vin avant de continuer : Je ne voulais pas d'un enfant blanc. Il était exclu que je tente, même inconsciemment, de remplacer Colin. Mais la perte d'un enfant laisse un tel vide, un tel gouffre douloureux… chaque heure… insondable… J'avais désespérément besoin d'un petit à aimer, différent, un autre fils. J'étais neurologue, très impliquée dans le service de pédiatrie, vous le saviez ?

— Bien sûr. À Lyon.

Elle ne parut pas l'avoir entendu et enchaîna :

— On développe… comment dire… un lien très puissant avec les enfants. Ils sont d'un rare courage, contrairement à bon nombre d'adultes. Peut-être parce qu'ils ne savent pas encore très bien ce qu'est la mort. Mais ils font face avec une sorte de détachement sans hargne, une bravoure extrême. C'est d'ailleurs sans doute le plus difficile pour les praticiens et les soignants en général. Faites-moi l'amitié de croire que je ne sombre pas dans la mièvrerie, ça n'a rien à voir.

Ce fut la première fois de la conversation qu'il sentit en elle une émotion, contrôlée, maîtrisée, mais quelque chose qui n'était pas dicté par son cerveau. Grégoire saisit la main de sa mère et la porta à ses lèvres.

— Et pourquoi avoir donné rendez-vous à Thomas Delebarre dans le jardin du Luxembourg, professeur ?

Un mince sourire joua sur les lèvres de la femme dont le regard d'un bleu intense ne le quittait pas :

— Qui vous dit que c'est moi ? Je plaisante, c'est bien moi. Nous avons un pied-à-terre parisien, rue de Fleurus, juste à côté. Je me déplace avec un peu de difficulté. Spondylarthrite ankylosante. Ça va encore, avec parfois des crises assez pénibles.

Certes, il ferait vérifier, l'appartement et ses difficultés motrices, mais ne doutait pas qu'elle lui dise la vérité.

— Et où vous trouviez-vous entre 22 heures et 1 heure dans la nuit du 25 au 26 septembre ?

L'hilarité la gagna et elle demanda, joviale :

— Ah, parce que je suis soupçonnée de meurtre ? Elle est excellente, celle-là ! Qui peut se souvenir de ce qu'il a fait durant trois heures, trois mois plus tôt ? En général, je suis chez moi le soir. À cette heure, je suis couchée, mais je vais chercher mon agenda.

— Tu avais été embarquée au château par la gendarmerie, pour constat des dégâts, maman. Vincent m'a téléphoné pour que je passe te chercher, intervint Grégoire, lui aussi réjoui.

— Ah bon, chéri… ?

— Par la gendarmerie ? s'enquit Yann, intéressé.

— À cause de cet abruti fini, emmerdeur de compétition, d'Edward Armstrong, mon inénarrable voisin, le « châtelain », précisa-t-elle, soudain vipérine. Il a décidé de nous pourrir la vie durant les trois mois annuels qu'il passe en France.

— Pourquoi ?

— Mais pour récupérer ma ferme, une ancienne dépendance du château qui date du XIVe siècle, du moins ses fondations. Vous avez peut-être remarqué le pigeonnier qui flanque l'aile gauche ? Le reste de la ferme a été incendié à la Révolution et reconstruit au début du XIXe siècle. À part les Simpsons et peut-être Garfield, sans oublier la lecture assidue du *Wall Street Journal*, ce type a la culture d'une huître et la classe d'un bigorneau mais il se la joue hobereau en veste de tweed, culotte de velours côtelé et bottes Aigle flambant neuves. Le genre qui n'a jamais vu une larme de boue de toute leur carrière de bottes. À ses yeux, ça ne sert pas à traverser un champ mais à descendre de la Range Rover de l'année.

Yann réprima un sourire. Il voyait très bien le modèle, ayant expérimenté le même dans les Côtes-d'Armor.

— Et ce jour-là ?

— Nous avions eu un… une discussion au sujet de sa haie de thuyas.

— Sa haie de thuyas ?

— Hum… exclusivement plantée le long du mur de séparation de nos deux propriétés. Lui s'en fout. Le château s'élève à plus de 500 mètres de là. Donc, les thuyas, il ne les voit pas ! Nous sommes dans un parc régional. On ne plante pas de thuyas ! On plante des persistants locaux, houx, aubépines, noisetiers, etc. Il le sait très bien mais il voulait tester ma patience. Je le lui ai fait remarquer courtoisement à deux reprises.

Grégoire éclata de rire en hochant la tête. Alexandra se défendit :

— Oui, courtoisement ! Pas une injure, pas un mot déplacé.

— Tu lui as sauté à la jugulaire, maman, en lui hurlant aux narines : « Lorsqu'on est un parvenu de votre espèce qui mange avec les coudes sur la table, on se renseigne ou on s'offre les services d'un paysagiste. »

— Un constat objectif. J'ai subi un déjeuner en sa compagnie. Je sais qu'il plante les coudes sur la table. Je ne vois pas où est l'injure, mon chéri.

— Mais vous avez donc été emmenée au château, par la gendarmerie. Pas simplement pour cet échange, non ? argumenta Yann.

— Je vous dis qu'il s'agit d'un abruti, d'un abruti procédurier, trancha Alexandra. Ce tocard a voulu porter plainte contre moi.

Grégoire, hilare, précisa :

— Maman a trouvé un moyen de faire disparaître la haie. De l'eau de javel concentrée aux pieds des thuyas. Manque de chance, Deborah Armstrong, la fille, a filmé la scène avec son portable. Edward Armstrong a menacé de porter plainte et voilà. Le commandant Vincent Levasseur est un ami… ou plutôt une plaisante relation. Et puis, tout le monde se connaît dans le coin. Maman a donc juste pris un savon, à charge pour elle de rembourser les thuyas qui ont, bien sûr, crevé.

— Et quand avez-vous été emmenée là-bas ?

— Une vérification d'alibi ? s'amusa-t-elle. Eh bien, j'étais convoquée…

— À la gendarmerie ? voulut savoir Yann.

— Quand même pas, et ils ne m'ont pas non plus menottée, se moqua-t-elle. Ainsi que vient de vous le dire Grégoire, tout le monde se connaît ici. Chez Armstrong, devant l'objet du délit, les thuyas crevés, à 17 heures. Je n'étais pas d'humeur et je ne m'y suis pas rendue. Le commandant Levasseur est venu me chercher vers 18 heures Le temps que je papote un peu avec lui, que nous remontions vers le château, que je refuse de présenter mes excuses à Edward Armstrong, que je réitère, au contraire, ce que je pensais de lui, Grégoire est arrivé vers… je ne sais plus trop… 19 heures, 19 h 30 ?

— Pas loin de 20 heures. Vincent nous a raccompagnés, précisa le jeune homme. On a bu un verre à la maison, il a tenté de raisonner maman… Et puis sa femme, Anna, nous a rejoints et nous avons dîné.

— Pas « raisonner », rectifia-t-elle en se redressant. Il n'existe aucune raison justifiant que cet individu fasse ce qui lui passe par la tête ! En plus, il ne s'agit que d'une sorte de vacancier, n'est-ce pas ? Se tournant vers Yann, elle justifia : Il nous casse les pieds depuis des années, en fait, depuis son installation, même si j'admets qu'il a magnifiquement restauré le château, en grand besoin de réparation. Monsieur est bio-écolo pur jus. En d'autres termes, vous avez droit à des leçons de morale à deux balles. Je suis moi-même assez écolo, mais je vis à la campagne. Je ne sors pas de Manhattan pour atterrir à Roissy en jet privé. Je sais donc que vient un moment où l'on doit tuer mulots et souris lorsqu'ils prolifèrent trop. Monsieur nous fait une crise et me traite de sadique. Ce qui ne l'empêche pas de planter des thuyas et d'avoir fait installer une piscine chauffée dans sa propriété. Pour trois mois de l'année ! Pas grave, la prochaine fois, j'évite les graines empoisonnées. Je capture souris, mulots et lérots et je les déverse chez lui. C'est le type même d'individus qui adooorent la terre entière, *but not in their backyard*[1], toutefois ! Le jour où il daignera inviter notre maire, un type très bien, à boire un verre, j'offre le champagne !

— Il est très asocial ?

— Non. Il a une très très haute opinion de lui-même. Sa fille Deborah sort du même moule. Ne leur rendent visite que quelques Américains, ou Anglais, d'autres étrangers ou alors des Parisiens. À leurs voitures, pas des fauchés. Bon, d'accord, je fais un peu du sous-Clochemerle, souffla-t-elle.

Yann n'écoutait plus que d'une oreille. Elle avait un alibi en béton armé. Difficile d'en imaginer un meilleur qu'un commandant de gendarmerie, même s'il allait vérifier ses dires. La connexion Internet de Thomas Delebarre s'était interrompue à 23 h 06 et les fichiers d'images pédophiles avaient été chargés à 23 h 19. Cela corroborait l'estimation du légiste qui avait fixé l'heure du décès entre 22 h 30 et 1 heure du matin. Même en admettant que leur dîner se soit achevé vers 22 heures, Alexandra Beaujeu n'aurait jamais pu parvenir dans le Sud à temps pour assassiner l'avocat général. De surcroît, il voyait mal cette femme qui se déplaçait avec raideur tuer de face, à l'arme blanche, un homme en excellente forme physique. Grégoire était aussi exclu.

Un peu dépité, il se leva pour prendre congé.

Le Pr Alexandra Beaujeu se tourna vers son fils et demanda :

— Qu'en penses-tu, chéri ? *Damages* ou...

— Tu as raison, maman, c'est assez rigolo.

---

1. Pas dans son jardin, dans le sens de « pas chez soi ».

— Inspecteur, pourquoi ne pas dîner avec nous ? Encore une fois, nous avons une chambre d'ami avec salle d'eau attenante.

— Merci, c'est très aimable, mais j'ai largement le temps de rentrer à Paris, déclina Yann, incrédule.

À quoi jouaient-ils, la mère et le fils qui semblaient se comprendre à mi-mots ?

— Vraiment, inspecteur ? Donc, je n'ai pas pu assassiner l'avocat général… si on m'avait dit que je remercierais un jour ce… enfin, Mister Edward Armstrong, je ne l'aurais pas cru… passons ! Mais, réfléchissez. J'aurais pu expédier les trois tortionnaires de mon fils. La vengeance d'une louve. Pas Jonathan Barbier, égorgé en prison. Trop compliqué. Mais les deux autres ? Non ? Hacine Boumaza est sorti il y a trois ans. Il s'est fait cribler de balles. Règlements de comptes entre petits caïds ? Ou alors moi. Jérôme Launay a été libéré l'année dernière. Accident de la route trois mois après sa sortie. Moi aussi ?

— J'ai du mal à comprendre votre humour, professeur.

— Il ne s'agit pas d'humour, du tout.

Grégoire frappa dans ses mains de bonheur et éclata à nouveau de rire en expliquant :

— Du Alexandra pur jus dans ses grands jours ! Elle est en train de vous mener en bateau. Attention, c'est la meilleure joueuse d'échecs que je connaisse, d'autant qu'elle triche.

— Il ne faut pas le dire, le gronda-t-elle en souriant. Ça anéantit ma botte secrète !

— Pour ne rien vous cacher, inspecteur, il nous reste un dernier épisode de *Damages*[1]. Même si la dernière saison est un peu moins réussie que les autres selon nous, l'idée de terminer de la visionner nous mine.

— Et balader un flic durant un dîner vous ferait gagner une soirée, si je puis dire ?

---

1. Une série américaine avec Glenn Close, du thriller légal.

— C'est ça ou la partie d'échecs, s'excusa Grégoire en haussant les épaules, faussement penaud.

Yann hésita quelques secondes. Il n'était pas flic, il n'était pas grand-chose socialement, il ne possédait certainement pas le CV d'une Alexandra Beaujeu, ni l'élégance et l'aisance d'un Grégoire. Cependant, il était assez satisfait de l'humain qu'il était devenu. Le gentil mépris de ces gens l'insupportait. Leur supériorité courtoise aussi. Se sentaient-ils différents du commun des mortels ? Sans doute.

Il sourit, enfila son pardessus posé sur le canapé Le Corbusier et déclara d'un ton aimable :

— Je vais vous dire un truc… les gens comme vous me gavent ! Vous êtes pétris de votre excellente éducation, de votre supériorité et de votre morgue. Un avocat général est mort. Trois jeunes sont morts.

Alexandra Beaujeu lança :

— Vous êtes impayable ! Soudain meurtrière, elle se leva en s'aidant de l'accoudoir du canapé et pointa l'index vers lui en feulant : Mon fils a été carbonisé au chalumeau, découpé au cutter, sodomisé avec des bouteilles, des burins, des tournevis, ce qui leur tombait sous la main. Ils lui ont explosé l'anus et l'intestin ! Ils lui ont coupé la verge et les testicules. Vous voudriez que je sanglote sur le sort de ses bourreaux ? Remballez votre morale de supérette ! Quant au reste, si vous avez un problème d'ego, consultez !

— Je vous raccompagne, inspecteur, proposa Grégoire, charmant.

Il ne prononça pas une autre phrase, hormis :

— J'allume l'éclairage de sécurité. Cela vous permettra de rejoindre le portail. Je verrouillerai ensuite. Bonne route.

Sur le pas de la porte, Yann tenta :

— Je suis… enfin…

— Désolé ? Le mot est si banal, affligeant. Alexandra n'a pas tué l'avocat général, ni les autres. Cela étant, la mort des trois ordures lui a fait un bien fou. J'ai eu le sentiment qu'elle remontait du gouffre. Pas l'assassinat de Delebarre, lui, elle voulait juste lui mettre le nez dans son caca. Évitons-nous la question : Et comment l'avez-vous appris ? La réponse est bien sûr : Internet. Vous avez deux heures de route jusqu'à Paris. Je vous propose un petit jeu sinistre, inspecteur. Imaginez-vous dans sa tête durant toutes ces années. Le grand jeune homme pieds nus frissonna dans la nuit glaciale en murmurant : L'hiver arrive…

— La météo semble incertaine à ce sujet. Hiver doux ou rigoureux, les probabilités sont un peu de 50-50, offrit Yann.

— En effet, rentrez bien.

La porte se referma sur lui et Yann, assez secoué, redescendit le chemin gravillonné au pas de charge. Le sifflement hargneux d'une Dame Blanche lui fit tourner la tête. Le portail automatique s'ouvrit devant lui. Il hésita à adresser un signe de la main à Grégoire qui avait surveillé son départ.

Une multitude d'idées disparates se télescopaient dans son esprit. Tous les dires d'Alexandra Beaujeu à vérifier, cette entrevue surréaliste, et surtout les anguilles qu'il venait de rencontrer. La mère et le fils adoptif : un cas d'école. Impossibles à cerner. Dès qu'il avait pensé tenir un début de schéma psychologique, une réflexion, une attitude de l'un ou de l'autre l'avaient détrompé.

Énervé, il claqua la portière de sa citadine et boucla sa ceinture de sécurité. Il tourna la clef de contact. La voiture démarra. Il enclencha la première. Elle toussota, sursauta et cala. Il tourna à nouveau la clef et appuya nerveusement sur l'accélérateur. Rien, hormis un vrombissement dans le vide. Au bout de cinq ou six tentatives infructueuses, il songea qu'il allait noyer le moteur. Merde ! Il jeta un regard à sa montre : 20 h 45. Re-merde. Bon, il n'avait pas de smartphone avec une appli permettant de localiser les garages ouverts dans le coin. De plus, il doutait que l'un fût ouvert à cette heure en province.

Lui restait une alternative très simple : patienter, voire dormir dans la voiture, ou sonner chez les Beaujeu. Yann savait à peine distinguer un réservoir d'une batterie, et il commençait à faire vraiment froid.

La mort dans l'âme, il se décida. Grégoire souffla d'amusement lorsqu'il lui narra la panne par vidéophone interposé.

— C'est un clin d'œil du destin, inspecteur. Résumons, nous sommes distants de sept kilomètres de Mortagne-au-Perche, charmante bourgade, toutefois dépourvue de gare. Je vous préviens tout de suite que je ne connais strictement rien à la mécanique auto. Vous ne trouverez aucun garage ouvert à cette heure. Voilà ! Je vous réitère donc notre invitation à dîner et à gîter. Je téléphonerai demain à la première heure à notre garagiste. En espérant que la panne ne soit pas trop complexe. Je vous accompagnerai à Nogent-le-Rotrou, ou à La Loupe, d'où vous sauterez dans un train pour Paris. Vous pouvez laisser votre véhicule dehors, ça ne risque rien. Bon, n'abandonnez quand même rien de précieux à l'intérieur. Je vous ouvre ?

— Je n'ai pas vraiment le choix et… enfin j'apprécie, vraiment. Vous êtes sûr que votre mère…

— Oh, elle a déjà oublié son… éclat. Je vous attends.

Un déclic. Le portail s'entrebâilla.

Yann récupéra sa sacoche poussée sous le tableau de bord de la place passager. Il repartit en sens inverse et grimpa les quelques marches. La porte s'ouvrit. Grégoire, à l'évidence amusé, déclara :

— Maman a un caractère marqué, comme vous avez pu le constater, mais pas une once de méchanceté. De surcroît, il s'agit de l'être le plus intelligent que je connaisse. Vous étiez dans votre rôle, elle le sait, même si vous l'avez exaspérée. Et puis, c'est une splendide cuisinière. Elle fait tout elle-même, les confitures, les conserves, les pâtés, les confits, les viandes fumées, le pain… tout. Venez.

Alexandra Beaujeu n'avait pas bougé de son fauteuil. D'une voix qu'il jugea véritablement chaleureuse, elle précisa :

— Sans blague, nous sommes ravis de vous avoir à dîner. D'autant que nous ne manquons pas de séries à visionner. Bon, c'était pour vous irriter, le coup du dernier épisode de *Damages*. Pas très malin, je le reconnais. Grégoire va préparer votre chambre et vous apporter un petit nécessaire de toilette.

— Merci… c'est… enfin…

— Je sais. Vous faites votre travail et j'ai toujours été un peu… sarcastique. Dès l'enfance. Je me faisais virer de la classe pour « insolence ». À part cela, le… sujet Colin est clos pour ce soir. Parlons de ce que nous aimons, de ce qui nous rend heureux, ou même de ce qui nous exaspère. Bref, parlons de vie.

— Ça me va parfaitement, acquiesça-t-il. D'autant que nous avons déjà un point commun : j'ai trouvé la dernière saison de *Damages* un peu moins réussie que les précédentes. Mais on ne la lâche pas quand même !

— Oh, de toute façon, Glenn Close pourrait jouer Rin-tintin ou la fée Clochette, je me précipiterais dessus. Pâté de canard, joue de porc en daube, salade, tarte aux pommes ?

— Un festin ! Ça va me changer des burgers-frites.

— Vous m'accompagnez dans la cuisine ? J'ai toujours besoin d'un marmiton et Grégoire ne sera pas fâché de vous céder sa place ! Comment devient-on inspecteur à la PJ ? Envie de justice, de pouvoir, d'ordre, de fonctionnariat ?

— Dans mon cas, incapacité à faire un choix.

— Venez, vous m'expliquerez, ça m'intéresse beaucoup.

Elle se leva avec lenteur. Il comprit qu'elle avait mal mais ne fit pas un geste pour l'aider. Le Pr Alexandra Beaujeu ne faisait pas partie des êtres vers lesquels on se précipite pour les redresser ou les guider, à moins qu'ils ne vous le demandent.

Chapitre 16

Le bar-restaurant Mother Gaea affichait complet, comme tous les soirs. Une clientèle, surtout d'habitués, cadres ou professions libérales, aimait à s'y détendre en dégustant la cuisine fusion, bio, mais pas tofu tempeh ou végétalienne. Certains ne s'arrêtaient que le temps d'un excellent verre de vin. Gaea, la patronne-chef, savait dénicher des nectars en provenance du monde entier. On pouvait y savourer de la volaille véritablement fermière, de l'agneau d'élevages sélectionnés, ou du saumon sauvage argenté. L'ambiance feutrée mais cordiale de l'établissement séduisait. La qualité des plats ne gâchait rien. Quant à la décoration, Gaea l'avait souhaitée sobre et de bon goût, sans pour autant verser dans un minimalisme aride. Elle avait réussi un subtil mélange de cultures : tables chinoises avec fauteuils bas en velours prune ou tabac blond, kilims ocre ou feuille morte, énormes plantes en pot qui permettaient aux convives de se sentir un peu isolés sans rien perdre de l'animation de la salle. De fait, il convenait également d'être vu lorsqu'on dînait chez Mother Gaea.

L'établissement s'était taillé une réputation d'incontournable en quelques années, au point que ne pas y boire un verre lorsque l'on transitait par Boston relevait presque d'une faute de goût. Du moins pour une certaine population. Gaea ne manquait jamais de faire sa petite tournée en salle, saluant les nouveaux clients d'un sourire, échangeant quelques mots avec ses fidèles. Cette promenade souriante de la patronne entre les tables avait son rôle à jouer dans le succès du restaurant. Grande et fine, Gaea affectionnait les vêtements blancs ou noirs d'inspiration extrême-orientale. Son lourd et complexe chignon très brun, son visage fin, ses yeux gris étirés, sa peau assez pâle et son petit nez droit signaient un métissage eurasien.

Karl McGovern souriait à son épouse Melissa, une petite brune aux yeux ambre. Ils fêtaient ce soir leur troisième anniversaire de mariage. Karl n'en revenait toujours pas. Il avait tant hésité à abandonner son confortable célibat d'homme prisé, songeant que le mariage le contraindrait. Pourtant, il n'avait pas vu filer le temps. Pas un jour, il ne s'était ennuyé en compagnie de sa femme. Pas une fois, il n'en avait désiré une autre. Pas une heure, il n'avait dû chercher comment meubler la conversation. Melissa était exceptionnelle, vive, intelligente, jolie et surtout très drôle. Elle savait tisser pour eux une vie parfaitement organisée et pourtant propice aux rêves, aux découvertes. Une vie sensuelle aussi. Melissa, épouse, compagne, meilleure amie et amante, pas nécessairement dans cet ordre selon les jours. Karl admettait qu'elle devenait aussi un peu, parfois, sa grande sœur ou sa mère, ce qui n'était pas pour lui déplaire lorsqu'une décision le faisait hésiter ou qu'une situation le déroutait. Elle prenait alors le « sentier de la guerre », ainsi qu'elle le formulait, et réglait le problème sans atermoiements. La pugnacité de sa femme le réjouissait et expliquait qu'elle soit assez vite devenue partenaire dans le gros cabinet où elle exerçait ses talents d'avocate spécialisée dans le droit maritime. Quant à lui, son métier, ou plus exactement son art, de prothésiste dentaire lui convenait parfaitement. Les plus beaux sourires d'Amérique du Nord lui devaient tous quelque chose, se plaisait-il à répéter.

Une serveuse qui semblait avancer sur un coussin d'air posa avec grâce leurs entrées devant eux. Elle annonça d'une voix presque confidentielle :

— Saumon sauvage mariné aux épices thaï, quenelles d'asperges et d'œufs de caille.

Elle servit le chablis californien commandé par Karl et les abandonna sur un dernier murmure.

— C'est quoi, c'est quoi ? geignit Melissa, en fronçant le nez.

Son mari prétendit ne pas comprendre :

— De quoi parles-tu, chérie ?

— Mais mon cadeau, c'est quoi ?

Il feignit l'effroi pour la taquiner :

— Oups ! Mince, j'ai complètement zappé !

— Je ne te crois pas et si c'est vrai, tu prends un méchant coup de pied dans le tibia !

— Et le mien ?

— Un gros câlin ce soir… quant à ton cadeau… Je le porte en ce moment. Avoue que la fille est futée.

— Lingerie ? demanda-t-il en plissant les paupières de convoitise.

— Hum hum ! Dans le genre plein de dentelle, de rubans, d'agrafes et de pressions.

— Le cauchemar du séducteur pour déshabiller la dame ? J'adore !

— Je sais.

Ils pouffèrent. Pouffement interrompu par l'arrivée de deux hommes et d'une femme à la table voisine. La femme parlait fort, sans presque s'interrompre pour reprendre son souffle. Elle bouscula la chaise de Melissa en contournant sa table et ne lui destina qu'un vague : « Désolée » sans même tourner le regard vers elle. Elle s'assit face à Karl. Il la dévisagea. Une femme d'une petite quarantaine d'années, assez grande, au visage chevalin, aux cheveux mi-longs d'un faux blond assez réussi. Elle portait d'étranges lunettes, à verres rectangulaires.

Elle continua de noyer les deux convives masculins, plus jeunes, sous une salve de propos péremptoires auxquels ils acquiesçaient avec empressement de petits mouvements de tête. Leur patronne, sans doute, à moins qu'elle ne fût une grosse cliente, expliquant leur mutisme complaisant.

La femme embraya en désignant de l'index ses lunettes :

— Trop géniales, non ? Quelle galère pour les obtenir ! Ça m'a coûté 1 500 dollars. Un prototype. Absolument un *must-have* ! Et en plus, elles ont maintenant des verres correcteurs. Je suis astigmate. Trop cool, une source inespérée de vidéos pour alimenter mon blog.

Karl comprit qu'elle portait un modèle encore rare de Google-glass, puisqu'il n'en existait que quelques milliers de paires dans le monde. La modeste asymétrie des montures s'expliquait par la présence de la microcaméra qui filmait tout ce que la femme regardait pour expédier les données sur un ordinateur, quelque part. Sans doute s'agissait-il du dernier modèle, équipé d'une sorte de minuscule écran qui permet une excellente définition même par grand soleil. Ce perfectionnement le rend encore plus discret.

Karl posa sa serviette à côté de son assiette, adressa un regard appuyé à Melissa qui l'étudiait, un soudain sérieux peint sur son visage. Elle acquiesça d'un léger signe de tête. Il s'approcha de la femme, intarissable, et lâcha d'un ton neutre :

— Merci de bien vouloir ôter vos lunettes.

— Hein ?

— Enlevez vos lunettes, s'il vous plaît.

— Ça va pas, non ? rétorqua la femme, outrée.

— Ma femme et moi souhaitons dîner en paix, sans être filmés.

— Mais enfin, je fais ce que je veux. Nous sommes dans un lieu public. Pas comme si j'avais pénétré dans votre chambre à coucher !

— Non. Vous ne faites pas ce que vous voulez et en tout cas, vous ne nous filmez pas sans notre autorisation.

— Pour qui vous vous prenez, mon vieux ? Une star ?

— Juste un citoyen qui paie ses impôts et n'a pas envie qu'on l'emmerde.

La femme lâcha un petit rire ironique et s'adressa à ses deux invités qui baissaient la tête, gênés.

— C'est dingue, ces ringards qui ne tolèrent pas les progrès technologiques ! Hello, Plouc-ville, bienvenue dans le troisième millénaire !

— Vive l'ultra-technologie, lorsqu'elle est utilisée à bon escient et par des gens corrects. Votre saint Zuckerberg, celui qui ironise sur la notion de vie privée, aurait racheté 30 millions de dollars toutes les baraques qui entouraient la sienne pour… protéger sa vie privée. Tout comme le cofondateur de Google[1]. Pour la dernière fois, rangez vos lunettes, répéta Karl, glacial.

— Je vais porter plainte, si vous continuez. C'est du harcèlement ! D'autant que cette conversation est maintenant enregistrée sur mon disque dur.

— Je m'en fous. Vous bafouez nos droits constitutionnels, dont le respect de la vie privée. Ma femme est avocate. Un ou deux millions de dollars de dommages, ça vous branche ?

La femme perdit sa superbe. Pourtant, elle s'obstina :

— Barrez-vous ! s'insurgea-t-elle en tentant de se redresser.

Une poussée brutale la fit choir sur sa chaise. Karl lui arracha les lunettes. La femme hurla, affolée, sans que les deux hommes à côté d'elle ne bougent. Gaea, alertée, s'était rapprochée. Karl tenta de tordre les branches de titane, sans succès. Il jeta les lunettes au sol et écrasa la caméra. Des clients qui avaient suivi l'échange de plus en plus virulent applaudirent[2].

---

1. Latribune.fr, 14/10/2013.

2. Les scènes « inspiratrices » se sont déroulées à San Francisco en février et avril 2014. Google a forgé un néologisme pour recommander à ses futurs clients de ne pas se livrer au voyeurisme. *« Don't become a Glass-hole »*, en référence à « asshole », littéralement : « Ne devenez pas un connard à lunettes » et a publié un guide de « bonne conduite ».

Andrea H. Japp

Gaea passa une main légère dans son dos et déclara d'un ton sans appel à la femme :

— Sortez de mon établissement maintenant, et n'y remettez jamais les pieds. J'ai dit maintenant !

Les deux hommes ne se firent pas prier et la femme, furieuse mais inquiète, les suivit.

Karl se pencha vers la très belle femme eurasienne et murmura :

— Big Brother en rêvait. Avec ces abrutis, nul besoin d'un dictateur ou d'agences de renseignements. Ils paieront pour fliquer les autres et eux-mêmes. Les petits ne veulent pas comprendre que le dernier luxe qui leur reste est l'anonymat. Les autres, les gros, sont en train de le vendre à la découpe.

Dans un clignement d'yeux complice, Gaea lui répondit d'un chuchotement :

— En effet, Karl, débarquent aussi les beacons[1]. Elle offrit ensuite d'une voix plus forte : Monsieur McGovern, une bouteille de champagne, cadeau de la maison ? Champagne français.

Gaea se tourna vers les autres clients attablés et lança dans un rire joyeux :

— Enfin entre nous ! Savourons et profitons.

---

1. Balises. Déjà installées dans plus de 1 000 magasins aux États-Unis, elles permettent aussitôt d'identifier et localiser les clients grâce à leur Smartphones équipés de la géocalisation d'intérieur. Le client tend la main vers un produit, un message lui propose un bon de réduction. La société qui les commercialise anticipe un surcroît de chiffre d'affaires de 500 millions de dollars en 2013. Source : les blogs du Monde, Jérôme Martin, 21/04/2014.

Chapitre 17

Le 3 décembre, gare de La Loupe, France

Après avoir acheté son billet, Yann se rencogna, s'abritant comme il le pouvait de la petite pluie froide. À sa promesse, Grégoire l'avait déposé à 6 h 15, afin qu'il saute dans le train de 6 h 46 qui arrivait à Paris vers 8 h 30. Le jeune homme appellerait le garage à 9 heures et ferait remorquer sa voiture de fonction. Yann devrait revenir la chercher.

Yann l'admettait bien volontiers : il aurait fait un flic déplorable. Quelle étrange soirée. Si agréable, stimulante et cordiale qu'il avait fini par oublier l'objet de sa visite. Après qu'il eut préparé la chambre d'amis, Grégoire l'avait précédé jusqu'au seuil, précisant en riant :

— Un vestige de la période néo-gustavienne de maman ! Installez-vous. Nous vous attendons dans la cuisine. Merci d'avoir fait marmiton ce soir !

Yann avait déposé son manteau, détaillant la pièce assez vaste avec une salle d'eau attenante. Les meubles patinés de gris pâle aux lignes cossues n'étaient pas trop chargés de sculptures. Il avait déposé sa sacoche sur une sorte de table de drapier qui faisait office de commode. S'y alignaient une brosse à dents d'invité dans son étui de plastique transparent,

137

un petit tube de dentifrice, un savon, un peigne, un nécessaire de rasage à usage unique, le tout de chez Muji. Des gants de toilette et de grandes serviettes en éponge blanche étaient posés sur le rebord du lavabo. Le couvre-lit à rayures bleues et grises avait été tiré, révélant une housse de couette en lin bis. Yann Lemadec s'était passé un peu d'eau sur le visage, avait ordonné ses cheveux épais de ses doigts avant de descendre rejoindre ses hôtes involontaires.

Mère et fils possédaient une solide culture générale, dans à peu près tous les domaines. Si leurs goûts en matière de littérature et de philosophie avaient paru compatibles, ils s'étaient chamaillés en riant au sujet de leurs préférences musicales et cinématographiques. Le Pr Alexandra Beaujeu avait semblé fascinée par le parcours de Yann. Comment passait-on de la chimie et de la psychologie à une carrière de flic ? Il avait failli se trahir, ayant presque oublié qu'il s'était présenté comme inspecteur. Pataugeant un peu, il avait avancé l'habituelle excuse de la sécurité de l'emploi dans la fonction publique. Grégoire s'était esclaffé sans aucune méchanceté :

— À votre âge ? L'option bretelles ET ceinture ? Vous rajouterez le Velcro à quarante ans ?

Ils avaient discuté à perdre haleine, beaucoup ri, et les heures avaient filé. À un moment, le portable de Grégoire avait sonné. Embarrassé, le jeune homme avait jeté un regard à sa mère avant de vérifier le numéro qui s'affichait. Celle-ci avait commenté d'un sec :

— L'avantage du portable, c'est qu'on peut l'éteindre. Notamment au cours des repas.

— Désolé, maman. Je dois répondre…

Grégoire s'était levé, hochant la tête en signe d'excuse. D'un ton cassant, il avait commencé :

— Non… Bon, écoutez… il est plus de 22 h 30… Je ne suis pas responsable de vos erreurs et franchement, je m'en fous.

Il avait ensuite disparu dans le salon.

La conversation avait repris. Yann avait voulu savoir pour quelles raisons Alexandra Beaujeu s'était orientée vers la neurologie.

— Sans doute parce qu'à l'époque, la neurobiochimie balbutiait encore. La neurologie se rapprochait le plus de l'objet de ma fascination : le cerveau.

— Pourquoi pas la psychiatrie ou la psychanalyse ?

— Ah, parce qu'on se trouvait alors dans le dysfonctionnement de l'esprit humain. Ce qui me fascine est le fonctionnement de l'organe et ses pathologies. Se moquant d'elle-même, elle avait admis : Bon d'accord, il s'agit d'une pirouette, et ce n'est pas la première fois que j'y ai recours. En général, elle fait rire. Cela étant, n'y voyez pas qu'une boutade.

— Comment cela ?

— La pensée est une production du cerveau, au même titre, par exemple, que la sueur est une production des glandes sudoripares. La moue de Yann l'avait réjouie et elle avait insisté : Voyez, votre grimace à cette comparaison. On a déifié l'esprit humain. On en a fait une sorte de démiurge, de remède miracle, ou d'implacable punition, affirmant qu'il pouvait tout ou presque... tragiquement faux. Sans doute parce que selon nous, il nous rapproche de Dieu, dont nous voulons croire que nous sommes l'expérience aboutie. Lourde erreur engendrée par l'incommensurable prétention de notre espèce. Même les athées n'y échappent pas toujours. Quoi qu'il en soit, la pensée est le fruit d'un gros amas de molécules, très complexes, et de courant électrique. Qu'elle s'alimente aussi via les sentiments au sens large n'y change rien. Toutefois, on peut réconcilier tout le monde en admettant que si Dieu existe, le cerveau humain est incontestablement Sa plus belle réussite. La plus redoutable aussi.

— Vous avez les dents de la chance, c'est rare, paraît-il, avait-il soudain déclaré, se sentant aussitôt bête. D'accord, il avait trop bu.

De fait, le diastème entre ses deux incisives frontales était assez prononcé, environ deux ou trois millimètres.

— De la chance ? Avouez que dans mon cas, c'est assez savoureux. En effet, il s'agit d'une caractéristique génétique rare, surtout chez les Caucasiens. Quatre à cinq pour cent de la population blanche. Cela étant, qui peut dire d'où il vient à quinze ou vingt générations d'écart ? L'histoire de ce suprématiste[1], chantre de la pureté de la race blanche, et anti-métissage et dont on a découvert qu'il avait 14 % de gènes subsahariens m'a bien fait rigoler.

Quelques minutes plus tard, Grégoire, le visage un peu fermé, avait repris place, présentant ses excuses à sa mère et à leur invité.

— Des ennuis, chéri ?

— Un truc professionnel, barbant. Sans caractère de gravité, mais barbant.

— Évitons les sujets barbants, avait-elle souri.

Il était presque 1 heure du matin lorsqu'Alexandra, puisqu'il avait reçu au cours du dîner la permission de l'appeler par son prénom, s'était exclamée :

— Yann, votre train démarre aux environs de 6 h 30, demain matin ! Quelques heures de sommeil ne nuiront pas.

Il ne l'avait pas revue au matin. Grégoire lui avait expliqué que sa mère dormait mal et qu'il hésitait à la réveiller.

Yann l'avait remercié au cours de leur trajet jusqu'à la gare.

— J'ai passé une excellente soirée. Ce n'était pas gagné, avait-il commenté avec une totale sincérité.

— Moi de même. Maman aussi, je peux vous l'assurer. Quand elle fait la gueule à quelqu'un, il est difficile de ne pas s'en apercevoir. Parlez-en à Edward Armstrong et il frisera la crise d'apoplexie…

Yann avait complètement oublié Armstrong avec qui, pourtant, il devait vérifier certains dires du Pr Beaujeu.

---

1. Graig Cobb, novembre 2013.

— Pour être franc, et surtout ne le répétez pas à ma mère, je crois que ça l'amuse de le détester. En réalité, hormis la haie de thuyas – et il n'y avait pas mort d'homme –, Armstrong n'a rien d'un abruti ou d'un vandale. Au contraire. Mais leurs continuelles prises de bec la mettent « en jambes », comme elle dit.

— Une femme assez remarquable, n'est-ce pas ?

— Au-delà, avait murmuré le jeune homme.

Yann avait détaillé son profil, s'étonnant à nouveau de cette perfection esthétique.

La voix numérique de la dame-de-la-SNCF prévint les passagers transis que le train de Paris entrerait en gare avec dix-sept minutes de retard. Aux multiples grognements et aux remarques acerbes, Yann comprit que ce genre d'annonces ne devait pas être exceptionnel. Autant commencer à bosser, il sentirait moins la pluie.

Contrairement à ce qu'il avait pensé, Edward Armstrong n'était pas sur liste rouge. Il composa le numéro avant de se souvenir de l'heure indue. Il allait raccrocher lorsqu'une voix masculine, une voix de stentor mâtinée d'un fort accent américain, retentit :

— Allô !

— Monsieur Edward Armstrong ?

— Hum.

— Inspecteur Yann Lemadec, PJ. Désolé de vous appeler si tôt, je ne pensais pas vous trouver...

— Eh bien, vous m'avez trouvé. Et ?

Une femme entre deux âges s'arrêta timidement devant lui, montrant sa cigarette et murmurant :

— Vous avez du feu ?

— Désolé, je ne fume pas.

— Pardon ? tonna Edward Armstrong.

— Non, rien. Yann attendit que la femme se soit éloignée pour reprendre : J'aurais des questions à vous poser au sujet de votre altercation du mois de septembre avec le Pr Alexandra Beaujeu…

— Les dix plaies d'Égypte à elle toute seule ! Un cauchemar.

Armstrong marqua une pause soudaine et reprit :

— Attendez… je ne vous connais pas. Vous pourriez être n'importe qui. Vous n'avez qu'à passer au château.

— Ma voiture est en carafe. Je suis à la gare de La Loupe. J'ai passé la nuit chez le Pr Beaujeu.

— Et vous êtes encore en vie ?

— J'apprécie beaucoup l'humour américain, biaisa Yann.

— Si vous n'êtes pas pressé de rentrer sur Paris, j'envoie la voiture vous chercher, suggéra Armstrong. Ça vous évitera de revenir. Inutile de vous dire que je ne me déplacerai pas, ou alors sur convocation officielle et accompagné de mon avocat.

— Volontiers. Je n'ai pas d'obligation… je peux rentrer plus tard.

— Okay.

La communication fut coupée sans autre forme de politesse, au point que Yann se demanda si on venait bien le chercher. Le train retardé entra en gare et il hésita. Sauter dans un wagon, *or not* sauter dans un wagon ? Au pire, il se tapait une autre demi-heure d'attente à cette heure de pointe où nombre de provinciaux partaient travailler dans la capitale.

Un homme asiatique entre deux âges, vêtu d'une canadienne et d'un jean, apparut vingt minutes plus tard, brandissant une feuille A4 sur laquelle était indiquée « Ian ». Il se précipita vers lui.

— Je suis Yann Lemadec, de la PJ.

— *Right, follow me, please*[1].

— Je me demandais si j'avais bien compris et…

— *Sorry, I don't speak French*[2], l'interrompit l'homme.

1. Bien, suivez-moi, s'il vous plaît.
2. Désolé, je ne parle pas le français.

Dans un anglais scolaire et surtout approximatif, Yann tenta de traduire sa phrase. Soit il se planta, soit l'autre n'avait rien à faire de ses explications puisqu'il ne répondit pas, le devançant jusqu'à un 4 × 4 Lexus. La phrase acide du Pr Beaujeu lui revint : *Je suis moi-même assez écolo, mais je vis à la campagne. Je ne sors pas de Manhattan pour atterrir à Roissy en jet privé.* En jet privé et en 4 × 4, même si ce type de voiture pouvait se justifier à la campagne.

Comme s'il avait pu lire dans ses pensées, le chauffeur précisa d'un ton fier :

— *It's an hybrid*[1].

Le trajet jusqu'aux environs de Mortagne-au-Perche fut très silencieux. Yann aurait sans doute pu fournir quelques efforts de traduction, mais l'autre ne semblait pas tenté par une causette.

Ils parvinrent devant une grille en fer forgé blanc. Elle s'entrouvrit et la voiture glissa, silencieuse, le long d'une allée de fin gravier blond, bordée de tilleuls encore jeunes. Le château apparut. Une construction du XVIIe siècle vraisemblablement, maintes fois restaurée au fil des siècles. Une verrière XIXe en fer forgé blanc, aux stores baissés, occupait le centre de la façade. Deux tourelles arrondies flanquaient le bâtiment de pierres à peine grisées aux toits pentus d'ardoise. Une aile partait en angle droit du flanc gauche, addition relativement récente à l'évidence. Deux grands bassins jumeaux, à la française, s'étendaient devant le bâtiment.

La voiture s'arrêta devant les marches plates qui menaient à l'entrée principale. Yann descendit du véhicule et hésita sur la conduite à tenir. La large porte en bois clouté s'ouvrit et la silhouette d'un géant se découpa dans la pénombre de la fin de nuit, trouée par les lampes extérieures.

Edward Armstrong devait mesurer plus d'un mètre 90 et sans doute peser dans les cent kilos. Âgé d'une bonne cinquantaine d'années, peut-être soixante, il portait ses cheveux très

---

1. C'est un modèle hybride.

143

bruns mi-longs, à moins qu'il n'ait succombé à l'envie d'une teinture. Pieds nus, il était vêtu d'un ample pantalon de coton blanc et d'un long tee-shirt en dépit de la grande fraîcheur du début du jour.

— Bonjour ! tonitrua Armstrong. Café, thé ?

— Rien, merci, déclina Yann en le rejoignant en haut des marches.

— Je prends mon petit déjeuner. Suivez-moi.

Armstrong referma la porte derrière eux, sans lui tendre la main.

Ils traversèrent un grand hall de réception, dallé de pierre gris soutenu. Des banquettes gris pâle ponctuaient les murs recouverts d'un enduit à la chaux. Yann remarqua l'absence de tableaux ou de bibelots, assez surprenante dans ce genre de pièce. Ils empruntèrent un large couloir qui longeait l'avant du bâtiment et dont les multiples fenêtres ouvraient sur les bassins. Enfin, ils débouchèrent dans la verrière qu'il avait aperçue. Des plantes d'une arrogante santé s'y épanouissaient. Yann leur jeta un regard admiratif.

— J'aime la chlorophylle, plaisanta Armstrong en s'installant derrière une table en teck massif.

Une étonnante énergie se dégageait du moindre de ses gestes. Il désigna une chaise, invitant Yann à prendre place. Aussitôt, une femme assez âgée parut, portant le plateau du petit déjeuner. Elle disposa devant le maître de maison une cafetière, une petite laitière, une assiette de poisson avec deux œufs au plat à cheval, une soucoupe de salade de fruits frais, une autre avec une sorte de purée noirâtre.

— Thon jaune[1], précisa Edward Armstrong. Je le ramène des États-Unis. Je mange ce que je pêche ou je l'offre. Rien pour vous ?

— C'est quoi ? se renseigna Yann en désignant la deuxième soucoupe.

------

1. Thon albacore.

— Coulis de myrtilles, sans sucre, bourré d'anthocyanes. Excellent.

Finalement, il avait faim, n'ayant bu qu'une tasse de café avant de quitter la maison du Pr Beaujeu. Il avait le sentiment d'avoir été projeté dans une réalité décalée depuis la vieille, où les règles étaient un peu différentes sans être complètement étrangères, aussi s'entendit-il avouer :

— Je goûterais bien. Je crois n'avoir jamais mangé de myrtilles, sauf peut-être en confiture. Avec un café, si c'est possible. Noir.

— Des toasts, monsieur ? s'enquit la femme.

— Avec plaisir… enfin, je ne voudrais pas abuser. Merci, madame.

— Vous saurez très vite si vous abusez, rétorqua Armstrong, un sourire presque carnassier aux lèvres. Merci, chère Pierrette. J'espère simplement que nous avons des toasts.

— Allons, monsieur, toujours, au congélateur, gloussa-t-elle avant de disparaître.

Armstrong dévisagea Yann. Son regard vert bleu l'épingla durant de longues secondes. Il avait le visage buriné et bronzé d'un homme qui aime le grand air, la haute mer, l'escalade ou la randonnée. Un nez aquilin et une mâchoire soulignée parachevaient ce que Yann qualifia de belle gueule de mâle mûr. Armstrong tendit le bras vers son invité, un bras aux muscles durs, et exigea :

— Badge !

Yann lui tendit son porte-cartes avec sa vraie fausse carte et la médaille.

Edward Armstrong l'étudia avant de la lui rendre. Il sourit enfin, déclarant :

— Si je dois vous avouer que je suis une alimentation *Low-carb*, sans gluten, autant que vous soyez tenu par le secret de l'enquête, non ?

— *Low-carb* ?

— Pas d'aliments à fort index glycémique. D'où le mérite de Pierrette qui prévoit quand même du pain. L'objet de votre visite ?

— Vous êtes rassuré à mon sujet ?

— Inspecteur Lemadec, on ne devient pas milliardaire à partir de presque rien sans cinq paramètres essentiels : la chance, un solide instinct, savoir juger les hommes, ne pas avoir peur du risque et être un énorme bosseur. Dans cet ordre. Alors ?

— Mme le professeur Alexandra Beaujeu est votre plus proche voisine, n'est-ce pas ?

— En effet, ce qui prouve que même l'homme le plus chanceux du monde peut quand même parfois avoir la poisse.

— Vous parlez remarquablement bien le français.

— Je m'applique. Je m'applique en tout mais je n'ai pas l'oreille musicienne, d'où mon accent assez prononcé. Deborah, ma fille, n'a presque plus d'accent. Il est vrai que c'est une remarquable pianiste.

— Vous auriez eu une altercation avec le Pr Beaujeu et auriez sollicité l'aide de la gendarmerie fin septembre, alors qu'elle refusait de se rendre à une convocation ici.

— Nous avons en effet eu une sérieuse prise de bec au sujet d'une haie de thuyas qu'elle a fait crever à coups de bonbonnes d'eau de Javel concentrée. Pourquoi des thuyas ? Parce que ça pousse vite et serré et que j'avais envie de ne plus les voir : elle, son fils, leur maison. Le drame ! Elle hurlait qu'on ne plantait pas ce genre d'essence dans le parc régional. *Man, she really has a screw loose*[1] ! J'ai sans arrêt des histoires avec elle.

— Pourquoi, selon vous ?

— Elle me soupçonne de vouloir la pousser dehors pour racheter sa maison, une des anciennes fermes du château, construit au XIVe siècle. Il a été intégralement détruit par les

—————
1. Elle a vraiment une case de vide, mon pote !

flammes au XVIe siècle puis reconstruit au XVIIe. Mais je m'en fous, de sa baraque.

Pierrette réapparut et posa devant Yann une soucoupe, une assiette débordant de toasts dorés, un petit beurrier et une autre cafetière. Elle remplit sa tasse et les quitta en souriant.

Edward Armstrong eut un grand geste de bras et précisa :

— Nous avons ici plus de mille mètres carrés de surface habitable. Sans compter les combles et les dépendances, derrière. Nous venons en France deux fois par an, un séjour maximum de trois mois, aucune envie de payer mes impôts ici ! Que voulez-vous que je fasse de cette ferme, d'autant que je suis certain que le Pr Beaujeu a massacré la restauration ? ajouta-t-il perfide.

— Pas du tout. C'est très réussi, au contraire, rectifia Yann. Et donc que s'est-il passé ce jour-là ?

Le récit de Armstrong fut presque similaire à celui du Pr Beaujeu, à ceci près que, dans la version de l'Américain, Alexandra devenait une semi-dingue qui lui pourrissait la vie par tous les moyens à sa disposition.

— À quelle date ?

Edward Armstrong haussa les épaules :

— En septembre, nous étions là. Ah, vous voulez le jour ? Il récupéra son smartphone sur la table et lança :

— *Chién ? Could you check on the computer for me, please ? When precisely did that obnoxious fool next door make another fuss ? In September. You know the mess with the thujas and the bleach ? When the gendarmerie came over*[1] ? Il couvrit le micro de sa main et précisa au profit de Yann : Tout ce que je fais est noté. Très important, même si j'ai une mémoire d'éléphant. On ne peut pas prétendre qu'on m'a rencontré un jour

---

1. Chién, pourriez-vous, s'il vous plaît, vérifier sur l'ordinateur quand, au juste, cette folle odieuse de voisine nous a fait une nouvelle crise ? En septembre. Vous savez ce carnage avec les thuyas et l'eau de Javel. Lorsque la gendarmerie est passée ?

ou que j'ai affirmé quelque chose, si c'est faux. *Right. Thanks, Chién*[1]. Le 25 septembre, un mercredi.

— Et donc, le commandant de gendarmerie l'a raccompagnée ensuite chez elle ?

— Son fils, Grégoire, est passé la chercher. Ils sont tous les trois partis ensemble. Je n'en sais pas plus. Si ce n'est que le commandant Vincent Levasseur l'a forcée à me rembourser les thuyas.

Soudain, une idée sembla lui traverser l'esprit et il lança :

— Attendez… c'est toujours agréable de prendre son petit déjeuner en bonne compagnie… ma fille ne rentrera que demain, elle rend visite à une amie… mais en quoi la police judiciaire est-elle impliquée dans une destruction de haie ? Je n'ai même pas porté plainte.

— En réalité, il s'agit d'une enquête criminelle. Un meurtre perpétré ce jour-là.

— Elle l'a tué !

— Pardon ?

— Elle a tué cette personne, répéta Armstrong en terminant sa salade de fruits et en se resservant une tasse de café.

— Vous connaissez l'identité de la victime ? vérifia Yann Lemadec, incrédule.

— Non. Mais Beaujeu est capable de tout.

Yann acheva de beurrer un second toast et déclara d'un ton sérieux :

— Monsieur Armstrong, une accusation de meurtre est une chose très grave. On tombe très vite sous le coup de la calomnie, voire du faux témoignage. Je ne connais pas la législation américaine, mais je peux vous garantir que la nôtre ne rigole pas avec cela.

— Juste. Bon, je ne sais pas qui est mort. Un homme ?

— Hum… un avocat général.

---

1. D'accord. Merci, Chién.

Armstrong sembla réfléchir puis pointa l'index vers lui. Il ferma les yeux en inspirant de colère :

— Non ! Non, je ne peux pas le croire ! Ne me dites pas que je viens de fournir un alibi à cette bonne femme !

Yann ne put réprimer un sourire.

— Fournir, non. Corroborer, en effet. Mais ne soyez pas trop dur envers vous-même. Je vais téléphoner au commandant Levasseur. À l'évidence, il confirmera les dires du Pr Beaujeu. Vous savez, elle gagne à être connue.

— *No way*[1] !

Ils terminèrent leur coulis de myrtilles en silence puis Edward Armstrong s'enquit :

— J'espère ne pas commettre une indiscrétion… mais, pourquoi être remonté jusqu'à Alexandra Beaujeu ? Elle connaissait cet avocat général ? Vous aviez des raisons de soupçonner qu'elle lui voulait du mal ?

— Désolé, je ne peux pas vous répondre.

— Pas de problème, je m'y attendais. Simple curiosité de ma part.

— Vous pensez vraiment qu'elle pourrait tuer ? le poussa Yann.

Edward Armstrong avala la dernière gorgée de son café au lait et plissa les lèvres.

— Non. Je me suis un peu renseigné à son sujet. Elle était médecin, un excellent médecin doublé d'une scientifique.

— Ça n'empêche rien.

— Ce que je veux dire, c'est qu'il s'agit d'une femme extrêmement intelligente, même si ça me peine de lui trouver une qualité. Ces gens-là tuent rarement. Simplement parce qu'ils peuvent trouver d'autres moyens de régler leurs problèmes, même des moyens impitoyables. Selon moi, le meurtre est très souvent un aveu d'impuissance. *Knowledge is power*. La connaissance, c'est le pouvoir. La vraie puissance.

----

1. Certainement pas !

— Assez juste, très même, admit Yann.

Ils bavardèrent encore quelques minutes et Yann prit congé. Edward Armstrong le raccompagna jusqu'au perron. Yann se sentait presque nain à ses côtés. Il le dépassait d'une bonne tête.

Son chauffeur, sans doute Chién, attendait à côté de la voiture. Un jour de pingre luminosité s'était levé sans qu'il s'en aperçoive. Un froissement brusque attira son regard vers la droite. Pierrette, sans doute, relevait les stores de la véranda en débarrassant la table.

Edward Armstrong lui tendit la main sur un sourire, une poigne ferme, sans force superflue. Un type bien dans sa tête et dans sa peau. Une sorte de vague regret envahit Yann, sans qu'il soit capable de lui donner une forme, une définition. Sans qu'il soit capable de poser des mots dessus. Pourquoi, comment, Edward Armstrong déclara-t-il à cet instant précis, d'une voix presque paternelle :

— Vous savez, on se trompe sur les choix. On croit qu'il s'agit de portes que l'on pousse, un peu au hasard, et qui se referment définitivement derrière nous. C'est faux dans la plupart des cas. Il s'agit le plus souvent de portes à tambour et on peut faire machine arrière. Il faut simplement le vouloir et ne pas se trouver des prétextes bidon pour continuer sur une route décevante.

Si américain comme raisonnement, songea Yann tout en sentant qu'il passait à côté de quelque chose.

Chapitre 18

Un peu plus tard, 3 décembre, hôtel de Beauvau,
Paris, France

Yann Lemadec avait ressassé son entrevue avec le sieur
Edward Armstrong durant le trajet de retour vers Paris. Un
truc ne cadrait pas. Cependant, il ne parvenait pas à mettre le
doigt sur ce qui le troublait.

Arrivé gare Montparnasse, il s'offrit un sandwich-café puis
s'engouffra dans le métro. Le brouhaha ambiant, la promis-
cuité, les bousculades, l'écœurante cacophonie des odeurs cor-
porelles et des parfums disparurent. Deux phrases tournaient
en boucle dans son esprit, se télescopant à la manière d'une
partie de flipper. « Celui qui n'a jamais confiance en personne
ne sera jamais déçu », de ce bon vieux Leonard de Vinci, qui
s'opposait à « On est plus souvent dupé par la défiance que
par la confiance » du cardinal de Retz. Le trombinoscope de
ses collègues de la BIS défila. Même en fournissant un gros
effort, il n'avait confiance en personne. Hormis en Lucie. Elle
était intelligente et très experte dans son domaine. À l'instar
de Yann, Lucie avait parfaitement intégré l'idée que seule
l'union de la technologie et de la non-technologie pouvait
lutter contre la criminalité ultra-technologique. Lucie était la
technologie et lui l'autre versant : la psychologie, l'analogie,

les perceptions. Nous sommes ce que nous faisons. Savoir ce qu'est un criminel, c'est donc savoir ce qu'il a fait ou fera. À l'inverse, savoir ce qu'a fait quelqu'un, c'est savoir ce qu'il est.

Cerise sur le gâteau, Lucie avait plus de cinquante ans, sa carrière était déjà derrière elle et elle ne l'ignorait pas. Il ne s'agissait pas de cynisme de la part de Yann, mais de lucidité. Femme, senior, trop grosse, pas d'appui politique ou hiérarchique, pas nécessairement dans cet ordre. Qu'elle eût un compte de neurones très supérieur à la moyenne n'y changeait rien et elle en était consciente. Seule circonstance dans laquelle elle aurait pu grimper à un échelon supérieur, ceux qu'occupaient les mâles blancs du sérail de la haute fonction publique : que l'on ait besoin en haut lieu d'un affichage « parité-diversité ». Dans ce cas, on promouvait quelqu'un remplissant les critères stratégiques, quitte à se rabattre sur l'incompétent(e) de base. Or la BIS était trop confidentielle pour devenir une bannière. Lucie Dormois allait donc végéter jusqu'à sa retraite. S'ajoutait ce que Yann pressentait d'elle : une femme fiable, qui avait traversé assez de galères personnelles pour ne plus avoir peur de grand-chose, qui permettait qu'on l'utilise à vil prix si elle y trouvait quand même son avantage. Sans évoquer son humour insolent, un point non négligeable, mais qui déplaisait souverainement à ses supérieurs.

Certes, le commandant Henri de Salvindon avait insisté sur l'absolue discrétion de sa mission. Rien à foutre de Salvindon. Lemadec n'avait aucune confiance en lui. D'autant que l'analyste avait déjà évoqué l'affaire avec Lucie. Toutefois, mieux valait passer ce « détail » sous silence.

Songeur, il pénétra dans l'ancienne serre dont l'architecture ne parvint pas à le dérider.

Il suivit le couloir et parvint devant la porte de son bureau, tira le badge magnétique de sa poche. Il enleva son manteau et déposa sur son bureau la sacoche qui protégeait son ordinateur et son téléphone portables. Il travailla, cherchant tous azimuts des renseignements au sujet d'Alexandra Beaujeu, de Grégoire, d'Edward Armstrong, des trois tortionnaires de Colin. Quelques lignes dans un blog le retinrent juste avant qu'il ne clique sur un autre lien. Il avait lu un des romans de ce célèbre auteur d'heroic fantasy : Ïoda Kyûjutsu, une sorte d'épopée moyenâgeuse et japonisante avec un bon dosage entre histoire, guerre, complots politiques, sang, sans oublier un soupçon de sexe. *Le fils des dieux.* Si l'on en croyait ce blog dithyrambique de fan, le véritable nom de Ïoda Kyûjutsu n'était autre que Grégoire Beaujeu, qui possédait un master d'études japonaises.

Pourquoi n'avait-il jamais mentionné sa carrière d'écrivain au dîner ? Modestie ou volonté de ne rien offrir à son sujet ? Alors que la question se formait dans son esprit, Yann se rendit compte qu'en dépit de la conversation animée et en apparence spontanée, qui les avait tenus jusqu'à 1 heure du matin, Alexandra n'avait rien révélé non plus. Elle avait discuté de sa carrière de neurologue, de la complicité qui l'unissait à sa sœur Alice, de son ancien mari Terence Osborne, en éludant avec soin sa vie d'après le meurtre de Colin, l'adoption de Grégoire. En bref, elle s'était étendue sur ce que Yann pouvait retrouver ou vérifier. En réalité, aidé par un magnifique saumur rouge, il avait été le seul à se dévoiler, avec prudence. Du moins l'espérait-il rétrospectivement.

Sans trop savoir pourquoi, il pianota à la recherche d'informations au sujet d'Ïoda Kyûjutsu. Pas de photos, hormis quelques beaux dessins de fans le dépeignant sous les traits d'un jeune samouraï en dô-maru[1] ou vêtu du kamishimo[2] traditionnel, katana brandi, wakizashi[3] passé sous la ceinture.

----

1. Armure de combat.

2. Vêtement complet, composé d'une longue jupe culotte ample et d'un kimono à ailettes.

3. La « lame d'honneur », sorte de petit katana, à lame légèrement courbe, qui ne quittait jamais le samouraï.

Yann répéta les différents termes qu'il ne connaissait pas, hormis, katana. Leurs définitions étaient fournies par un des fans, afin d'expliquer son dessin de l'auteur fétiche. S'il en jugeait par le nombre de forums et de commentaires enthousiastes, ou de vertes prises de bec entre lecteurs, Ïoda Kyûjutsu alias Grégoire Beaujeu avait un lectorat aussi vaste que passionné. Les interrogations sur sa réelle identité, sa nationalité allaient bon train. Les invectives aussi. Il s'amusa à suivre quelques échanges vipérins qui clouaient au pilori le blogueur ayant révélé l'identité présumée de l'auteur.

Grand Chemin : mais non, ce mec est un naze. Comment pourrait-il savoir qui est Ïoda Kyûjutsu ? Un Français, non mais je rêve ! Grégoire ? Et pourquoi pas Jean-Benoît ou « prout-ma-chère » comme disait ma grand-tante ! Si ce troll se sortait le pouce de l'anus, il saurait que les lecteurs japonais sont certains qu'il s'agit d'un de leurs auteurs de Manga. Deux noms circulent.

Torpille Ninja : Ah, bien sûr, Grand Chemin sait tout mieux que tout le monde ! Et pourquoi il ne serait pas français ?

Lune d'Avril : parce que les Français ne sont pas capables d'écrire des trucs géants comme ça. Ah, je suis amoureuse d'Ïoda Kyûjutsu ! Je m'épile complètement s'il préfère !

Yann Lemadec apprit ainsi que l'auteur était traduit dans une vingtaine de pays, et qu'il faisait un carton aux États-Unis et au Japon.

Il ne découvrit rien au sujet d'Alexandra Beaujeu, hormis quelques anciennes publications scientifiques dont elle était coauteur et le fait qu'elle participait à l'inventaire de la biodiversité du parc naturel du Perche. Quant à Edward Armstrong, des pages et des pages de référencement lui étaient consacrées sur Google. A priori, rien d'affriolant. Sa notice biographique sur Wikipedia se révéla squelettique. Nul doute que son staff veillait à ce qu'elle demeure aussi laconique que possible. Les gens très riches et très puissants montrent le plus souvent un goût marqué pour la discrétion. Edward Armstrong était né en septembre 1956, en Arkansas, dans une famille de petits fermiers. Sa grand-mère maternelle était française, expliquant son amour pour ce pays. Il devait son peu de formation à son passage chez les Marines. Après le décès prématuré de ses parents, il avait vendu l'exploitation familiale et investi en bourse, gagnant ainsi son premier million de dollars à vingt-deux ans. De fait, la chance s'en était mêlée, et sans doute une implacable détermination – ce que ne précisait pas la notice. Des salves de rachats, reventes, démembrements d'entreprises, d'acrobaties bancaires en tous genres lui avaient permis d'entrer dans le classement Forbes des cent plus grosses fortunes des États-Unis dès ses quarante ans. L'article se terminait par les implications philanthropiques du milliardaire, notamment en faveur des enfants déshérités et de l'art Inuit, et sa prise de position en faveur du Président Obama aux dernières élections. Aucune épouse n'était mentionnée. Tout juste était-il précisé qu'il avait eu une fille, Deborah, avec une ancienne compagne dont le nom n'était pas cité. Peut-être une mère porteuse tenue par un contrat léonin, grassement rémunérée pour la fermer et ne pas faire de vagues après la naissance de l'enfant, songea Yann.

L'analyste appela ensuite la gendarmerie de Mortagne-au-Perche et joignit sans difficulté le commandant Vincent Levasseur. Méfiant à juste titre, celui-ci prétexta un autre appel et proposa de le recontacter quelques minutes plus tard. Yann acquiesça, certain que le gendarme allait vérifier son identité et son numéro de poste.

Sa restitution de ce qui commençait à devenir « l'histoire-de-la-haie-de-thuyas » en un seul mot fut semblable à celle qu'en avait faite Edward Armstrong, les vacheries contre le Pr Beaujeu en moins.

— Écoutez, Lemadec, ça reste entre nous, mais on est en plein Clochemerle, avec ces deux-là. J'aime beaucoup Alexandra, une femme remarquable, très humaine… mais bon, elle pousse un peu, parfois. Du coup, Armstrong, qui ne se prend pas pour du pipi de chat et ne doit pas avoir l'habitude qu'on lui résiste, monte sur ses grands chevaux. Il était à deux doigts de faire appel à son bataillon d'avocats pour trouver un procès à lui coller sur le dos. J'avoue qu'ils me fatiguent avec leurs enfantillages !

— Ils ont toujours été à couteaux tirés ?

— Mais non, et c'est le plus dingue dans l'histoire. Au début, il y a environ huit ans, quand Armstrong a racheté le château, elle était ravie. Une très jolie construction qui tombait en ruines. Il a vraiment fait réaliser un superbe travail…

— En effet, j'ai vu cela ce matin. Une restauration très réussie.

— … Ah… Je peux vous assurer que ça lui a coûté un paquet d'argent. Alexandra était très satisfaite et elle y voyait un plus pour notre région, à juste titre. Et puis la guerre a éclaté il y a quatre ou cinq ans.

— Les raisons de cette soudaine animosité ? voulut savoir Yann.

— Pas la moindre idée. J'ai essayé d'en discuter, notamment ce fameux soir du 25 septembre, mais ça devient épidermique chez elle. Elle s'embarque dans des accusations, des diatribes virulentes contre Armstrong et chacun de ses mouvements. Je n'en sais pas davantage.

— Une histoire sentimentale ? suggéra Lemadec.

D'un ton sidéré, Vincent Levasseur rétorqua :

— Entre eux ? Alors là, franchement, j'en tomberais de ma chaise. Pas du tout le genre d'Alexandra. Bon, lui je le connais moins.

— Un truc en lien avec les affaires d'Armstrong ?

— Je n'en connais rien, à part qu'il est milliardaire et qu'il file de l'argent à différentes petites associations du coin. Ah oui, c'est un fan de pêche « traditionnelle » en haute mer. La pêche au gros. Il est intarissable sur le sujet. Une passion, je crois. J'ai vu une vidéo sur YouTube. Bluffant, je peux vous assurer que c'est sportif ! Le mec est juste attaché au pont par une ceinture, pour ne pas se faire embarquer. Pour le reste, il se démerde. Le poisson – on parle de très grosses pièces – a sa chance. Une bonne chance. Une fois sur deux, il casse la ligne.

Le commandant Levasseur n'en savait guère plus. Yann le remercia et prit congé. Alexandra et Grégoire Beaujeu sortaient de la liste des suspects du meurtre de l'avocat général Thomas Delebarre. Du moins des suspects directs.

Yann se félicita. Il avait bien perçu Armstrong sur un point. La pêche traditionnelle en haute mer est la noble chasse. Il ne s'agit pas de parader avec des coupes ou des médailles. Ni de tuer, de biaiser la partie en s'aidant de sonars ou de filets. Il s'agit de vaincre, noblement, une force de la nature, ainsi que l'homme l'a toujours fait pour se nourrir. Rien à voir avec ces nuls qui explosent au fusil-mitrailleur à visée laser un vieux lion de cirque ou de zoo, né en captivité, à moitié sourd et aveugle qu'on fait sortir d'une cage, abruti de calmants, pour leur minable satisfaction.

Il revit alors les bras d'Armstrong. Des muscles durs comme de l'acier, pas de la gonflette de salle de sport. Les muscles d'un homme capable de balader durant une demi-heure un thon jaune de cent cinquante kilos, voire un espadon d'un quart de tonne, au bout d'un filin pour l'épuiser.

À nouveau l'incertitude. Eh merde ! Décide-toi, Lemadec ! Souviens-toi de ce qu'à dit le grand monsieur très riche : de l'instinct et la capacité de juger les êtres ! Il sortit et alla taper à la porte du bureau de Lucie.

Un « humpf » lui répondit. Il pénétra. Les joues gonflées, une main posée devant ses lèvres, Lucie le dévisagea, le regard coupable.

— Tu peux arrêter d'engouffrer ces sucreries ?

— Je m'ennuie, lâcha-t-elle en déglutissant. En plus, Facebook m'emmerde au bout de dix minutes, donc je ne peux même pas tuer le temps en répondant à mes potes que je ne connais pas ! Comme je n'ai pas non plus de raisons professionnelles de m'y trouver... Je vais peut-être me mettre au morpion...

— Ça lasse, comme la bataille navale ou les réussites, ironisa Yann d'un ton sombre.

— Oh, ça ne va pas, mon poussin ! Où étais-tu ce matin ?

— Dans le Perche.

— Très belle région, le bocage, les manoirs, les chevaux, les pommes, le boudin... Mais encore ?

— Eh bien... j'ai rencontré un Américain qui se la joue châtelain, une ancienne professeur de médecine, spécialisée en neurologie, et j'ai été pris à partie dans une querelle de thuyas. Ma voiture de fonction est tombée en carafe. J'ai mangé une daube de joue de porc à tomber raide en tentant de discerner si mes hôtes étaient deux sociopathes gentils ou s'ils s'ennuyaient ferme.

— Fichtre ! Quand je pense que mes soirées c'est *Plus belle la vie* ou les mots croisés du journal télé ! Et depuis quand as-tu obtenu le privilège d'une voiture de fonction ?

— Depuis hier matin jusqu'au soir. Sauf qu'elle m'a planté.

— Oh, c'est déjà un début, plaisanta-t-elle. Et tu as couché avec qui pour ça ?

— ...

— D'ac', ça ne me regarde pas, résuma-t-elle.

Il la fixa durant quelques longues secondes et attaqua :

— Tu me files un cookie ?

Elle lui tendit le paquet qu'elle avait planqué sur ses genoux à son entrée et le mit en garde :

— Un seul. Bon, je t'aime bien, alors deux. À part ça ? Tu veux me dire quelque chose mais ça ne sort pas ?

Il sourit de sa finesse et mâcha le biscuit avec lenteur avant d'admettre :

— On peut se la jouer cour de récré ?

— Tu me montres le tien et je te montre la mienne ? Pas ici, quand même !

— Non : croix de bois, croix de fer, si je mens, je vais en enfer.

Soudain très sérieuse, Lucie rétorqua :

— Je ne crois pas à l'enfer, Yann. Maintenant, si ce que tu cherches est une promesse de secret indéfectible et si ce n'est pas contraire à la loi, ou à MA morale, ça peut le faire.

— C'est exactement cela : une promesse indéfectible de confidentialité. Contraire à la loi, sans doute pas. À ta morale, j'en suis moins sûr. Disons qu'il s'agit d'un ordre hiérarchique.

— Hum… émanant de qui ?

Yann prit une longue inspiration. Plus que quelques battements de cœur pour parvenir à une décision.

— Du commandant.

— Du commandant Henri de Salvindon ? Lui-même en personne ?

— Ouais. J'ai été convoqué à la DCRI.

— Et tu veux coller les pieds là-dedans ? s'étonna l'informaticienne.

— Ben, je n'ai pas eu le sentiment d'avoir le choix. Néanmoins, j'ai reçu, ainsi que je l'avais exigé, une lettre de mission signée de sa main.

— Cependant, si tu es affalé dans mon bureau, c'est parce que tu n'as pas complètement confiance et tu as raison.

— Tout juste !

— Lorsque des types comme Henri de Salvindon te disent un truc, n'oublie pas qu'ils ont vingt autres pistes dans la tête. Manque de bol, la bonne, c'est toujours la vingt et unième, celle que tu n'avais pas envisagée.

— Tu le connais ?

— Non. Je l'ai croisé trois fois dans les couloirs de l'hôtel de Beauvau, rien de plus. Mais je connais François de Noisoury, mon ex-mari, un de ses proches lieutenants. Comment crois-tu que j'ai intégré la BIS après avoir été licenciée ? Par protection, si je puis dire. François m'avait lourdée avec deux mômes, il se dédouanait donc à peu de frais.

— C'est quoi, « sa sorte » ?

— Assez indescriptible pour des gens comme nous. Insaisissable. Tu ne sais jamais s'ils agissent par sens du devoir, amour de la nation, goût des emmerdes, envie de pouvoir, besoin d'adrénaline ou carriérisme. Sans doute un mélange de tout cela. Pas le fric, ça ne les intéresse pas vraiment alors qu'ils pourraient faire chanter la Terre entière. Quoi qu'il en soit, leurs missions sont à leurs yeux infiniment plus importantes que le reste, tout le reste, ajouta-t-elle, amère.

Elle jeta un regard à sa montre et conclut :

— Bon, j'avais encore 1 h 42 à m'emmerder ferme. Que puis-je pour toi étant entendu que si ça m'amuse, je veux bien faire des heures sup' gratos ?

— Je te le déballe dans le désordre parce que, pour l'instant, je n'y retrouve pas mes petits, prévint Yann.

— On ne peut pas exiger d'un psychologue qu'il sache hiérarchiser les infos… je plaisante, s'esclaffa-t-elle. Vas-y, déferle. Gentille Lucie prend des notes.

Durant la demi-heure qui suivit, Yann lui narra par le menu ses dernières quarante-huit heures. Elle l'interrompit parfois, lui demandant d'autres détails sur un aspect. De temps en temps, elle lui indiqua qu'il pouvait passer sur un point :

— Franchement, le 4 × 4 hybride et le hall de réception du château, on s'en fout, non ?

— Ben, je sais pas. Il m'a marqué, le hall, je veux dire. C'est beau, dans le genre austère, presque monacal. Cette absence de déco…

— S'ils séjournent trois mois par an en France, pas de raison de constituer une collection précieuse pour les cambrioleurs, observa Lucie.

— Pas faux.

Il termina par Ïoda Kyûjutsu, peut-être Grégoire Beaujeu, adopté au Cap-Vert après l'assassinat de Colin.

— Remarque, c'est clair que comme pseudo pour de l'heroic fantasy, ça sonne plus exotique que Raymond Dupont, ou Georgette Durand, plaisanta l'informaticienne.

— C'est joli, Grégoire Beaujeu, argumenta Yann.

— Ouais, mais pour le coup, très franco-français, et on dirait presque un pseudo. Et qu'as-tu raconté de tout cela à Henri de Salvindon ?

— Pour l'instant, rien. Tu penses qu'il faut que je la boucle ?

— Pas particulièrement. De toute façon, avec ces spécimens, on ne sait jamais sur quel pied danser. Ils se méfient de tout le monde, même de leur arrière-grand-mère décédée il y a trente ans. Il peut donc t'avoir fait surveiller de loin. En revanche, et puisqu'il a insisté sur le « top secret », tu ne lui avoues pas m'avoir briefée.

— Je suis naïf, mais pas crétin, se défendit Yann.

— C'est parfois la même chose. J'en suis une vivante illustration. Bien ! Je pense avoir une image précise de la situation, du moins ce que tu en sais. Qu'attends-tu de moi, mon poussin ?

— Que tu cherches, que tu fouilles les arcanes du net. Je suis en plein brouillard.

Lucie le détailla quelques instants, songeuse. Puis :

— Il y a un truc que je ne comprends pas, Yann. Grosso modo, Henri de Salvindon t'a demandé d'enquêter sur le Pr Alexandra Beaujeu pour déterminer si elle avait pu trucider Thomas Delebarre. C'est bien cela ?

— Ouais. Grosso modo.

— Elle et son fils adoptif ont un alibi en acier trempé. De plus, physiquement, d'après tes dires, elle n'est pas capable de buter à l'arme blanche un homme en parfaite condition physique. En d'autres termes, tu as rempli ta mission, pliée et emballée.

— Justement pas. Il y a un autre truc derrière. Et je mettrais ma main au feu que c'est pour cela que Salvindon m'a lâché sur cette piste. Il pouvait envoyer n'importe quel flic ou gendarme vérifier son alibi.

— Un gros truc ?

— Un énorme truc, Lucie.

— Dans quel genre ?

— Pas la moindre idée, et c'est pour cela que j'ai besoin de toi. Je ne sais pas… j'ai une intuition très forte… une sorte d'instinct, comme dirait Armstrong.

— Hum hum ! Une intuition ? Parles-en aux femmes ou aux gosses qui ont suivi joyeusement un serial-killer. Ils sont légion, ceux qui ont fait confiance à leur « instinct ». Remarque, le paranormal peut être rigolo. J'ai adoré la série *Fringe,* dans le genre bien frisotté des neurones.

— Eh bien, disons que c'est un frisotté des neurones qui requiert ton aide, ô grande prêtresse de la logique et des octets.

— Si tu me parles aussi gentiment, c'est acquis d'avance ! Récapitulons, un « gros, énorme truc » mais on n'a pas la moindre info à ce sujet ? Ça ne m'aide pas beaucoup, mais on y va. Ah, détail : je déteste qu'on reste derrière mon dos quand je bosse. Évite aussi les commentaires, ça me déconcentre.

— Tu préfères que je retourne dans mon bureau ?

— Non, la compagnie d'un beau mec ne me déplaît pas du tout. Mais un mec potiche, quoi !

— Okay. Je vais chercher ma liseuse et je fais potiche, approuva Yann.

— Tant que tu y es, apporte ton ordinateur.

Se méprenant, Yann traduisit :

— Oh, que tu es futée ! Il vaut mieux que tu mènes les recherches à partir du mien. Henri de Salvindon ne pourra pas remonter jusqu'à ton adresse IP. Sans cela, il comprendrait immédiatement que tu es au courant.

Lucie éclata de rire :

— Yann, mon petit ! Tu me prends pour une débutante ou quoi ?

Elle plongea vers l'énorme besace en cuir appuyée contre le pied de son fauteuil et en tira un second portable.

— Tah-lah ! Mon Bébé perso, sous Linux.

— Ah ouais, ce truc compliqué des *geeks* mais super-sécurisé.

— Faux et faux. Linux s'est considérablement simplifié et ce n'est ni inviolable ni *inbugable*, même si la NSA l'a testé. D'ailleurs, le système d'exploitation Android a un noyau Linux. En revanche, très peu de bécanes perso en sont équipées, à vue de nez, je dirais 1 ou 2 %. Le meilleur pare-feu et antivirus que je connaisse ! J'ai mon ordi de boulot, ici, et il peut être fliqué jour et nuit, je m'en tape. J'ai un ordi à la maison, ça me permet de *skyper* avec mes enfants, de télécharger des films, de chercher des recettes de cuisine, d'aller sur les réseaux sociaux pour montrer à quiconque surveillerait mon ordi que j'ai des activités « normales » et donc rassurantes. Et j'ai Bébé. Tu es le seul à connaître son existence, donc…

— Croix de bois, croix de fer… l'interrompit Yann en plaquant la main sur son cœur d'un geste théâtral.

— En matière de sécurité informatique, l'insignifiance est la meilleure défense. Je suis insignifiante et Bébé aussi. Bébé fonctionne avec plusieurs méta-moteurs de recherche, et un proxy anonymiseur. Ça rend mes navigations presque impossibles à suivre. Pas Tor. On utilise le logiciel Tor quand on sait ce qu'on fait.

— C'est pas le machin qu'utilisent les sites de pédophiles, le blanchiment d'argent, la vente de came sur Internet, le terrorisme, etc. ?

— Ça a servi aussi à cela, bien sûr, mais c'est un aspect mineur. Mais il y a d'autres logiciels pour ce type d'activités. Non, je te le déconseille parce qu'en dépit du fait que c'est très utile pour couvrir ses traces, c'est maintenant très surveillé par les agences gouvernementales. Bref, ceux qu'on souhaite éviter. Même s'ils n'ont pas encore réussi à cracker les protections que Tor offre à ses utilisateurs. Et c'est pas faute d'avoir essayé.

— Franchement, je suis un peu lourdé. Je vais chercher mon ordi.

Lorsqu'il revint deux minutes plus tard, elle avait installé Bébé sur le bureau.

— Récapitulons : ton « instinct » te dit que les Beaujeu, du moins la mère, sont impliqués d'une façon quelconque dans un « gros truc », et quoi que ça puisse être ?

— Je ne pense pas avoir eu affaire à des tordus ou des méchants, mais il y a un truc trouble, ne serait-ce que l'intérêt que leur manifeste la DCRI par l'intermédiaire d'Henri de Salvindon. Alors, soit le nœud de l'histoire se trouve du côté Beaujeu, soit il faut fouiller le passé de l'avocat général.

— Ou s'intéresser à son frère, compléta Lucie.

— Tout juste.

— Tu as donc passé la nuit là-bas, à la suite d'une panne de bagnole assez inattendue, non ? Où se trouvait ton portable ?

— Tu ne penses pas que… ?

— Pourquoi pas, mon poussin ? Si jamais il y a tentative d'intrusion sur ton ordinateur, ils ne te pisteront pas de « l'extérieur ». Trop risqué. Même Prism[1] s'est fait couillonner et pourtant, c'est de la belle conception ! Donc, ils passeront par l'intérieur, bref la machine.

— Euh… il était dans ma chambre. Je ne crois pas que quelqu'un y ait pénétré durant la nuit. Bon, j'ai écrasé parce qu'on avait trop bu, mais…

---

1. Logiciel espion utilisé par la NSA.

— À part cela ? Est-il resté sans surveillance à un moment quelconque ? L'implantation d'un mouchard peut être rapide. Allez, réfléchis, dis tout à Lucie.

Yann rappela ses souvenirs et résuma :

— J'ai laissé ma sacoche dans la voiture lorsque je me suis présenté chez les Beaujeu. Voiture fermée, bien sûr.

— Ni la mère ni le fils ne sont sortis durant votre entretien ?

— Non. Grégoire est allé chercher un verre et la bouteille de chablis à la cuisine. Il ne s'est pas absenté plus de trente, quarante secondes. Matériellement pas le temps de descendre la longue allée, forcer les serrures, *buger* l'ordi et tout remettre en place, pas même au pas de course. D'autant qu'il était pieds nus. D'ailleurs, pour répondre à l'un de tes soupçons, je ne vois pas non plus comment il aurait pu bidouiller la bagnole pour qu'elle me laisse en plan.

— Du chablis, on ne se refuse rien ! Ensuite ?

— Ensuite, comme je t'ai raconté, je prends congé, la voiture refuse de démarrer et ils m'invitent à dîner et à passer la nuit.

— Où était ton ordi durant le dîner ?

— Dans la chambre d'amis, sur une table.

— Et personne ne s'est absenté ? réitéra-t-elle.

— Non… enfin, si, Grégoire. Il a dû répondre à un appel, vers 22 h 30. Il est parti discuter dans le salon. Ça a duré… je ne sais pas… 6-7 minutes, peut-être 8.

— Donc, amplement le temps de monter dans la chambre et de planter un mouchard. Eh bien, nous allons le vérifier !

— Quel cynisme !

Elle lui jeta un regard étrange et murmura :

— Le cynisme est encore la meilleure parade contre la déception. De plus, lorsque tu étudies l'histoire humaine, il est amplement validé. Épluche tous les conflits du monde, ceux pour lesquels des centaines de millions d'humains sont morts au nom de Dieu, de la liberté, de la patrie, de l'honneur et des droits de l'homme, et cite-m'en un seul derrière lequel il n'y avait pas, en réalité, de gros intérêts financiers ? Les Anglo-saxons disent « Cherchez la femme », en français dans le texte[1]. Non, il faut chercher où est le fric. Et on le trouve presque toujours.

Tout en parlant, elle relia les deux ordinateurs à l'aide d'un câble et introduisit une clef USB dans le sien.

Quelques commandes, puis elle se laissa aller contre le dossier de son fauteuil, commentant :

— Ça mouline.

Yann Lemadec ne répondit pas. Un dérangeant malaise l'avait envahi. S'il voulait être honnête avec lui-même, autant l'avouer : il détesterait que les Beaujeu l'aient piégé tel un novice. Pire, un flic minable, pour ne pas dire pathétique. Il les avait beaucoup appréciés ce soir-là. Il s'était vite senti en confiance, un peu chez lui. Depuis quand n'avait-il pas eu une conversation aussi passionnante ? L'infantilisme de sa réaction l'affligea encore plus. Quoi ? On n'était pas dans une partie de chat perché où l'un des participants pouvait crier : « C'est pas du jeu ! » Tous les coups étaient permis. Lucie le lui avait rappelé. Heureusement, elle interrompit le tour dangereux que prenaient ses pensées.

— Pendant que Bébé flaire la piste, un conseil, Yann : tu fais des copies papier de tout ce qui est important. Je pense à la lettre de mission de Salvindon, tes échanges mails avec lui, tes rapports et autres. Tu rédiges des synthèses perso de ce que tu as fait, entendu, vu, qui, où, pourquoi. Tu les exportes dans le corps d'un mail que tu t'envoies et imprimes. Ensuite tu détruis la version informatique. Comme ça, tu as une trace datée. Tu trouves un endroit malin pour planquer les sorties d'imprimante, c'est-à-dire pas chez toi, ni chez ta petite amie. Le papier, c'est bien ! Si tu savais comme ça se plombe facilement un disque dur. Ensuite, terminées les preuves !

---

1. L'expression vient d'Alexandre Dumas père.

— Tu n'as vraiment aucune confiance en eux, n'est-ce pas ?

— Non. Pourquoi ? Ils m'emploient et je suis un pion interchangeable. Toi aussi.

— Je sais, admit-il.

— Tu crois que ça va au-delà d'une enquête criminelle, c'est cela ?

— À un moment, au cours de ma discussion avec le commandant, je me suis fait la réflexion qu'il m'avait choisi comme fusible-pigeon.

— Pas exclu. Il pourrait y avoir de gros intérêts économiques en jeu. Une des missions de la DGRI, la protection des intérêts de la France. À ceci près qu'à ce niveau-là, c'est un vrai panier de crabes, observa l'informaticienne.

Un bip péremptoire leur fit tourner la tête, suivi d'un gazouillement de bébé.

— Oh, Bébé est content : pas de mouchard sur ta bécane.

Un soulagement disproportionné arracha un soupir à Yann.

— Passons aux choses sérieuses, annonça l'informaticienne. Que veux-tu vérifier au juste ?

— Heu… Ben, je sais pas trop.

— Merci, ça m'aide vachement. Ça et « je crois qu'il y a un truc énorme derrière », c'est ce que j'appelle des mots-clefs béton ! Sortons l'aimant pour repérer l'aiguille dans la meule de foin ! On croise tous les noms et on voit ce que ça donne. Et là, je vais passer sur le web profond. Le *deep web* archive entre autres des millions de publications, des banques de données hyperprécieuses, les plus gigantesques bibliothèques en ligne, des supercalculateurs, mais aussi, en effet, des activités criminelles en tous genres, dont les échanges pédophiles et le terrorisme, voire le marché noir de bébés enlevés destinés à l'adoption. Le web classique – celui que les gens utilisent chaque jour grâce aux moteurs de recherche – n'est que la petite partie immergée d'un énorme iceberg, partie de plus en plus commerçante. De plus, les créateurs de sites illégaux installent des balises qui en interdisent l'accès par les moteurs

de recherche classiques. Mes sites préférés dans les enquêtes !
En bref, le web profond est à la fois le meilleur et le pire
du web.

— Compris. Je vais nous chercher des cafés au distributeur ?

— Volontiers. Pour moi, un chocolat chaud. Il est encore
plus dégueu que le café, preuve que le pire n'est jamais exclu,
mais la caféine m'empêche de dormir passé 16 heures. Je suis
une petite chose fragile, minauda-t-elle.

Yann salua trois de ses collègues qui le dépassèrent. Un peu
surpris, il consulta sa montre. 17 h 30. Mince, depuis quand
n'avait-il pas vu le temps passer au boulot ? Il réintégra le
bureau de Lucie et déposa avec prudence le gobelet de chocolat chaud à côté de Bébé.

— Alors ?

— Chuuuttt ! Pas fini.

Elle pianotait à une folle vitesse, crispant le front, plissant
les lèvres, encourageant Bébé de mots doux. Yann but son café
à petites gorgées. Le chocolat de Lucie devait être froid.

Elle croisa soudain les mains derrière son crâne, une moue
boudeuse sur le visage.

— Quoi ?

— La petite mère Beaujeu est du genre Arlésienne. Des
symposiums, des colloques, des publications durant la partie
« active » de sa vie, deux entrefilets au sujet du massacre de
son fils, rien ensuite. Tiens, regarde, sur celui-ci, il y a une
petite photo prise à la sortie du tribunal d'appel. On ne voit
pas grand-chose. Elle se cache le visage de la main. À l'évidence, elle a refusé de parler à la journaliste.

Yann se pencha vers l'écran et détailla le Pr Alexandra Beaujeu. Seule sur les marches du palais, elle portait un long trench
et des chaussures plates. La journaliste n'avait rien obtenu
d'elle et avait dû se rabattre sur un sous-entendu au sujet de
la clémence du verdict assorti d'une description banale du

visage livide de la mère meurtrie, de son regard à la fois glacé et hagard.

Lucie continua :

— Le petit gars Grégoire Beaujeu est bien l'insaisissable Ïoda Kyûjutsu, titulaire d'un master d'études japonaises. Il doit être bon puisque ses nombreux fans japonais sont certains d'avoir reconnu un des leurs. Remarque, les Américains aussi. T'as déjà lu un de ses bouquins ? Moi, ça me tombe des mains, l'heroic fantasy.

— Ouais. Le premier de sa saga *Le Fils des dieux*.

— Tout un programme !

Il omit de lui préciser qu'il venait de télécharger le deuxième volume sur sa liseuse.

— Vraiment bien fichu dans le genre, précisa-t-il.

Lucie l'écoutait à peine, fouillant les limbes d'Internet. Elle marmonna :

— Attends, attends… je viens de tomber sur un site canadien anglophone, pas tout récent… dernière modification en 2005, pro Sea-Shepherd… J'aime bien Paul Watson[1], pas toi ?

— Ils adoptent quand même un peu des tactiques de pirates, bémolisa-t-il.

Lucie persifla :

— Ah, parce que les gouvernements et baleiniers qui contournent les quotas, et se cognent du moratoire de 1989, ce ne sont pas des pirates ? Ils ne sont pas en train d'éradiquer les baleines avec de pseudo-prétextes scientifiques ? Plus personne, ou presque, ne veut bouffer de baleine, mais ils continuent à les tuer. Tu sais que les baleines se reproduisent peu, un baleineau tous les deux ou trois ans. N'empêche, je trouve Watson et ses amis couillus ! J'ai toujours éprouvé une grande tendresse pour ce genre d'hommes… enfin, quand ça sert à quelque chose d'important. Revenons à nos moutons : l'auteur

---

1. Un écologiste canadien, fondateur de Sea-Shepherd en 1977, ONG de protection des créatures marines.

du site, un certain *father-of-coral*, père-de-corail, sans doute décliné de *mother-of-pearl* qui signifie « nacre », raconte ses souvenirs d'interventions... bla-bla un peu ancien combattant... mais intéressant.

— Quoi d'autre ?

— En 1997, ils ont tenté d'empêcher des baleiniers de rejoindre la haute mer en Norvège. Arrestations musclées d'après ce que raconte *father-of-coral*. Il donne la liste des gars qui faisaient le coup de force et ont été arrêtés... Terence Osborne, ex-mari d'Alexandra, physicien, était présent. Cerise sur le gâteau : nous avons une photo. Attends, j'agrandis.

Yann se pencha vers l'écran et étudia l'homme qu'elle désignait. Menotté, une expression stupéfaite et inquiète était peinte sur son visage. Un flic le cramponnait par l'épaule et le poussait vers une fourgonnette de police. De taille moyenne, mince, pour ne pas dire fluet, les traits fins, Osborne portait ses cheveux blonds mi-longs. Il n'avait vraiment pas la carrure type du baroudeur des mers.

Yann se réinstalla sur la chaise qui faisait face au bureau de Lucie, qui décida :

— Pas mon genre d'homme. Je continue. Chut, sois sage.

— Je suis sage.

Quelques minutes seulement troublées par les petits claquements des touches passèrent. N'y tenant plus, Yann répéta :

— Quoi d'autre ?

— Rien. Et là, ça m'interpelle, comme on dit. Que la mère ait une aversion pour Internet, passe encore. Qu'on ne retrouve qu'un vague cliché de Terence Osborne, passe aussi. Il y a une quinzaine d'années, les réseaux sociaux balbutiaient[1] et Internet n'était pas la source majeure d'information, tant s'en faut. En revanche, dans le cas de son fils adoptif, jeune, star d'une littérature branchouille en ce moment, je ne trouve pas cela normal.

---

1. Un des premiers créés fut Sixdegrees en 1997. Facebook fut lancé en 2004.

— Ils ont déteint sur toi. Tu te méfies de tout.

— Faux, j'ai confiance en toi et en Bébé. Pas si mal, plaisanta-t-elle alors même qu'il percevait sa tristesse. Elle n'avait pas mentionné ses enfants.

Elle poursuivit :

— Tu ne trouves pas ça étrange qu'on finisse très naturellement par les appeler « ils » ? On pourrait utiliser « le chef », « les chefs », « le commandant Henri de Salvindon », « la hiérarchie ». Non, on dit « ils », comme s'il s'agissait d'une entité difficilement cernable.

— Oh, cocotte, je t'arrête ! C'est moi le psychologue. Tu ne me piques pas mon boulot, sourit-il. À part cela, touché coulé ! C'est une entité difficilement cernable parce qu'on comprend vite que leurs véritables buts restent occultes pour le commun des mortels.

— Hum… En revanche, comme il fallait s'y attendre, nous avons un déluge d'infos au sujet d'Edward Armstrong, ton châtelain.

— Oui, j'ai vu. Des trucs économiques et financiers.

Elle éclata de rire et reprit sa phrase :

— Coco, je t'arrête ! C'est moi l'analyste informaticienne. Tu ne me piques pas mon boulot ! Redevenant soudain très sérieuse et pointant l'index vers l'écran de Bébé, elle continua : Pourquoi les noms de Charles Delebarre et d'Edward Armstrong sont-ils associés dans un deal, un groupement d'intérêts du nom d'Alpha, dont la création remonterait à une douzaine d'années ? Curieux, non ? Et qui est le baron Günter von Hopenburg, qui en fait lui aussi partie, hormis un milliardaire et philanthrope, d'après ce que je vois ?

La stupéfaction le disputa à l'incompréhension en Yann, qui vérifia :

— Tous en lien avec Armstrong ? En lien financier ?

— Yep !

— Mais comment ça ?

— Par l'intermédiaire d'un consortium, donc… Attends, un consortium, si je ne m'abuse, c'est le regroupement temporaire de plusieurs personnes, ou intérêts, ayant pour objectif de réaliser un projet précis, non ?

Presque fébrile, il débita :

— Lucie, je sais à peine ce qu'est un PEL ! Quoi qu'il en soit, Charles Delebarre, le cadet de l'avocat général Thomas, trucidé à Mougins, a une fille, Eugénie, Eugénie von Hopenburg. Mariée au baron dont tu parles.

— D'accord, toutes les plus grosses fortunes de la planète se connaissent et travaillent entre elles. Cependant, là, je trouve que ça fait beaucoup de coïncidences.

Elle pianotait tout en parlant. Soudain, elle s'exclama :

— Trop cool !

— Quoi ?

— Le consortium, qui s'appelait Alpha – vachement imaginatif –, s'est reformé il y a quelques années, sans le baron von Hopenburg. Le groupement a changé de nom à cette occasion. C'est devenu Upstream. Ah, trop géant !

— Euh, pourquoi ?

— Parce que Prism marche main dans la main avec un autre programme de même type, mais via la collecte des communications par fibres : Upstream. Il s'agit des deux énormes programmes de surveillance utilisés par la NSA.

— Tu crois que ça a un rapport ? demanda Yann, perdu.

— Pas la moindre idée. D'autant qu'*upstream* est un terme assez générique en anglais : en amont, vers la source, à contre-courant.

— Et Delebarre Charles, il en fait toujours partie ?

— Je ne le vois pas, mais ça ne veut rien dire. On met en avant les membres rassurants dans ce genre de montage. Quoi qu'il en soit, si un jour Delebarre Charles, Armstrong et le baron ont eu des intérêts communs, je te réitère mes conseils d'extrême prudence, et je les surligne.

— Membres rassurants dans quel sens ?

172

— Activités philanthropiques, collections d'art, bonne réputation dans les milieux d'affaires, pas de frasques sexuelles ou alors discrètes, grosse influence dans les milieux politiques, et surtout beaucoup, beaucoup d'argent, ce qui rassure d'éventuels investisseurs, notamment étrangers. Apparaît par exemple dans les partenaires récents un certain Chen-Huang Lian. Je ne risque pas grand-chose à supputer qu'il est chinois, ou d'origine chinoise.

— Edward Armstrong est toujours dans le montage ?

— Oui. Pour ce soir, c'est à peu près tout ce que je peux faire, mais je vais creuser la piste Chen-Huang Lian. S'agit-il d'un de ces nouveaux milliardaires chinois, plutôt chevalier blanc ou plutôt trouble ?

— Je t'adore !

— Tu as bien raison, mon chéri, se moqua-t-elle, amusée.

Ce soir-là, Yann Lemadec décida de rentrer chez lui à pied. Une sacrée course mais il avait besoin d'air frais, de la solitude bruyante et peuplée que secrètent les grandes villes. Il était parvenu à conserver un semblant de calme face à Lucie. Comment expliquer qu'Edward Armstrong, Charles Delebarre, frère de feu Thomas et von Hopenburg, gendre de Charles, se rejoignent ? Certes, les ultra-riches de la planète, cette poignée d'hommes qui possédaient le monde, se connaissaient tous. Mais que venait foutre Henri de Salvindon dans l'histoire ? Et Alexandra Beaujeu, quel rôle jouait-elle là-dedans ? Pourquoi le même Salvindon s'intéressait-il tant à elle ? Pourquoi, ce matin, Edward Armstrong n'avait-il pas bronché lorsque Yann avait mentionné un meurtre dont la victime était un avocat général ? Lié financièrement à Charles Delebarre, même dans le passé, était-il vraisemblable qu'il ne soit pas au courant de la carrière de son aîné Thomas ? Certes, Yann n'avait pas mentionné le nom de Delebarre. Mais la curiosité d'Armstrong était restée très superficielle.

Il pressa l'allure. Une pluie fine, glaciale, obstinée se mit à tomber et il remonta le col de son caban. Fallait-il s'intéresser à ce Günter von Hopenburg, richissime gendre de Charles Delebarre ? Yann se méfiait des généralisations abusives. Cependant, un Argentin d'origine allemande ou autrichienne éveillait aussitôt l'intérêt, pour ne pas dire la suspicion. L'Argentine de Juan Perón n'avait-elle pas été très accueillante envers les nazis et les fascistes italiens qui fuyaient l'Europe à l'issue de la Seconde Guerre mondiale ?

Chapitre 19

4 décembre 2013, Neuilly-sur-Seine, France

Jean-Bernard Louvier quitta à pied le commissariat du 28-34, rue du Pont pour rejoindre le boulevard d'Argenson. L'artère plantée de beaux arbres redeviendrait une magnifique promenade au printemps. Il jeta un regard un peu dépité aux branches dénudées et enroula son écharpe gris pâle en cashmere autour de son cou. Un vent mordant soufflait ce matin-là. Il fourra les mains dans les poches de son pardessus, regrettant d'avoir oublié ses gants. Un peu plus loin sur le trottoir d'en face, une femme en long manteau de vison roux était plongée dans une discussion houleuse avec ses deux pinschers nains, engoncés dans des manteaux imperméables en imprimé Burberry. Les petits chiens frissonnants semblaient n'avoir qu'un désir en tête : rentrer au plus vite. En dépit de son humeur, la scène tira un sourire à Jean-Bernard. La femme tourna le regard vers lui, hésita quelques secondes, puis lui fit un petit signe de la main :

— Commissaire divisionnaire, quelle bonne surprise ! Quel froid ! Oh, et puis ces chiens sont obstinés ! Ils doivent faire leurs besoins. Elle partit d'un grand éclat de rire et tira de sa manche une sorte de moufle en plastique blanc en précisant :

Et je suis équipée. Nous ne laisserons pas de cochonneries ! Promis.

— Si tout le monde était comme vous, chère madame, ma vie serait un paradis.

Elle s'esclaffa, ravie. Il la salua et reprit sa route. Sa vie en eut-elle dépendu qu'il aurait été incapable de se souvenir de son nom, ni d'où il avait pu la rencontrer. Cependant, à Neuilly, on ne demande pas à une dame dont le manteau et les clous d'oreille en diamant avaient dû coûter un an d'un salaire de commissaire : « Rappelez-moi votre nom, déjà ? »

Il bifurqua villa Sainte-Foy, un îlot hors du monde dans cet univers très préservé. Être nommé aux commandes du commissariat général de Neuilly-sur-Seine consacrait certes une éblouissante promotion. Toutefois, elle n'allait pas sans pesantes contreparties. Contrairement à ce qu'il avait redouté en prenant ses fonctions, il n'avait jamais subi ou été témoin de cette morgue agressive, ou de ces déplaisantes manières hautaines dont on accuse à tort les Neuilléens. Il s'agissait cependant d'une des communes les plus riches de France et le revenu moyen par habitant dépassait très largement le sien, sans même évoquer leurs relations bien souvent haut placées. S'y ajoutaient des étrangers très riches, ayant acheté une de leurs résidences secondaires ici. La plupart possédaient des liens avec la crème du monde politique, industriel et de la haute finance, lorsqu'ils n'en faisaient pas directement partie. Les attentes n'étaient donc pas les mêmes, et une belle voiture vandalisée d'une rayure de clef pouvait vite virer à l'incident hiérarchique sérieux, selon l'identité de son propriétaire.

Des villas qui auraient aisément pu loger trois familles faisaient suite à de petits immeubles de grand standing, avec un prix moyen au mètre carré qui dépassait souvent les 11 000 euros. Il parvint devant la maison de « la milliardaire chinoise », ainsi que son subordonné l'avait nommée, faute de réussir à mémoriser son nom. Louvier tira le petit papier sur lequel il l'avait griffonné : Fūrèn Chen-Huang Zhen.

Il enfonça la touche du vidéophone. Aussitôt, une voix d'homme prudente lui répondit :

— Oui ?

— Commissaire divisionnaire Louvier. Je suis attendu.

— En effet, monsieur.

Le haut portail plein s'entrouvrit lentement. Il avança d'un pas alerte vers la maison blanche qui lui évoquait une des demeures construites par Macintosh. L'ensemble, pourtant moderne, ressemblait à un petit château fort, carré, trapu, mais allégé par une tourelle ronde et une véranda sur pilotis.

Un maître d'hôtel l'accueillit en annonçant d'un ton grave :

— Madame vous attend.

— Je n'ai pas très bien compris… Il m'a semblé qu'elle était inquiète…

— J'en ignore tout, monsieur le commissaire. Nul doute que madame vous éclairera.

Ils pénétrèrent dans un long vestibule meublé de banquettes de bois sombre à très hauts dossiers. Un tapis chinois dans les tons jaune et bleu était jeté sur les dalles de pierre blanche. Sur un guéridon octogonal du même bois presque noir, un vase retenait une lourde brassée de pivoines violines.

Le maître d'hôtel récupéra son pardessus et son écharpe et annonça de sa voix monotone :

— Voulez-vous bien me suivre au salon ?

Il devança Louvier et ouvrit une haute porte à double battant, puis s'effaça. Le salon était une pure merveille et l'un des meilleurs décorateurs de la planète était, à l'évidence, passé par là. Des bibliothèques de hêtre aux lignes sobres, presque masculines, couvraient deux des murs du sol au plafond. Un piano demi-queue ou quart de queue était poussé devant une large baie vitrée qui donnait sur un jardin arboré. Trois canapés à large assise, en velours cramoisi, étaient disposés en U autour d'une grande table basse d'inspiration chinoise en bois blond. Une collection de galets finement sculptés s'alignait

177

contre l'un des bords. Une odeur de tabac mêlé d'encens flottait dans l'air. Une femme qu'il n'avait pas vue se leva d'un fauteuil en cuir niché dans un coin de la vaste pièce. Elle fumait une cigarette.

— Madame Fūrèn Chen-Huang Zhen ?

— La fumée vous dérange-t-elle ? Je puis l'éteindre. Mon péché mignon. Enfin, « mignon » dans le cas du tabagisme est sans doute abusif.

— Pas du tout. J'aime l'odeur du tabac. J'ai longtemps fumé la pipe.

Elle s'avança vers lui et l'invita à s'asseoir dans un canapé.

— Un thé, un café, un jus de fruits, quelque chose de plus fort ? proposa-t-elle.

Elle était assez grande, de belle carrure. Sans doute une Chinoise du Nord avec des traits mongols perceptibles. Elle s'exprimait dans un excellent français, coupant parfois les mots d'étrange manière, en diphtonguant d'autres, une habitude que partagent pas mal d'Asiatiques habitués aux langues monosyllabiques.

— Merci, non. Madame Fūrèn Chen-Huang Zhen…

Elle lui sourit et leva la main en précisant :

— Fūrèn est la civilité. Il existe plusieurs formes de « madame » en chinois, dont Fūrèn. Elle indique une femme mariée ayant une position sociale assez importante. Zhen est mon prénom. Il signifie « précieux trésor », tout un programme !

— Excusez-moi, j'ignorais.

Elle était belle dans un genre assez dur. Des yeux très étirés, une petite bouche en cœur, des pommettes hautes, un grand front, des cheveux très bruns coupés en carré long. Il songea qu'un habile chirurgien esthétique avait dû contribuer à cette peau dépourvue de rides.

— Chen-Huang était le nom de mon époux. Je suis veuve depuis cinq ans.

— Merci de ces précisions. Madame Chen-Huang, l'adjoint qui a pris votre appel a cru comprendre que vous vous inquiétiez au sujet de votre fille.

— Lian. En effet, je suis terriblement inquiète. Elle a vingt-quatre ans. Une jeune femme parfaite, éduquée. Elle sera immensément riche. Elle est déjà à la tête d'une jolie fortune, par son père. Peut-être savez-vous que mon mari était un des plus gros promoteurs immobiliers de Chine, entre autres ? J'ai repris ses affaires après son décès. Lian est censée me succéder dans quelques années. Elle a fait de brillantes études, notamment aux USA. Finances, droit international… Elle se retrouvera à la tête d'un empire. Tout cela pour vous expliquer que Lian est une proie rêvée pour un malfaiteur. Mon fils, l'aîné, a été une pénible désillusion.

— Dans quel sens, si ce n'est pas indiscret ?

— Un joueur, inconséquent, menteur, paresseux. Il vit aux quatre coins du monde. Plus exactement, il vivote. Je le tire d'affaire lorsqu'il se retrouve en prison, ou que des « amis » le menacent s'il ne paie pas ses dettes de jeu. Jusqu'au jour où j'en aurai assez.

— Ah… mais, les mères, elles pardonnent tout !

Il lut une sorte de perplexité dans le regard presque noir qui le dévisagea. Elle écrasa sa cigarette et en alluma une autre.

— Non, commissaire. Nous sommes chinois. Le devoir envers la famille, le respect aux parents passent avant tout. Il flétrit notre honorable nom, d'autant qu'il s'en sert mal pour obtenir des prêts.

Une femme d'un certain âge pénétra après un coup léger sur la porte :

— Madame, un thé ?

— Volontiers, Sylvie. Êtes-vous certain, inspecteur, que je ne peux rien vous offrir ?

— Une tasse de thé sera parfaite, merci.

— Lapsang, Tarry Souchong, Earl Grey, jasmin, Oolong, thé vert, thé jaune ?

— Comme Mme Chen-Huang.

— Alors thé jaune.

— Du Jun Shan Yin Zhen, offrit Mme Chen-Huang. Je suis certaine que vous serez conquis.

Jean-Bernard Louvier devait apprendre plus tard qu'il s'agissait d'un des thés les plus rares, les plus prisés en Chine.

Sylvie disparut. Mme Chen-Huang reprit :

— Lian a… changé, et c'est assez récent. Une chose étrange se passe, j'ignore quoi, et cela m'affole de plus en plus. Ma fille et moi avons une relation très privilégiée, presque fusionnelle. C'est l'amour de ma vie. Nous nous disons – disions – tout, les choses graves et plein de petites bêtises. J'ai senti qu'elle s'éloignait. Pire que cela, j'ai compris qu'elle tentait de me mettre à l'écart de façon subtile. J'ai d'abord, bien sûr, pensé à un homme de mauvaise influence. Lian fondera une famille. Inutile de préciser que ma fille est un des plus beaux partis de la planète, très convoitée, et que je veille à ce qu'elle ne tombe pas sur un mauvais candidat, un chasseur de compte en banque. Elle sera heureuse, chérie, choyée, je l'exige. J'ai donc engagé un détective privé. En pure perte. Elle ne fréquente personne en particulier.

Mme Chen-Huang tirait nerveusement sur sa cigarette. Jean-Bernard Louvier regretta d'avoir abandonné la pipe. Sylvie refit une apparition et déposa devant eux un plateau. Elle remplit leurs tasses et se retira sur un murmure.

— À quoi pensez-vous au juste, Mme Chen-Huang ?

Elle le fixa et porta sa tasse à ses lèvres. Il sentit qu'elle fournissait un prodigieux effort pour lui parler. Lui, un Blanc, un Occidental, un homme, un inférieur social, bref, un être qui ne pouvait pas comprendre la façon dont elle réfléchissait, mais un être dont elle avait besoin.

— Euh… la drogue. Je ne sais pas très bien ce que provoque la drogue… hormis bien sûr l'opium, mais c'est presque littéraire aujourd'hui. Je ne connais rien à ce que vous nommez les drogues *designers*. Ou alors un chantage, pour un motif qui m'est inconnu… je ne sais pas… je suis très inquiète…

— Avez-vous constaté des mouvements suspects sur ses comptes ? Des dépenses inconsidérées ?

— Non, nos gestionnaires m'auraient informée. Lian a fait des investissements profitables et sages, avec des gens en qui on peut avoir confiance, que nous connaissons, au moins de réputation. En ce qui concerne ses déplacements sans moi… pas grand-chose non plus. Quelques petits séjours en Belgique, ou au Canada pour des expositions ou des concerts. Seule, *a priori*. Il s'agit d'une sorte de… distance, une dissimulation, j'en suis certaine. Elle est toujours aussi charmante, chaleureuse, mais… ailleurs… Mais ce n'est pas un ailleurs… comment dire… vide. Je perçois derrière tant de choses que je ne comprends pas.

Elle reposa sèchement sa tasse sur le plateau, alluma une autre cigarette et avoua :

— J'ai peur, commissaire. Une étrange expérience. Je suis originaire d'une région tout au nord-est de la Chine, le Dongbei, qui correspond approximativement à la Mandchourie. Je ne suis pas « une porcelaine de Saxe », selon votre expression. Nous sommes un peuple robuste, certains diront dur. Je puis me battre contre tant de choses et sans atermoiements. Mais pas contre l'inconnu, pas contre des fantômes.

Louvier écoutait cette femme qu'il ne connaissait pas quelques instants plus tôt. Il eut l'insistante intuition qu'elle avait avant tout envie de parler, parler à un étranger que sa fonction encourageait à la discrétion. Elle poursuivit :

— Mon fils a été un tel échec, une telle déception… Lian est une perfection, un véritable dédommagement… Son père l'adorait. Elle le faisait rire avec ses interminables questions. Il l'avait appelée mademoiselle oui-mais-non. Ma fille est mon véritable trésor. S'il lui arrivait quelque chose, je ne… je ne pourrais pas le supporter.

— Malheureusement, madame, je ne peux pas faire grand-chose, hormis vous assurer de ma vigilance. Votre fille est majeure, elle n'a pas disparu, elle n'est pas de nationalité française et n'a commis aucun délit. Je comprends parfaitement bien vos craintes maternelles. Néanmoins… que vous dire ?

— Hum… je m'attendais à cette réponse. Au fond, je crois que j'avais besoin d'être rassurée. En dépit de la multitude de gens qui m'entoure, je suis isolée. Je ne sangloterai pas sur mon sort, ce serait très indécent. J'avais besoin… d'un homme, du calme d'un homme. Le décès de mon époux, une force de la nature, a été un effroyable choc… foudroyé par un AVC. Notre mariage avait été arrangé, bien sûr, comme c'est souvent le cas chez nous. J'avais seize ans, il en avait trente-deux. Mais c'était devenu un véritable mariage d'amour, un beau compagnonnage. Merci d'être venu.

— Je ne peux…

— Je comprends.

Cette femme chez qui il percevait pourtant une inflexible fermeté l'émouvait. Peut-être même en raison de son autorité. Il sentait derrière cette façade une véritable peur. Sans même songer à ce qu'il allait dire, il proposa :

— De façon officieuse, pour vous tranquilliser, je peux… discuter avec elle, tenter de savoir si quelque chose la perturbe. On… ment moins facilement à un policier.

Elle lui sourit pour la première fois et joignit les mains :

— Oh, je vous en serais très reconnaissante. Je me permettrai de vous appeler dès qu'elle sera de retour, que je sentirai le moment propice à une petite conversation. Je ne cherche pas à connaître à toute force ses secrets. Je veux juste m'assurer qu'elle n'est pas en danger.

— Je l'avais compris ainsi, madame.

Il lui tendit une carte sur laquelle figuraient le numéro de sa ligne directe et celui de son portable en précisant :

— Surtout, madame Chen-Huang, n'hésitez pas. Je ne peux agir que dans le cadre de la loi, mais je suis là pour vous.

Il se leva et elle l'imita. Dans un geste très spontané, elle lui prit la main et murmura :

— Merci de tout cœur, je vais mieux. Je vous fais raccompagner.

Chapitre 20

*4 décembre 2013, University of Massachusetts,
medical school, Worcester, USA*

Satya Singh souffla d'étonnement en vérifiant l'heure à sa montre. Mince, il était 21 heures passées. Re-mince, elle n'avait pas prévu à temps la police du campus qui raccompagnait le soir ou la nuit les femmes chercheurs, médecins, ou les étudiantes chez elles. Heureusement, elle habitait à moins d'une demi-heure de marche de la faculté de médecine, et hormis deux agressions sexuelles survenues l'année dernière, le campus était calme. Elle sourit : de plus, il régnait depuis quelques jours un froid polaire, de quoi doucher les ardeurs d'un harceleur.

Neil Roberts, son patron plus âgé et maintenant son fiancé – ils avaient enfin osé franchir le premier pas –, vivait à Boston, inutile de l'appeler. Il se sentirait obligé de venir la chercher. « Fiancé ». Un joli mot, presque désuet aujourd'hui. Mais Satya ne parvenait pas à l'appeler « son amant ». Son premier amant. Il avait été très surpris qu'elle fût encore vierge, presque intimidé. Elle se souviendrait toujours dans le moindre détail de cette première nuit, du luxe de précautions qu'il avait pris avant de la déflorer, de sa passion qu'il muselait afin de ne pas l'affoler. Satya l'admettait bien volontiers : elle

185

n'aurait jamais pensé pouvoir être si heureuse, pouvoir se sentir à la fois si légère et si pleine. Elle avait toujours cru au destin sans, bien sûr, oser l'avouer. Les pièces d'un gigantesque puzzle s'étaient mises en place, si discrètement, pour parvenir à maintenant, certaines pièces sombres et douloureuses comme la mort de ses parents, d'autres si anodines qu'elle ne les avait même pas remarquées. La dernière pièce, la pièce majeure, avait été Neil.

Elle entoura sa lourde natte autour de son cou, un geste d'enfance. Fillette, elle croyait dur comme fer que d'affreux démons allaient venir la lui couper dans son sommeil. Elle gloussa. Un petit nuage. Voilà, elle se trouvait installée sur un nuage très doux. Elle était comblée : médecin et amoureuse pour la première fois de sa vie. Très. Neil était exactement ce qu'elle cherchait, sans jamais en avoir eu la moindre idée. Elle refusait, avec de plus en plus de difficulté, d'imaginer la suite. Bien sûr, elle voulait l'épouser. Bien sûr, elle voulait un, plutôt deux enfants de lui. Bien sûr, ils termineraient leur vie ensemble. Mais une infantile superstition la dissuadait d'y penser. Du moins trop souvent. Certes, elle n'avait encore rien avoué à Baridbaran, son grand frère protecteur. Elle attendait le moment propice. Fumeux prétexte parce qu'en réalité, elle prévoyait la réaction de son aîné et elle en était un peu effrayée.

Satya vérifia les derniers rapports d'autopsies réalisées par Neil. Elle se méfiait des inventions parfois sidérantes, pour ne pas dire déplacées, du logiciel de dictée que la voix d'un légiste, étouffée par un masque ou un heaume en Plexiglas, précipitait de temps en temps dans des improvisations inattendues. Elle allait éteindre l'ordinateur lorsqu'un détail lui revint. Elle s'était par hasard rendu compte avant-hier que Neil avait oublié de signaler la découverte d'une lentille bleue lors de l'autopsie de Julianne Walker, cette dentiste bostonienne tabassée à mort. L'analyse ADN certifiait qu'il s'agissait bien de la sienne, pas de celle de l'un de ses agresseurs. Ladite lentille était piégée dans les cheveux de la victime, aussi Neil, qui ne ratait jamais rien, ne l'avait-il pas vue avant qu'elle ne la lui désigne. D'autres corps étaient arrivés et puis… il l'avait invitée à dîner. Du coup, il avait zappé et oublié de reporter cette précision sur le rapport. À sa décharge, la période des fêtes ramenait avec elle ses décorations, ses chants joyeux, ses paquets enrubannés et sa cohorte de meurtres et de suicides. Ça commençait à Halloween et ne se terminait qu'après la nouvelle année.

Le rapport d'autopsie avait été envoyé au District Attorney et au Boston Police Department plusieurs semaines auparavant. Lorsque Satya avait signalé l'omission à Neil Roberts, il avait claqué la langue, agacé contre lui-même :

— Merde, ça m'est complètement sorti de l'esprit ! J'en ai marre, j'ai passé l'âge des soirées en compagnie de cadavres. Bon, j'expédie un rectificatif aux services concernés dès ce soir.

Elle ouvrit le fichier et le survola jusqu'à la fin. Ah, mince ! Neil avait encore oublié, non qu'une histoire de lentille changeât grand-chose. Cependant, on ne pouvait jamais exclure des membres familiaux procéduriers. Si une lentille était omise, d'autres aspects, largement plus cruciaux, notamment en termes de dédommagement par les assurances, pouvaient l'être également. L'avocat de la famille s'en donnerait à cœur joie et tout retomberait sur eux. Elle envoya un rapide mail à Neil, à son adresse personnelle, pour lui rappeler d'expédier, dès le lendemain, un rectificatif aux services du District Attorney. Elle griffonna une note rapide au stylet sur l'écran de sa tablette, se recommandant à elle-même de vérifier qu'il n'avait pas à nouveau négligé ce détail dans la masse de choses qu'ils devraient traiter.

Satya Singh passa en revue le planning des techniciens et assistants de morgue pour le lendemain, modifia l'affectation de la compétente et joyeuse Malika, enceinte, si enceinte que son ventre rebondi ne lui permettait plus d'approcher assez d'une table d'autopsie et de se pencher sur un cadavre. Malika passa à la gestion de la paperasse en deux clics de souris. Du moins serait-elle assise à un bureau, loin des vapeurs des réactifs divers et variés. Satya sourit : la grossesse a d'étranges conséquences. À part cela, Malika rayonnait de cette promesse de bébé que son mari et elle attendaient depuis trois ans. Satya ne put s'empêcher de s'imaginer à son tour le ventre empli d'une nouvelle vie.

Perfectionniste dans l'âme, elle éteignit son ordinateur, et rangea son bureau avec soin. Elle termina par ce qu'elle avait nommé sa ronde de nuit. Neil se moquait d'elle en l'accusant d'être victime d'un TOC tenace. De fait, alors même qu'elle connaissait le sérieux de tous les membres du personnel, elle ne pouvait s'empêcher après leur départ de vérifier chaque poste de travail. Les chariots avec les consommables étaient-ils prêts pour le lendemain ? Les instruments étaient-ils stérilisés et proprement étalés sur un plateau ? Les réactifs étaient-ils frais ? Les grandes feuilles de papier qui servaient à envelopper vêtements, objets personnels, ou à poser tubes et autres conteneurs à prélèvements avaient-ils été changés afin d'éviter une contamination croisée ? Etc. Des précautions presque maladives, elle le concédait, mais on ne se refait pas.

Enfin, Satya réintégra son bureau pour enfiler son manteau et récupérer son sac. Mince, 22 h 15 ! Elle papillonna des paupières et souffla. Bon, elle était crevée et allait se traîner jusqu'à son lit. Une longue journée s'annonçait le lendemain. Quand bien même la passerait-elle au-dessus de cadavres, elle serait en compagnie de Neil, son île, l'unique endroit sur Terre où elle souhaitait se trouver.

Elle éteignit les dernières lumières du sous-sol et remonta dans le grand hall. Le gardien de nuit lui fit un signe de la main, comme s'il retrouvait une amie à sa descente d'avion.

— Bonne nuit, docteur. Oh, ça fait plaisir de voir âme qui vive. Mes nuits sont drôlement solitaires. Mais j'ai ma télé. Bonne soirée.

Aimable, un peu ailleurs, Satya lui répondit :

— À vous aussi. Mais bon, vous profitez d'un peu de calme.

Il déverrouilla de son pupitre les grandes portes vitrées.

Un froid sec et mordant accueillit Satya. Elle se recroquevilla dans son épais manteau et noua son écharpe sur sa bouche. Un givre glissant recouvrait la voie privée qui menait aux deux grands parkings réservés au personnel et aux étudiants puis débouchait sur l'artère qui longeait le campus. Elle avança avec prudence, rejetant son lourd sac en bandoulière derrière le dos. Son souffle chaud humidifiait la base de son nez. Elle entendit vaguement un bruit de moteur derrière elle et songea qu'elle n'était donc pas la seule à aligner les heures supplémentaires.

Bonne nuit, docteur. Oh, ça fait plaisir de voir âme qui vive.

Il lui sembla que le bruit de moteur gagnait en puissance. Une accélération. Juste derrière elle.

Le veilleur n'avait fait sortir personne avant elle.

Elle se retourna. Le gros 4 × 4 fonça. Satya songea à se lancer sur le côté, songea que cette scène n'existait pas, n'était que le fruit de son imagination. Elle leva le bras pour arrêter le conducteur ou se protéger le visage, inepte réflexe de défense.

L'impact du pare-buffle fut d'une rare violence. Une effroyable douleur la suffoqua et elle tomba à genoux sur l'asphalte, incapable de respirer. Le 4 × 4 disparut en trombe. Elle tenta de récupérer son sac à dos afin de téléphoner. Mais ses bras ne lui obéissaient plus. Des larmes dévalaient de ses yeux tant la douleur devenait intenable, intenable au point qu'elle ne pouvait pas hurler à l'aide. Durant ce qui lui parut une éternité. Quelques secondes. Recroquevillée par terre, elle haletait, tentant de reprendre son souffle par minuscules inspirations. Les côtes broyées, diagnostiqua-t-elle. Et puis, la douleur s'estompa, s'éloigna tout à fait. Et Satya Singh sut que l'hémorragie interne profuse privait son cerveau d'oxygène. Elle comprit que la mort arrivait.

Sa dernière pensée fut pour son frère, Baridbaran. Comme il s'était énervé lorsqu'elle lui avait annoncé son intention de devenir légiste. Avec son habituelle emphase, il avait tempêté :

— La médecine, c'est la vie. Pas constater chaque heure sa fin.

Sa fin à elle.

Chapitre 21

Neil Roberts se resservit un whisky. Il avait arpenté le salon de son appartement de Massachusetts Avenue, incapable de se concentrer, de lire, d'écouter de la musique ou même de regarder un truc à la télé.

La sonnerie de son portable le fit bondir. Une voix douce, féminine, annonça :

— Neil ? C'est fait. Tout est terminé.

— Elle n'a... enfin...

— Non, elle n'a rien vu venir. Ça a été instantané, mentit la voix, par compassion.

— Je suis... assommé.

— Je sais, Neil. J'ai du chagrin moi aussi.

— Fallait-il en arriver là, Gaea ?

— Nous ne pouvons prendre aucun risque aussi près du but. Satya devenait un risque. Vous avez tenté l'impossible pour éviter ce... cette tragique issue. Le hasard, un affreux hasard s'en est mêlé.

— Gaea... allez-vous vous remettre ? s'inquiéta Neil.

— Il le faut. Ni vous ni moi n'avons le choix, et nous l'avons accepté. Le restaurant est comble et je dois préparer

191

les plats pour demain. Ça m'occupera jusqu'au petit matin. Satya n'avait pas ce que nous cherchons. L'automne est là et l'hiver arrive…

— Oui. Et il durera.

Chapitre 22

6 décembre, Uccle, Belgique

Enveloppée d'un peignoir blanc, ses longs cheveux encore humides de ses longueurs de piscine, Chen-Huang Lian s'installa dans le jardin d'hiver, une tasse de thé entre les mains. Elle huma avec délice le parfum obstiné des fleurs de citronnier. La vaste demeure de briques rouges, construite au siècle dernier, en style néo-Tudor alors très à la mode, s'éveillait. Lian aimait cet endroit, ces fenêtres en caissons, ces pignons à pinacle, son calme presque irréel, au point que l'on avait parfois du mal à se souvenir que Bruxelles n'était située qu'à quelques kilomètres au nord. Seuls les trilles de merles et le chant des pinsons ou des rouges-gorges se superposaient, parfois interrompus par l'arrivée de l'hélicoptère privé du Dr Thierry Janssens, son joujou, ainsi qu'il l'appelait en riant, un Robinson R22 d'un noir luisant. Le biplace se posait sur l'immense pelouse qui s'étendait devant la maison.

Chen-Huang Lian soupira en récupérant un magazine de décoration posé sur la table en fer forgé. Il lui faudrait bientôt rentrer en France, à Neuilly-sur-Seine. Elle préférait infiniment Uccle. Certes, on y trouvait aussi un certain entre-soi, mais un entre-soi bon enfant et curieux des autres. Au demeurant, les habitants avaient affublé les bourgeois coincés

193

d'autres villes de Belgique ou de France du sobriquet de « sapins verts », en référence à leurs éternels lodens. La ville belge avait toujours été huppée, depuis le Moyen Âge, ses espaces verts et ses belles bâtisses attirant dès le XVIe siècle des familles nobles ou très riches. Sa population avait donc considérablement augmenté au fil du temps. Pour autant, la cité n'était pas tombée dans le travers du bétonnage à outrance ou des réalisations immobilières fâcheuses. Au fil des siècles, les vagues successives de nouveaux riches avaient assez vite compris que le clinquant et le tape-à-l'œil de mauvais goût ne seyaient pas à la vieille bourgade. Le quartier du Prince d'Orange, ses demeures cossues de tous styles, séduisait Lian. S'y élevait le lycée français Jean-Monnet, construction récente et sans charme mais à l'indiscutable succès pédagogique. Lian flânait durant des heures dans les boutiques du quartier du Parvis Saint-Pierre, plus artiste, sorte de Greenwich village ponctué de très anciennes bâtisses bellement restaurées. Surtout, la jeune femme aimait l'anonymat dont elle jouissait ici, le privilège de se promener sans garde du corps afin de rassurer sa mère qui redoutait un enlèvement. Elle adorait ses longues balades dans le parc Wolvendael, déjeuner ou dîner seule dans un restaurant. Si elle hésitait beaucoup à chaque fois, son choix retombait toujours sur les mêmes établissements puisqu'elle évitait ceux attirant les grandes fortunes de la planète, qui pouvaient par conséquent connaître sa mère. Elle allait parfois à La Branche d'Olivier, un bistrot réussi avec son vieux carrelage, ses banquettes de cuir et sa cuisine simple mais savoureuse. Elle y avait dégusté son premier bœuf bourguignon, si exotique. Elle se rendait aussi à « La Villa Natka » ; son bar extérieur en bord de piscine, ses étonnants espaces en rotondes ou en angles, semés de banquettes chocolat ou rouge sang ne la lassaient pas. Son préféré était situé dans la même rue : L'Éléphant Bleu. Elle commandait à chaque fois leur Phad Thai. Lian évitait les restaurants chinois, hormis quatre

ou cinq à Paris, prisés des véritables connaisseurs de gastrono-
mie chinoise. Il existe huit cuisines, qu'on range en quatre
inspirations majeures pour plus de facilité. De la cuisine du
Sichuan à celle du Dongbei, la région la plus froide de Chine,
en passant par celles de Canton et de Shanghai, les différences
étaient marquées et certainement pas rendues par l'extrême
monotonie de goût des plats proposés en Europe. Lian avait
toujours été sidérée par l'abus d'ail des préparations qui, selon
elle, éteignait toutes les saveurs. Une tradition du nord-est de
la Chine. Certaines choses les amusaient beaucoup, Zhen et
elle. Les Occidentaux savaient-ils que les chun juan[1] dont ils
se montraient si friands n'étaient à l'origine que des en-cas
peu considérés qu'emmenaient les gens lorsqu'ils se rendaient
au cimetière ? À l'étranger, elle préférait donc la cuisine thaï-
landaise, qu'elle jugeait moins dévoyée, avec ses subtils accords
d'épices, son soin tout particulier pour les formes et les
couleurs.

Lian appréciait la discrétion chaleureuse des Belges, cette
façon qu'ils ont de ne jamais se prendre tout à fait au sérieux,
et leur bonne humeur. Pourtant, sa mère lui manquait tant.
Zhen et elle avaient toujours été si proches, à la fois similaires
et différentes. La jeune femme se détestait de lui mentir, ou
du moins de lui dissimuler la vérité. Cependant, Lian n'était
pas certaine qu'elle comprendrait son choix, ses arguments. La
perspective d'une possible brouille la retenait. Au fond, Lian
aurait pu rompre toutes les amarres, hormis ce lien terriblement puissant qui existait entre elles deux. Aussi
ménageait-elle depuis des mois la chèvre et le chou. Elle
sourit : cette expression française la réjouissait, d'autant que
sa mère était du signe de la chèvre dans l'astrologie chinoise.

Plongée dans ses pensées peu réjouissantes, elle n'entendit
pas l'homme approcher, et sursauta lorsqu'il lança d'un ton
joyeux :

---

1. Rouleau de printemps.

— Comment allez-vous, chère Lian ?

Elle tourna la tête vers le Dr Thierry Janssens. Grand, d'une belle minceur, musclé, âgé de quarante-trois ans, il était ce qu'il est convenu d'appeler un très bel homme. Il portait ses cheveux bruns assez longs, saisissant contraste avec ses yeux très bleus et rieurs. Pour la centième fois, elle se fit la réflexion qu'elle avait rarement rencontré un tel charme chez un être. Thierry Janssens avait abandonné la médecine hospitalière treize ans plus tôt pour se former aux États-Unis à la médecine biochimique, toute nouvelle à l'époque. Il possédait sans doute aujourd'hui la patientèle la plus prestigieuse de l'hémisphère Nord. Fondateur et propriétaire d'une clinique très privée, située au sud d'Uccle, il n'hésitait pas à inviter certains de ses très riches patients chez lui afin de leur garantir une confidentialité absolue. Dont elle. À ceci près qu'elle ne faisait plus partie de sa liste de patients. Du moins plus seulement.

— Bien, répondit-elle en l'invitant à s'asseoir d'un geste.

Il détailla la très belle jeune femme et s'étonna à nouveau de ce prodige de la nature. Janssens était bien placé pour connaître l'avarice parfois méchante de Dame Nature, qui se plaisait à retirer d'une main ce qu'elle offrait de l'autre. Que tant d'intelligence, de beauté, de grâce et de talents aient été réunis dans la même enveloppe humaine le sidérait et le ravissait tout à la fois.

— Il faut apprendre à tolérer vos lentilles, Lian, suggéra-t-il d'une voix grave et douce.

— Je sais, je suis désolée. Elles m'irritent encore, surtout au réveil.

Il examina ses yeux gris pâle. La cornée était en effet légèrement rouge.

— Une goutte du collyre que je vous ai donné devrait apaiser l'inflammation. Allez-y progressivement, mais portez-les chaque jour un peu plus longtemps que la veille. Je ne vous étonnerai pas en soulignant que si des yeux gris ne surprennent pas trop chez un Caucasien, ils attirent terriblement l'attention chez un sujet d'origine asiatique ou africaine. Quand repartez-vous pour Paris ?

— La voiture vient me chercher demain, précisa-t-elle d'un ton soudain tendu. À l'hôtel de Bruxelles où ma famille a ses habitudes. Ma chambre est réservée lorsque je séjourne à Uccle. Ça rassure ma mère. Peut-être vais-je…

— Reculer pour mieux sauter ? termina-t-il. Que changera un jour de plus ou de moins ?

— Vous avez raison. C'est juste que… Ma mère me fait suivre par un détective.

— Logique. Elle s'inquiète. Vous seriez une proie rêvée pour un kidnappeur. Comment vous en êtes-vous débarrassé ?

Lian ne s'étonna pas de sa formulation. Il savait que jamais elle n'amènerait un détective privé jusqu'à Uccle, jusqu'à cette demeure, quitte à rebrousser chemin. Quant à l'extrême vigilance, elle l'avait apprise ici, avec tant d'autres choses.

— Les musées. Une merveille, sourit-elle. J'ai téléchargé les plans de tant de musées parisiens et bruxellois. Je connais comme ma poche le musée du costume et de la dentelle, et celui des égouts ! Avec un peu de pratique, il est très facile de semer quelqu'un dans un musée. Jamais le détective ne l'avouera à ma mère, qui doit grassement le payer et n'est pas du genre à tolérer les échecs.

— Mentir à votre mère vous pèse, je le comprends. Cela étant, que pourriez-vous lui dire qui ne vous mette pas en péril ? Vous et nous ? Ma chère, je serais bien mal placé en vous citant Sun Tzu[1] : le véritable nerf de la guerre n'est autre que le mensonge, la dissimulation, la ruse.

Un léger rire de gorge lui répondit d'abord, puis :

— J'avais besoin de ce rappel. Vous avez raison, je rentre demain.

Elle tendit une longue main fine vers lui. Il la baisa avant de se lever.

_____

1. L'Art de la guerre.

— L'hiver arrive, Lian.
Elle hocha la tête et compléta :
— Et il durera.

Chapitre 23

6 décembre, Paris, France

Artemis soupira de fatigue. Elle avait travaillé à cette retranscription six heures d'affilée. Elle avait faim, envie d'un thé, mais Jeanne ne rentrerait pas avant une bonne heure. Elle tendit la main vers le plateau posé sur une table basse à côté de son bureau. Ne restait de son déjeuner, ou plutôt du pique-nique que lui montait chaque jour Jeanne avant de partir travailler, qu'un petit pot de compote industrielle. Elle l'engouffra en faisant la grimace. Trop sucré, le mélange poire-pomme peinait à s'imposer. Elle termina la carafe d'eau pour se débarrasser du goût sirupeux.

Elle constata avec dépit qu'elle n'était même pas parvenue à la moitié de l'enregistrement. Elle avait été fascinée, écoutant avec attention, oubliant de prendre des notes et donc contrainte de revenir maintes fois en arrière. De plus, elle avait dû vérifier une foule de données, ne serait-ce que pour retranscrire les termes scientifiques sans erreur et préciser les sources évoquées par l'auteur de la conférence, le Dr Ariel Goldberg de la Harvard Medical School, un des neurobiologistes les plus connus de la planète. Goldberg alimentait tous les trois ou quatre mois son blog très fréquenté par des vidéo-conférences qui mêlaient science de très haut niveau, recettes de cuisine, blagues souvent vaseuses et souvenirs d'enfance. Artemis l'avait découvert assez récemment grâce à Apollo.

Elle était très satisfaite de son travail jusque-là. Elle avait appris plein de choses et avait eu la surprise de sa vie en découvrant le Dr Goldberg, qu'elle ne connaissait que de réputation. Jamais elle ne l'aurait imaginé ainsi. Physiquement, il lui évoquait un improbable hybride entre un Steve Jobs et un Jerry Lewis jeune. Il ne cessait de remonter ses lunettes à grosses montures rectangulaires sur son nez, de trifouiller une pile de feuillets posée devant lui, sans pour autant les consulter. Il fixait rarement la caméra et commençait nombre de ses phrases par un « hum… » de fond de gorge. Le « hum… » des gens extrêmement brillants qui se demandent ce qu'ils viennent faire dans cette galère, et comment expliquer de façon simple des mécanismes terriblement compliqués. Elle avait découvert un homme âgé de trente-cinq ans si l'on en croyait Wikipédia, donné comme nobélisable et qui aurait eu tout intérêt à changer de coiffeur. Si tant était qu'il fréquentât un salon. Contrairement à son style capillaire pour le moins désordonné, sa démonstration était d'une précision et d'une limpidité époustouflantes. Ses innombrables coq-à-l'âne, dont Artemis était presque certaine qu'ils n'avaient rien de spontané ni de fortuit, rendaient son discours vivant et appelaient à la réflexion.

Ariel Goldberg avait rappelé que le cerveau humain était la machinerie la plus complexe qui fût. Une machinerie biochimique et électrique hautement évolutive, qui s'auto-alimentait, s'auto-entretenait, s'auto-développait et s'auto-détruisait. Une machinerie qui demeurait un troublant mystère sur nombre d'aspects puisqu'on n'en connaissait encore que bien peu. Mais une machinerie qui mettait un temps fou avant d'être mature. Elle devenait donc sujette à une multitude d'incidents de parcours et victime de carences ou, au contraire, d'abus. Les récentes études prouvaient que le cerveau n'était développé qu'à 80 % chez les adolescents et que sa « plénitude biologique » survenait vers vingt-cinq, voire trente ans. Ariel Goldberg s'interrompait alors, s'interrogeant sans doute sur les risques éventuels de ce qu'il allait dire. Puis, il se lançait, presque à regret :

— Bon, ça m'est arrivé de fumer un petit joint. Rarement parce que ça m'empêche de dormir. Toutefois, on peut se demander quel sera l'impact du cannabis sur des cerveaux non achevés d'adolescents, utilisateurs chroniques. Ça fait partie des thèmes délicats. La doxa l'emporte sur les preuves scientifiques. Hum… Or, ce n'est pas parce qu'on répète une chose qu'elle devient vraie. On met en garde contre les effets délétères du cannabis chez le jeune, et on passe pour un croûton réactionnaire. Mais quand on affirmait l'inverse, avant que les preuves ne tombent, on était un dévergondé incitant à la débauche. Tiens, ça, c'est un truc ultra-important que j'ai oublié de signaler dans mon intro. La science n'a pas de couleur politique, en dépit des multiples tentatives de récupérations qui ont jalonné son histoire. Hum… la science n'est ni morale, ni immorale. Elle est faits. La science *est*, elle dit le vrai, c'est tout ! Enfin, du moins, la bonne science. Le scientifique derrière peut juger sa découverte immorale et choisir de ne pas la révéler, mais il s'agit alors d'un arbitrage humain. Et dans ce cas, pourquoi la découverte est-elle « immorale » ? Parce que les humains vont la dévoyer pour faire le mal, détruire, saccager. Le cas classique, c'est la découverte des rayons X en 1895 par un physicien allemand : Wilhelm Röntgen. Ça, c'est le fait, la science. D'un côté, les centaines de millions de vies épargnées grâce à la radiographie, sans oublier le scanner, et la radiothérapie, entre autres. De l'autre, toutes les vies massacrées à cause des bombes. Ça, ce sont des arbitrages humains.

Il remontait ses lunettes et semblait soudain égaré.

— Où en étais-je ? Ah oui, la consommation de cannabis par des adolescents et le risque surélevé de psychoses et de schizophrénie, d'ailleurs, Harvard a publié des trucs à ce sujet...

Artemis avait ajouté quelques sources scientifiques, parmi les dizaines qu'elle avait parcourues, en note de bas de page, puisque Goldberg ne les avait pas citées[1] :

http://www.bmj.com/content/325/7374/1212 : Cannabis use in adolescence and risk for adult psychosis : longitudinal prospective study. Louise Arseneault, Mary Cannon, Richie Poulton, Robin Murray, Avshalom Caspi, Terrie E Moffitt. *BMJ* 2002 ; 325 doi ; http://bmj.com/content/325/7374/1212.

Elle n'avait jamais pris aucune drogue, hormis la panoplie de médicaments plus ou moins efficaces qu'elle avait ingurgités depuis des années. L'idée de modifier l'activité de son cerveau, de perdre son contrôle avec des substances, illicites ou pas, en tout cas non curatives, lui était totalement étrangère.

— Hum... À l'IRM, on voit des modifications de forme... hum... du striatum et du thalamus, peu importe. Cependant, c'est corrélé à des problèmes de mémorisation et d'apprentissage. Les modifications évoquent celles qu'on retrouve dans la schizophrénie. Là, nous avons des résultats scientifiques. Au fait, le TCH, pour tétrahydrocannabinol, principe actif majeur du cannabis, se stocke dans l'organisme. Or, il n'est soluble que dans les graisses, et devinez quel est l'organe le

---

1. http://www.health.harvard.edu/blog/teens-who-smoke-pot-at-risk-for-later-schizophrenia-psychosis-201103071676. Ann MacDonald, Contributor, Harvard Health.

http://www.ncbi.nlm.nih.gov/pubmed/21530584 : Cannabis use in young people : the risk for schizophrenia. Casadio P1, Fernandes C, Murray RM, Di Forti M. *Neurosci Biobehav. Rev.* 2011 Aug ; 35 (8) : 1779-87.

plus gras du corps, à part les bourrelets sur le bide ou les fesses ? Le cerveau. Le TCH peut rester dans l'organisme des semaines, voire des mois, bien plus que d'autres substances. Ajoutez à cela qu'on ne connaît absolument pas les effets de dopes beaucoup plus agressives sur un cerveau inachevé, ces dopes qui changent tous les quatre mois, que des chimistes de merde mettent au point dans leurs arrière-cuisines. Ouais, ouais, je sais, se bourrer la gueule au whisky n'est pas non plus une promenade de santé, mais ça, c'est connu depuis longtemps. D'autant que, justement, pas la peine d'en rajouter, surtout sur un cerveau en maturation. Oups, je m'égare. Là n'était pas le sujet de ma communication. Hum... D'un autre côté, tout se rejoint à la fin. Ha, mais je garde le suspense ! Reprenons... On a donc diabolisé les graisses... cool, c'est le titre de ma conférence, ça me revient... Hum... les graisses – ce qu'on appelle les lipides en science... Manque de bol, sans les lipides, on devient dingue et on meurt. Mais on peut aussi tuer avant, puisqu'on est devenu dingue. Tiens, les Anglais ont mené une étude d'intervention super dont je veux vous parler. Dans une étude d'intervention, on prend deux groupes de sujets. On donne à l'un une substance ou un traitement et on compare avec l'autre groupe qui reçoit un placebo. L'histoire s'est déroulée dans le pénitencier d'Aylesbury, une prison de haute sécurité, sur des délinquants très violents[1]. L'intervention a montré que, lorsqu'on distribuait à un groupe des multivitamines, des minéraux et des acides gras essentiels, c'est-à-dire des lipides, les actes de violence qu'ils commettaient baissaient de presque 40 %. C'est corroboré par une autre étude réalisée aux Pays-Bas par Ap Zaalbert. Les violences entre taulards diminuent de 34 % quand on leur distribue des compléments alimentaires renfermant des acides gras, des vitamines, des sels minéraux et des antioxydants[2] ! Et à

1. En 2006.
2. « The impact of nutritional supplements on agression, rule-breaking and psychopatholoy among young adults prisoners », Ap Zaalberg et al. *Agressive Behavior*, 2010, (36) 117-126.

part ça, il y en a pour affirmer que les suppléments ne servent à rien, ou pire. Ben si, bonhomme, quand ça corrige une carence, même une sub-carence invisible, ça sert ! La preuve. D'autres études anglaises ont montré que des supplémentations en huiles de poissons, donc en acides gras essentiels de la famille oméga-3, amélioraient le comportement et réduisaient nettement l'agressivité des enfants à problèmes comportementaux. Des études comparables ont été réalisées chez nous, aux États-Unis, avec des alcooliques violents. Qu'ils cessent de boire ou pas, leur agressivité chutait d'un tiers après des supplémentations par des oméga-3[1]. En plus, ce résultat se retrouve chez des chiens particulièrement agressifs[2]. Ah, il y a aussi cette super étude de deux labos français, pilotée par le Dr Olivier Manzoni, un neurobiologiste. Hum… ils ont démontré qu'une carence en oméga-3 favorisait les comportements dépressifs chez l'enfant. Cette carence diminue les capacités neuronales qui gèrent les comportements émotionnels. Et là, c'est vraiment un mauvais plan. « Émotionnel », ça veut bien sûr dire dépression et anxiété. Mais ça veut aussi dire agressivité. Les auteurs émettent l'hypothèse qu'une malnutrition chronique dès le stade embryonnaire – c'est-à-dire une malnutrition de la mère – influence l'activité future du cerveau de l'enfant. À ce sujet, il faut que vous sachiez que le cerveau est constitué de 10 % d'oméga-3 dont le DHA, l'acide docosahexaénoïque. C'est énorme, parce que nous ne savons pas fabriquer les oméga-3. En d'autres termes, ou on les trouve dans notre alimentation – et ils sont rares – ou on pète les plombs et on crève. Une carence en cet acide gras se solde par des tas de problèmes. Elle semble impliquée, entre autres, dans les troubles

1. Hibbeln et al. « Omega 3 fatty acid deficiencies in neurodevelopment, aggression and autonomic dysregulation : Opportunities for intervention ».

2. Re S, Zanoletti M, Emanuele E., « Aggressive dogs are characterized by low omega-3 polyunsaturated fatty acid status », *Vet Res Commun*, 2007.

comportementaux de l'enfant, des syndromes assez nouveaux et en pleine explosion comme le TDA, c'est-à-dire le trouble de déficit d'attention avec ou sans hyperactivité, la dyspraxie et bien sûr la dépression ou la violence. Est-il normal que soudain, tant de gosses soient affectés par ces conditions qui vont leur pourrir la vie, sans oublier celles de leurs parents ? D'après une statistique récente, entre 3 et 10 % des enfants présenteraient un TDA, dont la plupart avec hyperactivité et tous les problèmes d'apprentissage, de conduites à risque ou ingérables qui vont avec. Les parents d'enfants présentant ce trouble divorcent trois fois plus que les autres[1]. Or ce sont de conditions relativement modernes, du moins dans ces proportions ! La première définition de la dyspraxie est due à Orton, en 1937. Donc, il y a un problème et ce n'est pas un problème génétique, nos gènes n'évoluant que très, très lentement !

Artemis avait fouillé le net à la recherche des publications originales, soufflant d'admiration mais aussi d'exaspération contre Ariel Goldberg, qui ne prenait qu'occasionnellement la peine de les citer. Il agissait en scientifique, maître absolu de sa discipline, partant du principe que tout le monde devait les connaître aussi bien que lui[2].

Health benefits of docosahexaenoic acid. Horrocks LA1, Yeo YK. Pharmacol Res. 1999 Sep ; 40 (3) : 211-25[3].

---

1. www.additudemag.com/adhd-web/article/623.html. The statistics of ADHD, de Russell Barkley, PhD.
2. « Omega-3 fatty acid treatment of children with attention-deficit hyperactivity disorder : A randomized, double-blind, placebo-controlled study », Stacey Ageranioti Bélanger, MD PhD, Michel Vanasse, MD, Schohraya Spahis, MSc, Marie-Pierre Sylvestre, MSc, Sarah Lippé, PhD, François l'Heureux, MSc, Parviz Ghadirian, PhD, Catherine-Marie Vanasse, PhD, and Emile Levy, MD PhD. *Paediatr Child Health*, Feb 2009 ; 14(2) : 89-98.
3. Clinical trials of fatty acid treatment in ADHD, dyslexia, dyspraxia and the autistic spectrum. Richardson AJ. Prostaglandins Leukot Essent Fatty Acids. 2004 Apr ; 70 (4) : 383-90.

Elle trouva aussi une publication de l'équipe de Manzoni, sans savoir s'il s'agissait au juste de celle évoquée par Ariel Goldberg[1].

Il y en avait des dizaines. Artemis n'en proposa que quelques-unes. Elle se demanda soudain si Jeanne et elle consommaient assez de ce DHA. Oui, sans doute, grâce aux suppléments qu'on leur recommandait en Belgique.

— Mais même les fonctions cognitives en général – bref ce qu'on nomme intelligence, la mémoire et l'apprentissage entre autres – sont lourdement influencées par les oméga-3. Une publication du très prestigieux *Lancet*, signée à nouveau de Joseph Hibbeln et ses coauteurs montre que les enfants des mères qui consommaient le moins d'oméga-3 avaient presque 50 % de « chances » supplémentaires de se retrouver dans le quart inférieur du QI. Bref, beaucoup moins intelligents. C'est très significatif puisqu'ils ont étudié 12 000 femmes enceintes[2]. Ah… j'oubliais, je vous recommande vachement

---

1. http://www.nature.com/neuro/journal/v14/n3/full/nn.2736.html « Nutritional omega-3 deficiency abolishes endocannabinoid-mediated neuronal functions », Mathieu Lafourcade, Thomas Larrieu, Susana Mato, Anais Duffaud, Marja Sepers, Isabelle Matias, Veronique De Smedt-Peyrusse, Virginie F. Labrousse, Lionel Bretillon, Carlos Matute, Rafael Rodríguez-Puertas, Sophie Layé et Olivier Manzoni, *Nature Neuroscience* 14, 345-350 (2011).
« Omega-3 fatty acids in ADHD and related neurodevelopmental disorders », Dr Alexandra J. Richardson† ; *Internal review of psychiatry*, 2006, Vol. 18, No. 2 : 155-172.
« Omega-3 DHA and EPA for cognition, behavior, and mood : clinical findings and structural-functional synergies with cell membrane phospholipids », Kidd PM, *Altern Med Rev.* 2007 Sep ; 12 (3) : 207-27.
2. « Maternal seafood consumption in pregnancy and neurodevelopmental outcomes in childhood (ALSPAC study) : an observational cohort study », Hibbeln JR, Davis JM, Steer C, et al. *Lancet,* 2007 Feb 17 ; 369(9561) : 578-85.

de lire l'excellente synthèse de l'institut Linus Pauling sur les rapports entre carences de nutriments et formation du cerveau que vous trouverez en ligne sur http://lpi.oregonstate.edu/ infocenter/cognition.html. Ça ne se lit pas comme de l'heroic fantasy, mais du coup on comprend pourquoi les mecs – et les nanas – de *Game of Thrones* ou du *Fils des dieux* n'arrêtent pas de s'entre-tuer ! Sur le fond, ce qui me sidère et me peine dans l'histoire, c'est qu'en dépit de toutes ces preuves scientifiques, les instances sanitaires des différents pays d'Occident ne se bougent pas les fesses. Alors d'accord, il faut encore des validations scientifiques. Mais on y va, les mecs, parce que si la solution consiste à offrir aux femmes enceintes ou allaitantes une gélule d'huile de poisson et de sels minéraux, ça ne devrait pas être trop compliqué et c'est très économique, avec des retombées potentiellement fabuleuses pour les enfants, leurs parents et l'espèce humaine entière. À moins que le problème soit là ? Pas assez cher ? Je sais, j'ai très mauvais esprit.

Artemis, si absorbée dans sa transcription qu'elle n'avait pas entendu la porte d'entrée s'ouvrir, sursauta lorsque la voix aimée résonna :

— Chérie, je suis rentrée. Tu meurs de faim, n'est-ce pas ? J'ai acheté des super-nems, des crevettes à l'impériale et des nouilles sautées chez le petit traiteur chinois. Il y a aussi ces boules à la noix de coco que tu adores. Ça te fait plaisir ?

Jeanne. Jeanne monterait bientôt la rejoindre. Elles dîneraient ensemble, papoteraient et regarderaient une série à la télé. Les soirées en compagnie de Jeanne étaient un bonheur qui ne se démentait jamais.

Artemis sourit et regarda l'oursonne au ruban rouge vif et le phaléonopsis auquel ne restaient que deux fleurs. Un cadeau de l'ourse formidable, de Jeanne, pour son retour de Belgique. La jeune fille de quatorze ans sourit et décida qu'il s'agissait des deux plus belles fleurs portées par la tige. Elle lança à sa mère au rez-de-chaussée :

— Trop génial, maman. Oui, j'ai une faim de loup. Tu vas bien ? Bonne journée ? Là, je me détends. Mais, j'ai bien travaillé.

Bien sûr, elle ne lui révélerait pas exactement à quoi. Elle sauvegarda son fichier et passa sur Facebook, une activité qui rassurait sa mère. Jeanne redoutait tant qu'elle s'ennuie ou manque d'amis. Elle ignorait la nature exacte de la correspondance qu'Artemis échangeait avec Apollo… comme avec les autres.

Chapitre 24

7 décembre, Paris, France

Jeanne se leva et embrassa le front de sa fille. Elle consulta sa montre, une moue de déplaisir plissant ses lèvres, et souleva le plateau de leur petit déjeuner. Elle en avait un peu marre des gardes du samedi dans cette clinique de Neuilly-sur-Seine. D'un autre côté, elle était mieux payée ces jours-là, un aspect non négligeable. Infirmière anesthésiste, elle gagnait bien sa vie. Autre aspect crucial, c'était grâce à l'une de ses gardes qu'elle avait rencontré le Dr Thierry Janssens, un peu plus de deux ans auparavant. Il avait tenté de la débaucher. Elle aurait sans doute accepté de partir en Belgique, si sa fille ne l'avait pas retenue à Paris.

— Pas en avance, comme d'hab'. Je file sous la douche et je te monte ton pique-nique. Je sais que je radote, privilège des vieilles dames de trente-six ans, mais si tu as besoin de quoi que ce soit…

— Je t'appelle, promis !

Mais Artemis n'appelait jamais. Elle se débrouillait, plutôt bien, et attendait, sans récriminations, sans plaintes, sans mauvaise humeur. Lorsque Jeanne lui en faisait la remarque, d'un ton presque attristé, presque coupable, la jeune fille rétorquait invariablement :

— Je suis comme toi. Les chiens ne font pas des chats. Est-ce que tu te plains, toi ? On s'aime, c'est le principal.

De fait, Artémis aimait Jeanne plus que tout. Elle avait parfois le confus sentiment de l'avoir choisie *in utero*. Et puis, elle l'avait rechoisie lorsqu'elle avait failli mourir. Artemis n'avait pas eu peur. Du tout. Elle s'était sentie glisser sans avoir trop envie de se retenir. Elle avait presque eu la sensation de se trouver sur une luge qui s'enfonçait dans des ténèbres tièdes et au fond confortables. Mais la luge avait ralenti à une bifurcation. D'un côté se trouvait Jeanne, de l'autre rien, du moins rien qu'elle puisse entrevoir. Elle avait opté pour Jeanne et remonté seule la pente vers le jour. Pas seule. La main de Jeanne n'avait jamais lâché la sienne, durant des jours et des nuits. La pression nerveuse de la main de Jeanne avait persisté à la manière d'une précieuse cicatrice. Parfois, lorsqu'elle était seule, Artemis embrassait sa paume en ayant la certitude qu'elle déposait un baiser au creux de celle de sa mère.

Elle plongea dans sa mémoire. En réalité, elle survola ses souvenirs. Ils lui faisaient l'effet d'une mer trompeuse et souvent malveillante. Il convenait donc de glisser à sa surface en se contentant de l'effleurer du bout des ailes. Elle n'aimait véritablement que ses souvenirs avec Jeanne. Et, plus récemment, ceux qu'elle partageait avec Apollo. Elle emportait ceux-là partout avec elle, serrés entre ses plumes. Jamais elle ne les lâchait. Les autres, elle ne les côtoyait qu'avec prudence, parfois.

Son père, bien sûr. La stupéfiante lâcheté de cet être qu'elle avait adulé jusqu'à ses sept ans l'avait d'abord assommée. Du moins lorsqu'elle l'avait comprise. Une tâche ardue puisque Jeanne avait tout tenté afin de la lui dissimuler, n'hésitant devant aucune approximation, aucun mensonge pour qu'Artemis croie qu'elle était toujours la « minouche chérie » de papa. Les séjours professionnels de papa avaient commencé à s'allonger, pour s'éterniser. Jeanne avait insisté sur la masse de travail, de conflits à laquelle il devait faire face. Il avait, selon lui, « compensé » en versant scrupuleusement une pension alimentaire et en téléphonant une fois par semaine, avec la régularité d'un métronome, pour prendre des nouvelles, discuter un peu avec sa fille. Toujours les mêmes questions, puisqu'il avait déjà perdu l'imagination de l'amour : Tu vas bien ? Et l'école ? Un petit amoureux ? Et ta prof d'anglais, toujours aussi captivante ? Et les maths ? C'est très important, les maths. Et puis, les appels aussi s'étaient espacés. Et puis, il avait fallu que sa mère le rappelle·à l'ordre pour l'envoi des chèques de pension. Et puis, Jeanne la raisonnable, l'apaisante, avait piqué l'unique crise de fureur de sa vie. Artemis, dans sa chambre de l'étage, avait reçu en plein visage la rage des mots de sa mère qui montaient du rez-de-chaussée. Reçu aussi les coups de pied qu'elle balançait aux meubles, le fracassement des objets qu'elle jetait à l'autre bout du salon.

— Espèce de nul, sous-merde ! Et ta fille ? Tu t'en fous, de ta fille ? Ton « le plus beau jour de ta vie », « ton lingot d'amour », « ta huitième merveille du monde » ! Tu sais, Élisabeth, ta fille ! C'est toi qui lui as filé ce gène pourri, je ne suis pas porteuse ! Ta fille finira incapable de plisser les lèvres, de fermer les yeux, de lever les bras. Elle deviendra partiellement sourde. Elle peut à peine se lever à cause de cette saloperie de Landouzy-Déjerine[1] que TU lui as refilé, et toi, tu ponds un autre môme ? Tu es jusque-là passé au travers mais tu prends

---

1. Dystrophie facio-scapulo-humérale, troisième dystrophie au monde en termes de fréquence, maladie génétique autosomale dominante, même si les cas non familiaux, c'est-à-dire non révélés chez les parents, représentent 30 % des sujets. Les symptômes peuvent être très divers dans leur localisation et leur sévérité, et débuter à des âges très variés. La maladie est liée, le plus souvent, à une anomalie sur le chromosome 4. Elle atteint les muscles en les affaiblissant, en général de la face et des bras, puis les muscles de l'abdomen et des membres inférieurs. Elle peut, plus rarement, rendre sourd, provoquer des problèmes de la rétine, de déglutition, etc.

le risque qu'un autre enfant soit atteint ? Tu vas en faire combien ? Jusqu'à ce qu'un d'entre eux soit épargné ? Je vais te dire, Serge, et je pèse mes mots : je souhaite que tu termines dans un fauteuil roulant, comme ta fille ! Et ce jour-là, ne compte surtout pas sur nous. Fais gaffe, ça peut se révéler à soixante ans !

Soudain le silence. Élisabeth/Artemis avait tendu l'oreille, luttant contre les sanglots, essuyant d'un geste hargneux les larmes qui dévalaient de ses yeux. Elle avait déjà choisi ce pseudo d'Artemis, consciente que les muscles de ses bras ne lui permettraient jamais de bander un arc. Quant aux muscles de ses jambes, grâce à ses séjours en Belgique, ils toléraient dans les bons jours, de plus en plus souvent, qu'elle se soulève de son fauteuil pour se laisser tomber sur l'abattant des toilettes. Chaque jour, elle retenait son souffle avant de cligner des paupières, avant de froncer la bouche en cul-de-poule ou d'étirer les lèvres en large sourire. Une immense victoire puisqu'elle y parvenait à chaque tentative. Grâce à ses séjours en Belgique.

Ce soir-là, ce soir de la fureur de l'ourse magnifique, quelques minutes de pure angoisse s'étaient écoulées avec une lenteur intolérable. Elle avait enfin entendu le pas lourd de sa mère dans l'escalier. Le cœur battant la chamade, elle avait attendu. La porte de sa chambre s'était enfin ouverte. Jeanne était rentrée, livide. La racine de ses cheveux bruns tirés en queue-de-cheval était humide. Elle s'était passé le visage à l'eau froide. Jeanne avait avancé de quelques pas et un immense soulagement avait envahi Artemis. Sa mère n'avait jamais paru si formidable, si grande, si puissante, si apte, si implacable. Une ourse. Artemis avait aussitôt songé à une ourse. C'est magnifique, une ourse. Terriblement dangereux aussi lorsqu'on menace son petit. Létal.

Jeanne s'était agenouillée devant son fauteuil roulant et l'avait enveloppée de ses bras, comme de grandes ailes. D'une voix plate, presque coupante, elle avait asséné :

— Leçon de femme numéro 00 : « Une femme, une femelle, protège ses petits, coûte que coûte, même s'il faut se battre contre le mâle qui s'y attaque. C'est ce que font les ourses, les lionnes et plein d'autres. C'est dans nos gènes, dans notre biochimie. » C'est la leçon, la règle de base. Leçon de femme numéro 1 : « Ne jamais aimer à côté de la plaque. » Leçon de femme numéro 2 : « Préparer la guerre pour que jamais tes petits ne la subissent. » Leçon de femme numéro 3 : « Je t'aime infiniment, plus que ma vie », et il ne s'agit pas d'une formule. Le temps des atténuations est passé, chérie. Ton père a engagé une procédure de divorce. Sa nouvelle compagne attend un petit garçon. Il devrait naître dans deux mois.

Élisabeth/Artemis avait fondu en larmes, le nez enfoui dans l'épaule de sa mère, comme lorsqu'elle était fillette, comme lorsqu'elle était normale, semblable aux autres enfants. Entre désespoir et panique, elle avait hoqueté :

— C'est de ma faute, je ne suis pas l'enfant qu'il voulait voir. Il t'a quittée à cause de moi et...

— Chut, je t'interdis de dire ou même de penser un truc pareil ! Il m'a quittée parce que c'est un connard de lâche, c'est tout. C'est lui qui porte le gène. On n'est pas responsable de ses gènes, mais tu l'es encore moins que lui. Serge est une grosse tache, point barre.

— Et comment on va se débrouiller ? Enfin... Je te coûte super-cher et...

Une pluie de baisers avait fondu sur ses cheveux auburn très bouclés. Puis, sa mère avait murmuré :

— Chut, bêtises que tout cela. Tu me dois la vie, mais je te dois la mienne. On va très bien s'en sortir, comme d'habitude. La pension n'est pas négociable. Si, d'ailleurs, mais à l'augmentation. Il veut « refaire sa vie », sa formule. Il oublie qu'il en a semé une en toi et ça ne s'efface pas. On peut gommer une femme, on ne gomme jamais un enfant !

— Et s'il n'accepte plus de payer ? Tous les soins, les appareils...

Jeanne s'était relevée. À nouveau, l'idée que sa mère était une ourse s'était imposée dans l'esprit d'Élisabeth.

— S'il n'accepte plus ? Mais quelle importance ? Je ne lui demande pas son avis. Souviens-toi de la leçon de femme numéro 2 : « Préparer la guerre pour que jamais tes petits ne la subissent. » Je sais plusieurs choses très fâcheuses à son sujet. Professionnellement. Je peux l'envoyer en taule et je le lui ai rappelé. Il sait que je ne plaisante pas. De plus, je doute qu'il ait précisé à sa nouvelle chère et tendre qu'il portait le gène de la maladie de Landouzy-Déjerine, un gène dominant. Or, vu ton état, il ne peut plus prétendre l'ignorer. Ma guerre est prête et je ne ferai pas de quartier ! Ne t'inquiète pas, mon ange. Il sait que je peux devenir féroce.

Son père lui avait téléphoné une semaine plus tard. Elle lui avait raccroché au nez.

S'envoler d'un puissant coup d'ailes. S'arracher de la surface de la mer des souvenirs. Ne surtout pas se laisser imprégner par son eau malsaine, malfaisante. Penser à Jeanne et encore à Jeanne, et aussi à Apollo.

Elle força un faible sourire lorsque sa mère poussa du pied la porte de sa chambre, chargée du plateau de pique-nique. Elle portait le pardessus anthracite de coupe presque masculine qu'Artemis aimait tant et la large écharpe en laine vert lichen que la jeune fille lui avait commandée sur Internet pour le dernier Noël.

— Bon, ce n'est pas Byzance mais nous avons : l'habituelle Thermos de thé au lait pour mademoiselle, un quart de poulet rôti, une barquette de tomates cerise, un bagel maison, un yaourt aux fruits et cinq clémentines, sans oublier trois gros carrés de chocolat. J'ai ajouté un paquet de petits palmiers en cas de creux. Tu tiendras jusqu'à ce soir ?

— Largeos ! J'adore tes bagels, les meilleurs de la planète !

— Non, mais tu ne peux pas le savoir puisque tu ne connais que les miens. Je gagne donc la compétition sans concurrence, mais je gagne, plaisanta Jeanne avant de l'embrasser. Il te reste des bouteilles d'eau ?

— Tout va bien.

— Je file. Tu appelles en cas de besoin, n'est-ce pas ?

— Oui, maman, promis.

— Ah, c'est là où ça se gâte, lança Jeanne depuis le pas de la porte. Je rentre plus tôt ce soir. Je veux voir tous les devoirs par correspondance de la semaine faits et bien faits. Tu passes le Bac l'année prochaine, chérie.

— Mais je suis super au top maman, dans toutes les matières, geignit Artemis qui mourait d'envie de poursuivre la transcription de la vidéoconférence enregistrée par le Dr Ariel Goldberg.

Jeanne lui envoya un baiser soufflé depuis la porte et trancha :

— Eh bien, justement, ma chérie : restons au super-top. Tous les devoirs, ce soir.

Artemis le savait : inutile de tenter de négocier avec Jeanne lorsqu'elle avait décidé pour son bien. Une ourse, une très magnifique ourse.

Après le départ de Jeanne, Artemis battit frénétiquement des ailes pour s'éloigner de la surface glaciale et sombre de la mer des souvenirs malfaisants. Elle se méfiait de plus en plus de cette eau qui agissait parfois à la manière d'un aimant. Artemis aurait aimé plonger dedans en piqué, pour aller en découdre avec elle du bec et des serres. Stupide, elle s'y noierait. Stupide de ressasser des souvenirs blessants lorsque leur principal acteur est ailleurs, inconscient de la lutte, des espoirs bafoués, des sanglots de nuit. Pire, qu'il s'en fout en veillant sur son fils, en redoutant que l'enfant développe un jour les mêmes symptômes que sa fille, cette enfant qu'il a décidé d'effacer.

Leçon de femme numéro 1 : « Ne jamais aimer à côté de la plaque. » Jeanne avait raison. Il s'agissait là d'un mal rongeant que la jeune fille ne pouvait se permettre. Artemis luttait

215

déjà pied à pied pour ne pas céder de terrain à l'autre mal, le physique, celui qui contraignait ses omoplates à se soulever en ailes lorsqu'elle levait les bras parce que les muscles de ses épaules n'étaient plus assez forts pour les maintenir fixes, un symptôme classique de la maladie.

Autant voler loin de la mer mauvaise.

Jeanne devait être installée dans le RER. Artemis alluma son ordinateur et tapa son mot de passe.

Il faisait étonnamment doux pour la saison. Les deux hivers précédents avaient été si froids, si longs, le dernier presque interminable. Artemis avait un peu redouté un troisième, puis un quatrième hiver glacial. Sans doute parce qu'elle avait lu le roman d'anticipation que lui avait recommandé Apollo, *Le Sixième Hiver*[1], de Douglas Orgill et John Gribbin, saisissant texte des années quatre-vingt, illustrant une des hypothèses d'alors sur l'impact du changement climatique : une ère de glaciation soudaine et impitoyable. La clémence pluvieuse de ce mois de décembre la rassurait.

Elle tapa :

My beloved Apollo,

Un très court message pour te dire que je pense à toi, mon frère tant aimé. Jeanne vient de partir travailler. Je m'en veux tant de la charge que je représente pour elle. Je doute qu'un homme, un jour, fasse fi de la corvée qui consiste à s'occuper de moi pour l'aimer comme elle le mérite. Mais l'amour de Jeanne et le tien, c'est mon oxygène. Si une gentille fée me proposait un vœu personnel, un seul, je choisirais d'être une autre Jeanne, sa jumelle. Non, je choisirai deux vœux, tu vois comme je suis futée. Ta santé et devenir Jeanne.

Je voudrais tant être une ourse magnifique, me dresser sur mes postérieurs. Devenir dangereuse, gronder et menacer des griffes et des crocs quiconque s'en prend à ceux qui

---

1. 1986, Éditions du Seuil.

me sont chers. Même la mort. Même la mort reculerait devant moi.

L'automne est là et l'hiver arrive. Il durera.

Je t'aime infiniment, mon frère.

Artemis.

Élisabeth/Artemis essuya de la main les larmes qui dévalaient de ses yeux. Elle aimait pleurer. La lubrification de ses globes oculaires lui permettait de fermer les paupières avec plus d'aisance.

Chapitre 25

9 décembre, hôtel de Beauvau, Paris, France

Yann Lemadec avait passé son week-end à fureter sur Internet. Maniant un peu l'allemand, sa seconde langue au lycée, il n'avait rien découvert sur la généalogie des Hopenburg en dépit de ses recherches tous azimuts, une prétendue famille noble qui semblait n'avoir jamais existé en Allemagne, en Autriche ou en Prusse. Il avait trouvé quelques rares photos de Günter, le mari d'Eugénie, âgé de quarante-neuf ans, un petit gros mou de traits, à l'air débonnaire, aux lunettes de myope et aux rares cheveux fins d'un blond presque roux. Sur l'une d'entre elles, prise durant une partie de polo, il souriait béatement, le ventre moulé dans un tee-shirt vert, ses genoux ronds d'enfant dénudés par son short long. À part cela, il était décrit comme amoureux d'opéra et de musique classique. Eugénie Delebarre, fille de Charles, nièce de Thomas, était sa seconde épouse. Décidément une très belle femme. Elle avait accepté une interview dans *Rich, Beautiful and Famous*, un magazine américain glamour. Elle y décrivait en termes choisis le coup de foudre qu'elle avait ressenti lors de sa première rencontre avec Günter, pendant un gala de bienfaisance, sur le mode « parce que c'était lui, parce que c'était moi ». Preuve que l'amour et surtout de très gros comptes en banque rendent aveugle.

Désireux de se changer les idées, Yann avait ensuite dévoré la fin de la saga du *Fils des dieux*, d'épais pavés. Le *pitch,* très classique, tenait en quelques mots : Aidé d'Hisoka, une redoutable prêtresse, Okugi, jeune guerrier, partait en guerre contre l'empereur qui faisait régner une implacable et sanglante dictature. Il n'en demeurait pas moins qu'on ne lâchait plus cette foisonnante histoire une fois plongé dedans. À l'évidence, l'auteur, Ïoda Kyûjutsu, alias Grégoire Beaujeu, s'était inspiré de l'histoire des conflits mondiaux. Un peu comme George R. R. Martin dans sa saga de *A game of thrones* avec la guerre des Deux-Roses et même la série des *Rois Maudits*. Cela donnait à l'ensemble une sorte de véracité familière, parfois absente de l'heroic fantasy, selon Yann. Pas de dragons chez Ïoda Kyûjutsu mais une *Plaie des mondes*, que l'on pouvait imaginer sous la forme d'une gigantesque hydre malfaisante, ou prendre de façon métaphorique.

Le dimanche soir, Yann s'était fait livrer une pizza et avait décidé de traquer Grégoire derrière les lignes d'Ïoda Kyûjutsu, tout en sachant cet exercice périlleux. Les auteurs sont rarement ce qu'ils écrivent, ou alors, le plus souvent, ils diluent dans différents personnages ce qui les tisse. S'ajoutait à cela le genre spécifique de l'heroic fantasy, qui se conçoit difficilement sans guerre, bravoure, lâcheté, trahisons, jeux de pouvoir, etc. Cependant, Grégoire n'avait pu exploiter de grands thèmes sur plus de trois mille pages sans qu'ils correspondent à quelque chose d'important à ses yeux. Si l'on débarrassait la saga de sa fureur, de son sang, de ses éclats et innombrables rebondissements et personnages, restaient quelques fils rouges dont la pertinence, en termes de signification, sautait aux yeux. Du moins Yann s'en était-il persuadé. Le premier fil revenait de façon récurrente : ce ne sont pas les héros qui créent les situations, mais l'inverse. Un petit groupe résolu, uni par la confiance et l'intérêt commun, pouvait renverser un empire tenu d'une main de fer. La manipulation et le mensonge deviennent des armes nobles lorsqu'ils sont au service du bien. Ceux qui n'ont plus rien à perdre parce qu'ils ont tout offert font les ennemis les plus redoutables ; plus rien ne les arrête. Ainsi que le répétait Ïoda Kyûjutsu, différents chemins s'ouvrent afin de vaincre. La voie aisée, confortable, est rarement la plus honorable. En revanche, la voie du samouraï – pour ardue et impitoyable qu'elle soit – privilégie l'honneur et la fidélité aux siens.

Yann avait retrouvé dans cette saga en cinq volumes, nombre des enseignements de *L'Art de la guerre*, de Sun Tzu. Se formait un portrait en ombre chinoise de Grégoire bien différent de ce qui s'était dégagé de lui durant leur dîner. Grégoire le jeune homme un peu léger, un peu ailleurs, pratiquant volontiers une insolence subtile, une désinvolture si distrayante qu'on aurait parié que rien ne le touchait vraiment. Bref, Grégoire Beaujeu n'avait a priori pas grande ressemblance avec le valeureux Okugi.

Yann Lemadec s'offrit un café au distributeur du couloir et s'installa derrière son bureau. Pourquoi s'intéresser ainsi à Grégoire Beaujeu, alors que l'enquête criminelle concernait sa mère ? S'agissait-il de la curiosité que suscite un être double : charmant jeune homme de la bourgeoisie ouverte et cultivée le jour et auteur à succès de sagas échevelées, viriles et particulièrement brutales la nuit ? Ou alors avait-il flairé que l'importance de Grégoire ne se limitait pas à son lien de famille avec Alexandra ?

Il n'eut guère le temps de creuser cette dernière hypothèse. Lucie Dormois déboula dans son bureau sans même frapper. Les cheveux encore humides de sa douche matinale, le souffle court, elle avait coincé Bébé sous son aisselle. Yann se fit la réflexion inepte que ses cheveux étaient beaucoup plus longs mouillés, en raison de leur extrême frisure une fois secs. Une chevelure magnifique, très épaisse, qui devait se transformer en cauchemar pour sa détentrice sous les dents d'un peigne.

— Tu as couru ? s'enquit Yann.

— Je ne cours jamais, sauf quand ma vie en dépend, plaisanta-t-elle.

Pourtant, il sentit une réserve derrière sa feinte légèreté, et la détailla. Lucie se décida :

— Disons que j'ai parcouru la distance depuis l'arrêt du bus au pas de charge. Je ne sais pas… sans doute une vieille parano… j'ai eu le sentiment d'être suivie. Je me suis retournée… rien. Bof, ça doit être hormonal.

Elle posa Bébé sur le bureau de Yann, l'ouvrit et déclara sur un geste théâtral :

— Voilà, lis cela ! Il y a de quoi en tomber de sa chaise. Le consortium Alpha, devenu *Upstream* – qu'à mon avis il convient de prendre dans le sens de « à contre-courant » – avait, a pour but, entre autres, d'étudier la faisabilité des micro-États flottants en offshore !

— Pardon ?

— C'est un des grands projets de nombre de milliardaires, notamment des seigneurs de la Silicon Valley. Nous… les grandes démocraties occidentales, sommes obsolètes, pas assez inventives, pas assez réactives. Ajoute à cela que nos peuples coûtent trop cher, il faut les soigner, leur payer des retraites, trop d'impôts. Selon eux. L'idée géniale consiste donc à construire des micro-États flottants en zone offshore. Tu y entasses l'élite de la planète et tu la dorlotes avec des salaires mirobolants, la meilleure médecine, les avancées du génie génétique, la meilleure architecture, les meilleurs enseignements pour elle et ses rejetons. Ceux qui restent de l'autre côté se démerdent.

— Attends, c'est un *hoax*[1], s'exclama Yann, totalement incrédule. Encore mieux que le film *2012* !

_____

1. Canular, mauvaise blague informatique.

222

— Pas vu.

— Un film semi-SF, semi-catastrophe. Pas génial mais distrayant. Je te la fais courte : la fin du monde approche. Les puissants et ultra-riches de la planète se font construire des arches dans le plus grand secret. Le jour J, ils montent dedans et la Terre est recouverte par un nouveau déluge. Tous les autres crèvent, sauf un petit ouvrier tibétain ou népalais, je ne me souviens plus trop, qui a contribué à la construction des arches, parce qu'on-n'est-pas-des-monstres-quand-même !

— Assez comparable, mais je doute qu'un ouvrier népalais sera sauvé dans ce cas. Lis[1] ! Pas d'État, pas d'impôts, pas de loi, sauf celles qu'ils décident. Une idéologie libertarianiste[2] ultra-capitaliste, sur le mode « la liberté n'est pas compatible avec la démocratie[3] ».

Maintenant très sérieux, Yann rétorqua :

— Ah parce que, selon eux, elle est plus compatible avec la dictature ? C'est quoi, ce délire ? Ils ont oublié que s'ils sont devenus si riches c'est parce qu'eux ou leurs parents avaient étudié dans des facs payées par les impôts du *vulgum pecus* ? Donc, ils nous balancent leurs innovations, dont une bonne moitié sont merdiques...

— Ouais, ben, les gens les achètent quand même, ou pire, pensent béatement que « c'est gratos ». Or, comme disent les stars de l'économie numérique : si c'est gratuit, c'est que le

1. « Le plan fou des nouveaux maîtres du monde », *Le Nouvel Observateur*, 10-16 avril 2014.

2. Le mouvement libertarien aux USA ne peut être catalogué ni à droite, ni à gauche, même si cette « sensibilité » se retrouve chez nombre des membres du Tea Party, mais pas exclusivement. Il prône le respect absolu de la liberté individuelle, de la propriété privée, de la liberté d'entreprendre, un affaiblissement drastique des interventions de l'État, une baisse majeure de la fiscalité compensée par les dons et la charité privée, etc.

3. Déclaration de 2009 de Peter Thiel, multimilliardaire libertarien, citée par nouvelobs.com, 13/04/14.

produit, c'est toi ! La masse, le peuple quoi, a été de la chair à canon, puis à mines. C'est maintenant de la chair à écrans, contra Lucie.

— Ils se font des couilles en or avec ça, et ils refusent de se mêler à la populace qu'ils ont contribuée à abrutir avec du pain et des jeux et de rendre une fraction archi-minime de leurs fortunes sous forme d'impôts ? Ils refusent donc de renvoyer l'ascenseur à un jeune de rien du tout qui un jour découvrira le remède miracle contre le cancer ou Alzheimer ?

— Ce qui ne les empêche pas d'y aller de la tartine humaniste et humanitaire, ironisa Lucie. Selon eux, dans la tranquillité de leurs palaces flottants ultra-technologiques, ultralibéraux, ultra-luxueux, ils pourraient résoudre la faim dans le monde, éliminer la pauvreté, etc. Le bla-bla habituel, même si certains versent, en effet, pas mal d'argent à des causes charitables.

— Les gens sont devenus dingues, ou quoi ? souffla Yann, médusé.

— Selon moi, ils l'étaient déjà, mais les moyens technologiques de la démesure faisaient défaut. Et puis, il y avait la pression morale. Elle a disparu. Aujourd'hui, ce qui compte n'est pas comment un mec s'est fait des couilles en or, mais leur taille et leur nombre de carats ! Quand je pense à toutes les inventions du XIXe ou du début du XXe siècle... L'idée était d'améliorer le sort de l'humanité et, éventuellement, de se faire un peu d'argent. Aujourd'hui, les prémices d'un projet sont : bon, les mecs, comment on pourrait se faire plein de thunes sans trop se prendre la tête ? Et si on bidouillait un truc existant avec un bon algorithme qu'on brevetterait et puis on serait coté en bourse ? L'arrogance et le manque d'envergure humaniste, voire de morale, d'une grosse partie de cette nouvelle caste entrepreneuriale me gonflent, tiens ! Facebook se permet même de manipuler psychologiquement 700 000 utilisateurs sans leur consentement, sous prétexte d'étude scientifique[1]. Remarque, ce n'est pas pour autant que les gens fermeront leur compte en marque de protestation.

— Ta tension, chérie ! Et Alpha-Upstream là-dedans ?

— Le but était de cofinancer la réalisation d'un de ces micro-États. La maquette que j'ai vue sur le *deep web* évoquait une sorte de gigantesque plateforme pétrolière sous bulle. Plutôt une grande serre. Plein d'arbres devaient être plantés pour régénérer l'oxygène. Enfin, c'est sûr dans le cas d'Alpha. D'ailleurs, la lettre alpha désigne les sujets les plus forts et les plus aptes à survivre. Les sujets dominants. En revanche, Upstream est beaucoup plus discret sur ses buts, et ça ne me dit rien qui vaille, expliqua l'informaticienne. À l'époque d'Alpha, les associés principaux étaient Charles Delebarre, Edward Armstrong et le baron Günter von Hopenburg.

— Ensuite, exit le baron et sans doute Delebarre. Entre en scène ce Chen-Huang Lian, résuma Yann.

— Cette ! Lian Chen-Huang est une jeune femme. Une des plus riches héritières de la planète. Chinoise. Pas une gourdasse qui promène ses chihuahuas vêtus de jupettes en vichy rose ou qui se bourre la gueule tous les soirs dans les boîtes branchouilles. Un CV en béton. Ajoute à cela qu'elle est vraiment jolie fille. Son père fut un des plus gros promoteurs immobiliers de Chine et rafla pas mal de concessions de terres rares. Et sans celles-ci, pas de disques durs, de smartphones, d'écrans plats ou de panneaux solaires. En résumé, pas poli pour une dame chic telle que moi, mais ça s'appelle tenir la planète par les couilles.

— Et que vient-elle faire dans le consortium Upstream ?

— Mystère et boule de gomme, commenta Lucie en haussant les épaules. L'opacité de ce truc n'est pas normale. Ils ne font même pas l'effort d'une profession de foi, aussi bidon soit-elle. Lucie se redressa de toute sa petite taille, plaqua la main sur son sein et débita d'un ton grandiloquent : Tu vois

1. Nouvelobs.com, theatlantic.com, Forbes, lemonde.fr, 30 juin 2014.

le genre : Nous étudierons la culture du plancton pour donner à manger à toute l'humanité. Ou : Nous lancerons un satellite pour découvrir des sources d'eau souterraines dans les déserts. Ou : Nous mettrons au point une céréale OGM équilibrée en acides aminés et précurseurs vitaminiques pour éradiquer la malnutrition.

— Ah, ton bon vieux cynisme, observa Yann.

— Pourquoi ? Ça ne te rappelle rien ?

Mais l'analyste de données l'écoutait à peine depuis quelques secondes. Une phrase prononcée par Armstrong, et qu'il avait prise pour une boutade, lui revint. Il s'en ouvrit à Lucie :

— Il a dit : « Nous venons en France deux fois par an, un séjour maximum de trois mois, aucune envie de payer mes impôts ici ! » Il parlait de sa fille et de lui.

— Bon… on ne peut pas complètement le lui reprocher, pondéra Lucie. En France, on n'y va pas avec le dos de la cuiller, surtout pour des revenus aussi astronomiques que les siens. Moi je dis, mieux vaut 20 % d'un énorme truc que 80 % de rien du tout dans un système mondialisé où toutes les grosses sociétés peuvent délocaliser, un concept que nombre de politiques peinent à intégrer alors même qu'ils l'ont voulu, justement, pour favoriser les intérêts financiers. Pas trop cohérent, à moins qu'il ne s'agisse de leur part d'effets de manche faussement indignés pour satisfaire le bon peuple. Mais bon, je ne suis qu'une ménagère de plus de cinquante ans ! Et quand tu vois où passe une bonne fraction de l'argent du contribuable… remarque, il n'est pas perdu pour tout le monde. En tout cas, je ne vois pas de message crypté dans la déclaration d'Armstrong. En plus, il est américain. Le *French-bashing* est très à la mode là-bas… et un peu partout ailleurs.

— Il a aussi lâché un truc qui tombait comme un cheveu sur la soupe. En substance, qu'on se trompait sur les choix. On croyait qu'il s'agissait de portes que l'on poussait et qui se refermaient définitivement derrière notre dos. Mais c'était le plus souvent faux. En réalité, on ne poussait que des portes à tambour, et on pouvait faire machine arrière si on ne se trouvait pas de prétextes bidon pour continuer sur une route décevante.

Lucie plissa les paupières et le fixa durant quelques instants avant de répondre :

— Pas con, ce type.

— Il n'en serait pas là s'il était crétin, approuva Yann.

— Mais pourquoi il t'a sorti ça ?

— Pas la moindre idée. Encore une fois, ça tombait bizarrement. Juste avant que je remonte en voiture.

— Yann… Nous sommes quand même confrontés à un quartet torride qu'il faudrait investiguer : Edward Armstrong, Charles Delebarre, le baron von Hopenburg et Henri de Salvindon. Les trois premiers ont été impliqués dans le même consortium, et le quatrième colle une émanation de la DCRI dans l'enquête sur le meurtre du frérot de l'un des anciens associés. Jusqu'où est-ce officiel ? Ça sent vraiment la grosse embrouille.

— Embrouille comme dans…

— Plan foireux. Un plan tellement foireux que nous nous laissons promener par le bout du nez. Ta priorité, du moins si on suit Salvindon, se résumait à enquêter sur le Pr Alexandra Beaujeu. Là, on patouille dans les consortiums des ultra-riches, les micro-États, le contre-espionnage. Nous ne sommes pas de taille, Yann. Absolument pas.

— Juste. Que dois-je faire ?

— Tu fais dans ta caisse, comme le gentil matou que tu es. Si Salvindon souhaitait t'orienter sur une autre piste, sans toutefois se montrer clair à ce sujet, c'est son problème, pas le tien. Yann, n'oublie pas qu'il a les hommes pour ce genre de mission. Des types très formés et qui disposent de pouvoirs et de passe-droit que tu n'imagines pas.

— Comme ton ex-mari ?

— Hum… comme François. Mon conseil consiste à jouer les andouilles. Tu respectes au mot ta lettre de mission. Tu enquêtes sur Alexandra Beaujeu et tu lâches le reste. De ce que j'ai trouvé ce week-end, cette histoire m'évoque une piscine remplie de gros requins très dangereux. Ça pue les énormes emmerdements.

Elle se leva et lui sourit, et il sentit qu'elle s'inquiétait pour lui. Il en fut touché. Depuis la mort de sa mère, qui s'était inquiété de lui ?

— T'as raison. D'un autre côté, elle n'a pas pu buter Thomas Delebarre. Grégoire non plus. Un commandant de gendarmerie comme alibi, qui dit mieux ?

— Eh bien, tu appelles Salvindon pour lui offrir cette remarquable synthèse et lui faire un bisou d'adieu. C'est pas elle, donc c'est pas elle. Si Henri de Salvindon voulait autre chose de toi, il serait forcé de sortir du bois, de s'expliquer un peu. Tu demanderas une autre lettre de mission de sorte à couvrir tes fesses.

— Tu es ma bonne fée.

— J'ai toujours beaucoup aimé Peter Pan. Vingt kilos de moins et je ferais une fée clochette très convaincante, avec un mignon petit chignon blond !

Elle quitta son bureau sur ces mots.

Yann soupesa son conseil. Autant l'avouer, il se sentait plus que mal à l'aise à l'idée d'appeler le commandant, pour lui asséner en termes plus châtiés : Hey, mec, je sais que tu me mènes en bateau. Alors, accouche. C'est quoi la véritable histoire ? Il tergiversa et s'absorba dans un autre dossier, un peu en souffrance depuis qu'il avait accepté la mission de Salvindon. L'étude, barbante au possible quoique nécessaire, avait pour objet d'amener les chercheurs français du public à prendre en considération que la science internationale n'est pas une grande famille de gentils lutins uniquement intéressés par la connaissance. C'est aussi une source colossale de revenus potentiels qu'il convient de protéger de l'espionnage. À l'évidence, le concept avait du mal à pénétrer dans certaines grosses têtes des labos publics. L'étude consistait donc à trouver les moyens pédagogiques de l'enfoncer dans le crâne des récalcitrants, une tâche délicate. La pédagogie s'apparente à du funambulisme sans filet lorsqu'on s'adresse à des cerveaux très évolués et dressés à la critique et à la recherche de failles de raisonnement.

Yann se rendit compte qu'il poussait un long soupir à chaque nouveau paragraphe de son rapport. Il aurait pu le synthétiser en trois phrases : Arrêtez de les prendre pour des enfants surdoués caractériels. Expliquez-leur le problème. Ils devraient comprendre. Mais sa hiérarchie n'approuverait pas. Il fallait délayer sur une bonne trentaine de feuillets, et caser à tout prix les formules clés. Le cœur du métier, la lisibilité, l'intelligibilité, en évoquant la construction microstructurelle, superstructurelle et macrostructurelle et donc le niveau sémantique et celui de la cohérence explicite et implicite du discours et des textes d'appui que l'on fournirait à la « cible ». En parlant d'intelligibilité !

Lucie refit une apparition en trombe, faisant voler en éclats la somnolence qui le gagnait. Elle vociféra :

— Günter von Hopenburg a fait fortune grâce à l'Allemagne nazie. Un national-socialiste convaincu.

— Tu rigoles, il a quarante-neuf ans ! D'accord, je n'ai trouvé aucune famille de l'aristocratie autrichienne, prussienne, allemande de ce nom. J'allais t'en parler et puis j'ai zappé.

— Günter, le grand-papa du nôtre ! cria-t-elle. S'explique le départ précipité de la famille en Argentine après la chute du IIIe Reich. Ils ont de chouettes fréquentations, Delebarre Charles et Armstrong Edward !

— Ce n'est pas parce que le grand-père était nazi que le petit-fils a suivi son exemple, argumenta Yann.

— Juste. Mais ça sent quand même la fortune gagnée sur le dos de l'Holocauste. Ça sent l'ordure criminelle qui aurait dû se retrouver devant le tribunal de Nuremberg mais qui s'est barrée à temps. Tu as envoyé un mail à Salvindon ?

— Pas encore, admit l'analyste à contrecœur.

— On a les chocottes ?

— Un peu.

— Je te comprends, d'un autre côté, avec des gens comme lui, c'est la mauvaise stratégie. La peur est une de leurs meilleures armes. Ils savent parfaitement la distiller. Ils comptent dessus pour tétaniser l'autre. Le coup du lapin pris dans les phares d'une voiture. Je te laisse, mon lapin !

Sa sortie n'avait rien de méprisant et Yann le savait. Lucie tentait de l'aider, de lui paver la route grâce à ce qu'elle avait compris durant ses années de mariage avec François de Noisoury, un des lieutenants de Salvindon.

Yann composa et recomposa à dix reprises son mail au commandant Henri de Salvindon :

Commandant,

J'espère m'être acquitté à votre satisfaction de l'enquête que vous m'aviez confiée concernant le Pr Alexandra Beaujeu. Le croisement entre les différents témoignages, dont celui du commandant de gendarmerie Vincent Levasseur, est sans appel. Ni le professeur Beaujeu, ni son fils Grégoire ne pouvaient se trouver à Mougins la nuit du 25 au 26 septembre.

Avec mes salutations respectueuses.

Le curseur plana durant quelques secondes sur la touche « envoyer » puis Yann écrasa d'un geste sottement hargneux la commande de la souris. Il fourra les mains dans les manches de son gros pull informe et agrippa ses avant-bras, un geste d'enfance lorsqu'il ne savait quelle attitude adopter. Il replongea dans sa dissertation poussive sur la cohérence implicite et explicite du discours.

Son téléphone de bureau sonna. Avant même de décrocher, il devina l'identité de son interlocuteur.

— Lemadec ? Salvindon.

— Bonjour, monsieur. Vous avez reçu mon mail ?

Il ferma les yeux de consternation. Même en cherchant bien, il aurait difficilement pu trouver quelque chose de plus stupide.

— En effet, en dépit du plaisir que j'ai de prendre de vos nouvelles, le rembarra Salvindon d'un ton cassant. Votre enquête n'est *pas* terminée à ma satisfaction.

D'accord, Henri de Salvindon était son ultra-chef. En revanche, Yann n'avait aucune intention de se laisser traiter à la manière d'un valet.

— Vous cherchiez si l'avocat général Thomas Delebarre était l'immonde pédophile suggéré par les images stockées sur son ordinateur, puis si le Pr Alexandra Beaujeu avait pu l'assassiner pour venger son fils Colin. Les réponses sont : négatif et négatif !

— Je suis certain qu'elle a quelque chose à voir là-dedans, ou alors une personne de son entourage.

— Qui ? Le Concombre Masqué ?

— Votre insolence adolescente me fatigue, Lemadec.

— Moi, ce sont vos faux-semblants et vos approximations, rétorqua Yann, qui en avait soupé et était à un cheveu de brailler : je démissionne !

Salvindon le perçut-il ? Toujours est-il que son ton perdit en aspérité.

— Quels faux-semblants et approximations ?

— La prétendue pédophilie de l'un et son meurtre par l'autre ne vous intéressent pas vraiment. Il y a autre chose et je n'ai pas envie de jouer au dindon de la farce, avec moi dans le rôle du dindon.

— Faux. Ça m'intéresse vivement. Mais ce meurtre volontairement spectaculaire n'est que la partie émergée de l'iceberg.

— Et celle qui se trouve en dessous, c'est quoi ?

— Ces infos sont classifiées.

— Bien. Je vous l'ai dit : si l'on souhaite voir quelqu'un reconstituer un puzzle, mieux vaut allumer la lumière. Au revoir, monsieur, avec tout mon respect.

— Je passerai à 19 heures ce soir dans les bureaux de la BIS. Vous m'attendez. Ne prévenez personne de ma venue. C'est un ordre.

— Bien, monsieur.

Il ne dirait rien à Lucie. Peut-être plus tard.

Chapitre 26

Au même moment, 9 décembre, Paris, France

Hier, Jeanne avait eu l'envie de la traiter comme la-fille-de-la-poupée-Barbie-presque-senior. Artemis s'était laissée faire, amusée, tout le dimanche.

Elle regarda ses ongles manucurés, vernis de rose pâle, le même que sur les pieds, mais elle ne parvenait pas à se pencher assez pour les deviner. Elle avait eu droit à un masque capillaire, un gommage du visage à l'argile bleue, un rasage des mollets et même une épilation des sourcils. Moins cool, la pince à épiler, et Artemis avait couiné, s'entendant rétorquer : « Il faut souffrir pour être belle, et ça ne fait que commencer dans ton cas. Allez, haut les cœurs ! » Elles avaient beaucoup ri, mais Artemis n'avait pas avancé d'un pouce dans sa retranscription, puisque Jeanne ignorait à quoi au juste elle occupait son temps libre. Sylvain, son génial kiné, ne tarderait pas à arriver. Le nécessaire supplice d'exercices, de massages qu'il lui infligeait tous les lundis durerait deux heures et la laisserait trop fatiguée pour se concentrer sur la vidéoconférence du Dr Ariel Goldberg. À l'habitude, Sylvain allait la gronder parce qu'elle passait trop de temps devant son écran, pas assez à se contraindre à marcher, lever les bras, soulever les coudes. À l'habitude, elle lui rétorquerait qu'au moins elle excellait derrière un clavier, plutôt que de trébucher à chaque pas. À l'habitude, il lui destinerait un regard triste, tout en commentant, assez étonné, le fait qu'elle progressait, que les muscles de son dos retrouvaient un peu de tonicité. Elle ne pouvait pas lui avouer que ces améliorations, lentes mais certaines, n'avaient rien à voir avec son art à lui, mais devaient tout à des séjours en Belgique dont il ne savait rien. Sylvain était un type bien, un bon praticien de surcroît. Il avait réparé des centaines de corps abîmés, malmenés. Les minces progrès de sa petite patiente l'affligeaient tant il pensait qu'ils affrontaient tous deux l'inéluctable. Il avait tort. Du moins Artemis l'espérait-elle du plus profond d'elle. Non ! Elle n'espérait pas. Elle en était certaine !

Elle ne pouvait se confier à Sylvain. Seule Jeanne savait quel traitement elle recevait. Un traitement très progressif et prudent parce qu'expérimental. Thierry et le Pr Beaujeu pouvaient contraindre ses ailes à rester plaquées contre son dos. Lorsque Thierry évoquait son mentor Alexandra, rarement, une sorte de bonheur confidentiel éclairait son regard très bleu. Un jour qu'il se sentait en veine de confidences, alors qu'Artemis était installée dans cette jolie chambre lumineuse et gaie de la clinique d'Uccle, la main de Jeanne serrant la sienne, Thierry avait avoué :

— Elle est époustouflante. Elle comprend tout. Il ne s'agit pas seulement de science, de connaissance… c'est aussi un don. Elle sait… comment dire, s'orienter dans le dédale des mécanismes biologiques, génétiques comme… difficile à expliquer… on dirait un médium. Elle sait intuitivement à quelle porte moléculaire il faut frapper. La science vient ensuite. Et puis, elle aime l'humain. Il avait ri – et Artemis avait aimé ce rire, presque enfantin – puis corrigé : Je n'ai pas dit qu'elle aimait les humains, sauf lorsqu'ils ont moins de cinq ans !

Artemis n'avait jamais rencontré le Pr Alexandra Beaujeu. Jeanne et elles avaient vite compris qu'il n'était pas souhaitable qu'elles la mentionnent. Pas même devant Thierry. Alexandra

Beaujeu devait rester une grande ombre protectrice, clandestine. Le secret qu'ils partageaient tous. Pourtant, la jeune fille était heureuse qu'elle soit destinataire de son travail, dont la conférence de Goldberg, même si la scientifique-médecin n'avait pas besoin d'une traduction. Mais Artemis songeait qu'au moins, elle lui éviterait les « hum », les tics de lunettes et les blagues pas si drôles du Dr Goldberg. Et puis, son travail allégeait la tâche de ses correspondants francophones, qui recevaient ses transcriptions via un anonymiseur, leur épargnant de rechercher les références oubliées par Goldberg. Mais au fond, Artemis n'était pas dupe. Le Dr Janssens lui avait proposé ce travail bénévole comme élégant moyen pour justifier de ne faire payer à Jeanne qu'une somme symbolique. Jeanne pensait que les activités de sa fille se limitaient à des traductions scientifiques sans en connaître la véritable nature. Janssens avait également argué du fait que le traitement qu'ils avaient mis au point pour la maladie de Landouzy-Déjerine leur servirait de validation pour d'autres travaux, du moins s'il était aussi efficace qu'ils l'espéraient. Au début, bien sûr, Jeanne s'était affolée, refusant de transformer sa fille en rat de laboratoire. Élisabeth avait tempêté. Elle voulait sa chance, son ultime chance d'être normale. Thierry Janssens avait expliqué qu'au mieux la thérapie résoudrait définitivement la maladie, qu'au pire, s'ils s'étaient trompés, elle n'aurait aucun effet, hormis une terrible déception pour tous.

Artemis lut à nouveau les intitulés des derniers messages arrivés sur son ordinateur. L'étonnement céda place à une sourde inquiétude. Apollo ne lui avait pas répondu. Elle l'imagina dans sa chambre plongée en permanence dans une semi-pénombre, épuisé par une crise, incapable d'écrire. Le verdict du Dr Thierry Janssens – sans doute celui du Pr Beaujeu – l'avait profondément affecté, elle le savait.

Elle jeta un regard au petit réveil en aluminium gris et rouge, en forme de vieil avion, que lui avait offert Jeanne. 8 h 10. Sylvain arrivait à 9 heures.

Elle tapa un mail succinct :

My beloved brother Apollo,
Je m'inquiète de n'avoir pas de nouvelles de toi depuis
deux jours. D'un autre côté, je m'en veux de t'asséner mon
inquiétude si la fatigue t'empêche de répondre. Alors, surtout, ne te contrains pas à me rassurer.

Je pense très fort à toi. Je voudrais m'envoler jusqu'au
Canada pour te serrer entre mes ailes, te réconforter.

Je n'ai pas encore terminé la transcription de la conférence d'Ariel Goldberg. Il est fascinant, si convaincant, mais
omet systématiquement, ou presque, ses sources, qu'il me
faut rechercher pour nos amis de par le monde.

Sylvain, mon kinésithérapeute, ne tardera pas. Je redoute
ces interminables séances. D'un autre côté, elles me font du
bien. Sylvain s'applique avec tant de conviction, tant de
gentillesse. Je sais qu'il pense à sa fille lorsqu'il me voit si
maladroite, si incompétente, si impuissante. Il pense que ce
soir, elle rentrera de son cours de danse ou de sa partie de
tennis. Il pense à l'injustice de la vie. Il est à la fois soulagé
que sa fille soit indemne et amer de me voir invalide. Mais
si la vie était juste, nous le saurions depuis longtemps, n'est-
ce pas ?

L'automne est là et l'hiver arrive. Il durera.

Je t'aime infiniment. Prends soin de toi.

Your twin,
Artemis.

Chapitre 27

Un peu plus tard, 9 décembre, Boston University,
Massachusetts, États-Unis

Le Dr Thierry Janssens pénétra dans la salle, une grande
réserve du rez-de-chaussée dont l'avantage aux yeux de l'admi-
nistration pénitentiaire se résumait au fait qu'elle ne possédait
qu'une sortie et une fenêtre grillagée. Les gardiens avaient fini
par faire asseoir des enfants à problèmes ou des adolescents
délinquants ou criminels, parfois multirécidivistes, confiés aux
centres d'éducation fermés. Certains avaient entamé un long
parcours pénitentiaire[1]. Neuf garçons, deux filles, âgés de huit
à quatorze ans. Janssens avait précisé qu'ils devaient s'asseoir
où ils le décidaient.

Un sourire affable aux lèvres, il salua les participants, les
détaillant tour à tour, notamment la fille et le garçon qui
s'étaient installés au premier rang, les autres refluant vers le
fond. La fille se nommait Miranda Grecco, douze ans, et le
garçon Tyler Knowles, onze ans. Tous deux condamnés à des
peines de prison. Hormis quelques injures murmurées entre

---

1. L'âge de responsabilité pénale aux USA varie entre six et douze ans
en fonction des États. Il est souvent de sept ans et de dix ans en
Angleterre.

des lèvres presque closes, des regards teigneux et des raclements de pieds, il n'obtint aucune réponse. Il n'en attendait d'ailleurs pas.

D'un signe de tête, il indiqua aux trois gardes que tout allait bien. Les deux hommes et la femme sortirent de la salle pour se planter derrière la porte et prévenir toute tentative d'évasion ou d'agression.

Janssens laissa encore filer quelques instants puis déclara d'une voix grave et apaisante :

— Permettez-moi de me présenter. Je suis le Dr Thierry Janssens et je m'intéresse aux très jeunes délinquants ou criminels. Grâce à la coopération du Commonwealth du Massachusetts, je tente de dégager des constantes sociopsychologiques chez des sujets tels que vous. J'ai déjà eu accès à votre historique…

L'entrée en matière était volontairement succincte, faisant appel à des mots qu'ils ne connaissaient sans doute pas ou, du moins, qu'ils ne comprenaient pas.

Un garçon, au fond de la salle, tentait de couvrir son discours en simulant des bruits de pets. Un autre l'imita aussitôt, tirant des gloussements à la deuxième fille, Tracy, quatorze ans. Elle avait tué le compagnon de sa mère à coups de bouteille alors qu'il se rendait coupable d'un viol de trop sur elle. Était précisé dans son dossier qu'elle avait pris l'habitude de se scarifier lourdement les avant-bras et les mollets. Une appétence pour l'automutilation qui se répandait, surtout chez les jeunes filles.

— … Vous avez été sélectionnés pour participer à cette expérience en raison d'un point commun, en plus de votre jeune âge. L'absence de parents, ou de personnes majeures responsables : défunts, ou en prison, ou quelque part dans la nature.

Le plus jeune des garçons, assis seul au deuxième rang, Piotr West, âgé de huit ans, baissa la tête et croisa les bras sur son torse. Entre obstination et résistance. Il avait fracassé à coups de batte de baseball la mâchoire et le nez d'un homme de quatre-vingt-sept ans quelques mois plus tôt, refusant d'expliquer son geste. De ce que les flics avaient réussi à comprendre, en démêlant le vrai des innombrables bobards de l'enfant, il traînait dans les rues de Jamaica Plain et de Roxbury depuis presque deux ans, démontrant ainsi un sens aigu de la survie en milieu hostile.

Janssens ne leur précisa pas qu'ils avaient d'abord été choisis parce qu'ils présentaient un QI un peu voire très supérieur à la moyenne[1]. Une caractéristique minoritaire, voire très minoritaire, chez les jeunes ultra-violents. Ainsi, le petit blondinet Piotr West possédait un QI de 128, ce qui l'amenait presque au sur-don. Tyler Knowles, un Afro-Américain déjà taillé comme un athlète, franchissait d'un point la barre des 130 alors même qu'il lisait et écrivait avec grande difficulté. Miranda Grecco, une assez jolie brunette à la mine renfrognée, aurait sans doute pu rafler les meilleures places du podium universitaire grâce à son QI de 142 si elle n'avait pas pris dix ans pour tentative de meurtre alors qu'elle était défoncée, on ne savait trop à quoi. Elle aussi traînait dans les rues et ressemblait à un garçon aux traits fins avec ses cheveux coupés très courts.

L'habituel sentiment confus envahit le Dr Janssens alors qu'il se remémorait leurs capacités intellectuelles. Une sorte de tristesse mêlée d'exaspération devant un tel gâchis. Certes, il était élitiste, et alors ? L'intelligence est l'unique atout biologique de notre espèce, par ailleurs impotente physiquement si on la compare aux autres. L'intelligence devait donc être développée, privilégiée et préservée. L'intelligence pouvait tout ou presque, même défaire les naufrages dont ces gosses étaient

---

1. On considère que le QI médian est de 100. L'écrasante majorité des gens possèdent un QI situé entre 90-110. Un QI inférieur à 70 est le plus souvent un signe de retard mental. Un QI supérieur à 130 indique une intelligence exceptionnelle. Le test est adapté au jeune âge des sujets.

les épaves. Ils avaient été reconnus responsables de leurs actes, sans doute à raison. Cependant, où commence une responsabilité ? Ce n'est pas parce qu'on est conscient de ce que l'on fait, que l'on produit ce qu'on aurait réalisé avec d'autres cartes en mains. Du moins dans le cas des enfants.

Le second paramètre qui intéressait vivement Janssens n'était autre que leur violence, extrême pour certains. Il allait tenter de la quantifier, et surtout de la caractériser. Proactive ou réactive ? Une différence cruciale. L'intelligence, et bien sûr l'éducation, régulent la violence. Janssens avait peaufiné un test destiné aux jeunes agressifs. Il avait trouvé son inspiration dans d'autres outils psychométriques qu'il jugeait d'une rare candeur. Les questions, et surtout leurs réponses « correctes », étaient dans l'ensemble si évidentes que n'importe quel gosse un peu intelligent et/ou un peu rusé savait quoi cocher pour éviter d'être catalogué comme sociopathe en herbe. « Avez-vous déjà frappé quelqu'un sans raison ? » versus « Lorsque vous avez frappé quelqu'un, aviez-vous, selon vous, une bonne raison pour cela ? » Quel sujet, espérant une libération anticipée, aurait opté pour une réponse positive à la première proposition, à moins d'être abruti ?

Les bruits de pets reprirent. Janssens se tourna vers Bobby Ritchie, un autre Afro-Américain de quatorze ans, condamné à vingt-sept ans pour meurtre, une véritable montagne de muscles, ce qui devait lui garantir une certaine tranquillité en taule.

— J'ai cru comprendre que ton surnom était Big Guy[1]. Et on imite des pets ? Un peu jardin d'enfants, non ?

— Connard, suce ma bite, fut la seule réponse qu'il reçut, mais les pets cessèrent.

Un garçon, jusque-là discret, s'esclaffa. Janssens reconnut aussitôt son visage étudié sur les photographies qu'on lui avait

---

1. Grand mec, costaud ou gros bonnet en fonction des contextes.

transmises : Roger Bowden, treize ans, coupable de viol suivi du meurtre de la fille de ses voisins, âgée de six ans. Condamné à vingt ans de prison, d'autant que l'on soupçonnait qu'il n'en était pas à son coup d'essai. Les prédateurs sexuels n'intéressaient pas Janssens. Bowden avait les yeux d'une couleur indéfinissable, un noisette pailleté de bleu.

— Je vais vous distribuer un test très simple. Il n'y aura pas de récompense derrière, rien de cela. Libre à vous de refuser de le remplir. Toutefois, ce ne serait pas l'attitude la plus futée. Je vous demande de répondre franchement. Ce test est confidentiel. Je suis le seul à en prendre connaissance et je suis lié par le secret médical.

Il posa un petit tas de feuilles et une poignée de courts crayons noirs devant Miranda. Elle se servit et passa le reste à Tyler dans un long soupir agacé.

— Pour ceux qui auraient des problèmes de lecture, je vais énoncer les différentes questions, en vous laissant quinze secondes entre chacune pour cocher une case. Il y a trois cases réponses par question[1]. « 0 » indique que vous n'avez jamais ressenti ou fait cela. « 1 » traduit le fait que cela vous est arrivé. « 2 » que c'est votre réaction habituelle, même si vous ne le faites pas à chaque fois. Pour ceux qui auraient du mal à inscrire leur nom en haut de la page, je m'en chargerai en ramassant les tests. Prêts ? On y va ! Première question : Éprouvez-vous de la colère ou de la rage lorsqu'on se moque de vous ?

---

1. Le test a été largement modifié par l'auteur. Le texte complet de l'article scientifique, ainsi que le test original, peuvent être consultés sur : http://www.ncbi.nlm.nih.gov/pmc/articles/PMC2927832/#APP1. *Aggress Behav.* Apr 1, 2006 ; 32(2) : 159-171. doi : 10.1002/ab.20115 « The Reactive-Proactive Aggression Questionnaire : Differential Correlates of Reactive and Proactive Aggression in Adolescent Boys », Adrian Raine, Kenneth Dodge, Rolf Loeber, Lisa Gatzke-Kopp, Don Lynam, Chandra Reynolds, Magda Stouthamer-Loeber, and Jianghong Liu.

Quelques-uns plongèrent aussitôt vers la feuille. Miranda Grecco regardait par la fenêtre grillagée. Tyler la dévisagea, se demandant s'il devait imiter sa feinte désinvolture, puis récupéra le crayon noir.

Bobby Ritchie s'amusait à déchirer la feuille en lanières, tout en chantonnant. Tracy, qui lui jetait de grands regards langoureux depuis un moment, réduisit à son tour le test en confetti. Une suiveuse cherchant à se faire bien voir du mâle alpha, selon ses critères.

Janssens poursuivit.

— Avez-vous vandalisé quelque chose parce que vous vous ennuyiez ?

Piotr West leva un index, comme à l'école qu'il n'avait guère dû fréquenter.

— Euh… c'est quoi vandalisé ?

— Salement abîmé, démoli.

— Okay, je vois.

Le petit blondinet replongea vers son test.

— Avez-vous réagi de façon violente à une provocation verbale ? Avez-vous vandalisé, salement abîmé donc, quelque chose pour vous venger, parce qu'on vous avait fait du mal ? Ça va, je ne vais pas trop vite ?

Plusieurs têtes oscillèrent en signe de dénégation. Bobby Ritchie, jugeant qu'on ne lui manifestait pas assez d'attention, entreprit de rouler les lanières de papier en boulettes et de les mâcher, bouche grande ouverte. Un véritable gâchis, songea à nouveau Thierry Janssens. Mais il était déjà trop tard pour lui, en dépit de son QI. Il était trop vieux, trop formaté sur des schémas déviants, trop persuadé que seule la brutalité le protégerait. Une vie, aussi jeune soit-elle, de grande maltraitance peut transformer n'importe qui en carpette ou en animal sauvage. Pire, en sociopathe bien humain. Contrairement à ce que pensaient ceux qui niaient l'impact des gènes dans l'intelligence – alors même qu'ils l'admettaient pour les maladies ou les caractères physiques – on ne pourra jamais faire un génie d'un être génétiquement inintelligent. En revanche, on peut transformer un sujet génétiquement doué en imbécile, en larve ou en tueur.

— Avez-vous réagi de façon violente en réponse à une menace physique, c'est-à-dire quelqu'un qui voulait par exemple vous donner un coup de poing ? Avez-vous préféré partir en réponse à une menace physique ? Avez-vous préféré partir en réponse à une menace verbale ? Pensez-vous que les autres vous en veulent parce qu'ils ne vous comprennent pas ? Avez-vous eu dans votre vie un bon copain, ou une bonne copine pour les filles ?

Les questions se succédèrent, une cinquantaine. Puis Thierry Janssens annonça :

— Nous allons maintenant imaginer des petites scènes de la vie courante. Vous répondez toujours à l'aide des trois notes, 0, 1, 2 en fonction de ce que vous ne pourriez jamais faire, ou faire de façon occasionnelle... parfois, quoi, ou que vous feriez sûrement. Vous avez envie d'un hot-dog et il y a la queue. Passez-vous devant tout le monde ? Décidez-vous de revenir plus tard ? Attendez-vous votre tour ? Finalement, pensez-vous qu'une part de pizza chez un autre vendeur vous ferait autant plaisir ? Admettons maintenant que, très pressé, vous soyez passé devant tout le monde pour être servi en premier. Quelqu'un dans la queue vous le fait remarquer. Vous rejoignez le bout de la file d'attente ? Vous haussez les épaules mais restez devant ? Vous attrapez cette personne par le col pour la secouer ?

— J'aime pas les hot-dogs, bougonna Miranda d'une voix lasse. Alors, c'est clair que je me battrai pas pour en bouffer un.

— Moi si, contra Piotr.

— Y a qu'à braquer le mec et piquer tous les hot-dogs, suggéra Bobby Ritchie en s'esclaffant. Et puis tu rafles les portefeuilles des cons qui patientent dans la queue. Super journée.

Le bravache ne reçut pas l'écho qu'il souhaitait. Tyler haussa les épaules de mépris. Bobby tentait de se créer une aura de caïd, sans savoir qu'elle allait lui coller à la peau, qu'il devrait toujours rester sur le qui-vive pour la défendre et qu'un jour, elle le ferait tuer à la sortie d'une douche ou au hasard d'une promenade. Trop tard pour lui.

— Ah, trop cool, mon pote ! approuva Tracy.

Les petits scénarios s'enchaînèrent. Janssens en arriva enfin à la question cruciale, celle qui l'aidait le plus à déterminer leur profil psychologique et leur chance de s'en tirer.

— Allez, une dernière. Vous êtes tranquillement installé à une table de terrasse en train de déguster une glace. Quatre ou cinq personnes s'assoient à la table voisine. Elles ne vous prêtent aucune attention. L'une d'entre elles bouscule votre chaise à plusieurs reprises pour prendre place. Vous reculez votre chaise pour qu'elle ait plus d'espace ? Vous vous excusez et vous vous décalez ? Vous vous levez et vous partez ? Vous vous levez et vous l'engueulez ? Vous vous levez et vous lui ordonnez de dégager ? Vous vous levez et vous la soulevez de sa chaise ?

— Attends, là, cette gonzesse… commença Miranda.

Il l'interrompit avec gentillesse :

— Je n'ai pas dit qu'il s'agissait d'une femme. Ça peut être un homme.

— Et ce mec ou cette meuf se sont pas excusés de m'avoir tamponnée alors que j'emmerdais personne ?

— Non.

— Grave, là ! Deux beignes ! annonça-t-elle en biffant rageusement les cases[1].

Il l'aurait parié, Miranda faisait partie du lot d'agressifs qu'il cherchait, tout comme, probablement Tyler et Piotr. De plus,

---

1. Le test de la chaise bousculée a été mis en scène, dans un vrai restaurant, par une équipe de psychologues américains pour tester l'agressivité dite réactive.

ils étaient très jeunes, condamnés à des peines qu'un peu d'influence pouvait rendre aménageables. Et le Dr Thierry Janssens n'en manquait pas. Ils manifestaient sans doute une agressivité réactive, une agressivité saine lorsqu'elle était canalisée, disciplinée, éduquée. Une agressivité qui indiquait à l'autre les limites à ne pas franchir, sans débauche de férocité ou de sadisme. Après sommation. De façon proportionnée. Le problème des jeunes présentant ce type d'agressivité, dont Miranda, était leur propension à mélanger les signaux, à les traduire en menaces, à s'imaginer immédiatement victimes d'hostilité de la part des autres, et à réagir aussitôt de façon désordonnée et violente. En réalité, des anxieux. À l'inverse, le but de l'agressif proactif, qui agressait sans provocation préalable, consistait à parvenir à son but, à son envie, par n'importe quel moyen, le plus souvent par la domination des autres. Étrangement, et ainsi que l'avaient montré les travaux de Boivin et Poulin en 2000, les jeunes proactifs étaient admirés par leurs pairs, ceux-là mêmes qu'ils malmenaient, sur lesquels ils répandaient des rumeurs malfaisantes. Mais les proactifs savaient se faire aimer, dissimuler leurs agressions, n'hésitant pas à rendre de menus services à leurs victimes. Les réactifs, au contraire, étaient mis à l'écart du groupe, un peu méprisés, jugés faibles ou violents. Pourtant, le lien entre l'agressivité proactive et la délinquance à l'adolescence était clairement significatif. Ces sujets se foutaient des normes sociales, ayant plutôt envie de les bafouer, et de ce que leurs pairs pouvaient penser d'eux[1]. Certains sujets cumulaient les deux types d'agressivité, compliquant singulièrement la tâche.

---

1. Mémoire de Valérie Girard, université de Montréal, 2010 : liens prédictifs entre l'agressivité pro-active et la délinquance : le rôle modérateur des normes pro-sociales du groupe-classe et du rejet par les pairs. Consultable sur https://papyrus.bib.umontreal.ca/xmlui/bitstream/handle/1866/6005/Girard_Valerie_2010_memoire.pdf;jsessionid=ACF8 C3D9B07E270CAE5E10BCE74B1E00?sequence=5.

Lui revint ce fait divers français. Deux adolescentes d'à peine treize ans avaient mis au point le scénario qui allait leur permettre de se débarrasser de la famille entière de l'une d'elles. Assassinats froidement fomentés. Le petit frère de l'une, âgé de six ans, attaqué à l'arme blanche, n'avait dû sa survie qu'à la maladresse de sa presque meurtrière. A priori, pas de problèmes familiaux, juste l'envie d'éliminer ses proches. Le procureur a évoqué le « détachement » des coupables. Elles avaient pris l'habitude de se scarifier[1]. Violence et auto-violence.

À l'inverse et de fascinante manière, 28 % des enfants de trois ans, un âge particulièrement intéressant pour étudier l'émergence de l'agressivité, n'en montraient aucune forme ou alors très minime, comme l'avait publié Tremblay en 2004. Les futurs « anges » d'une société parfaite ou les futures victimes de la barbarie 2.0 ?

Le psychiatre Reynaldo Perrone avait baptisé cette attitude peu compréhensible le *syndrome de l'ange*, dans son livre éponyme[2] traitant du défaut d'agressivité souhaitable et nécessaire, pour se défendre ou protéger son territoire. Il avait insisté sur la réécriture qu'en faisaient nombre de ces sujets dits en « position basse ». Une sorte de sublimation les plaçant au-dessus de la mêlée, au-delà du bien et du mal, une attitude supérieure et isolée. Piètre rhabillage d'une carence qu'ils prendraient un jour en pleine figure, lors d'une confrontation violente. Il convenait de ne pas confondre ce groupe avec ceux qui manquaient d'assertivité[3] et en souffraient, sans pour autant tenter de se faire passer pour des saints. Un bon ouvrage, même si, de l'avis de Janssens, l'auteur n'avait pas cerné la véritable racine du problème.

---

1. Lepoint.fr, 09/04/14.

2. ESF éditeur.

3. Capacité à défendre ses droits, ses convictions sans pour autant piétiner les autres.

L'agressivité des deux types était bien sûr plus remarquée chez les garçons. Toutefois, Janssens ne doutait pas que les tests laissaient passer nombre de filles entre leurs mailles, simplement parce que les manifestations et stratégies de la violence chez elles étaient différentes, plus subtiles, plus sournoises. En revanche, il n'existait plus aucune corrélation entre agressivité et origine ethnique chez les jeunes lorsque l'on constituait des groupes de mêmes éducation et statut socio-économique.

— Vous avez fini ? Je vais passer relever les feuilles et je vous remercie de votre collaboration. Ah, les gardiens m'ont demandé de récupérer les crayons et de les compter. Un œil crevé, c'est si vite arrivé, ironisa le Dr Janssens.

— Connard, suce ma bite ! réitéra Bobby Ritchie entre ses dents.

Seul Roger Bowden lui adressa un beau sourire, accompagné d'un clignement d'yeux reconnaissant, poussant le grand art jusqu'à rosir comme un enfant de chœur. Thierry Janssens se le pariait : son test révélerait un proactif avec une forte probabilité de développer une sociopathie avérée dans quelques années. D'un autre côté, Roger était intelligent, à l'évidence dépourvu d'empathie et du moindre remords et tout à fait capable de biaiser un test. Un charmeur, un redoutable charmeur.

Manquaient bien sûr les feuilles de Bobby Ritchie et de Tracy. Thierry Janssens repoussa l'espèce de vague compassion qu'il ressentait. Il ne pouvait rien pour eux et peut-être rejoindraient-ils les ennemis de demain. Ceux qu'il faudrait contenir, quitte à les abattre sans hésitation.

L'automne était là, l'hiver arrivait. Il durerait.

Parfois, une idée insensée traversait l'esprit de Thierry Janssens. Et si le destin lui faisait l'amabilité de le tuer ? Un infarctus du myocarde, un accident d'avion ou de voiture. Étrange, le cheminement d'une vie. Lui qui aimait avant tout la tendresse glacée de la science, la musique allemande ou autrichienne, la littérature anglo-saxonne et japonaise, la poésie française, les dîners entre amis, les visites de musée, les jolies femmes joyeuses, les enfants, les animaux… Ah, l'architecture aussi, notamment l'architecture industrielle du XIXe siècle. Et puis, un jour, une rencontre avait tout fait basculer. Il avait ouvert les yeux et compris. Il avait passé des nuits de fièvre à collationner les indices sur Internet. La barbarie 2.0 s'apprêtait à déferler.

Elle se préparait, brouillonne, chaotique un peu partout dans le monde, notamment en Occident, empruntant çà et là des bribes de fanatisme religieux, politique, ou autres, des théories et dogmes auxquels elle ne comprenait rien. Des théories utilisées par d'autres, ceux qui savaient exactement ce qu'ils faisaient, ce qu'ils voulaient. Une poignée. Un jour émergeraient de cette poignée un ou deux leaders, plus charismatiques que les autres. Les ténèbres rouge sang gonfleraient tel un tsunami avant de s'abattre sur tous les autres, ceux qui n'avaient rien pressenti, ceux qui menaient leur petite vie en s'imaginant qu'elle durerait toujours.

L'humaniste et l'intellectuel en lui n'avaient aucune envie d'être témoins de cette négation de tous progrès. Un peu comme ces penseurs qui avaient préféré se suicider lorsque les nazis étaient entrés dans Paris durant la Seconde Guerre mondiale. La troisième se préparait. Si peu de gens le sentaient.

Lâche ! Non, il ne pouvait pas. Il ne pouvait pas abandonner Alexandra, qui avait consenti tous les efforts, tous les sacrifices, sans jamais se plaindre. Elle n'était pas génétiquement outillée pour les plaintes. Elle avait été conçue pour la lutte, la guerre. Il ne pouvait pas balayer d'un caprice d'enfant apeuré tous ceux qui se préparaient dans le plus grand secret.

Aussitôt, une vague d'optimisme tempéra son humeur incertaine, lorsqu'il observa les gardiens qui rassemblaient la meute pour la ramener, qui en taule, qui dans son centre éducatif. Jolie récolte ! Il avait flairé trois sujets a priori prometteurs : Miranda, Tyler et Piotr.

Et merde au destin, auquel il ne croyait pas !

Thierry Janssens s'envola vers 19 heures de Logan International Airport. À son habitude, il rafla un exemplaire des journaux offerts en classe business, certain qu'il ne parviendrait pas à dormir. Il attendrait d'être rentré en Europe pour dépouiller les tests et mettre sur pied un plan d'action. Le gros titre de *USA-Today* attira son regard. Vingt lycéens avaient été blessés, dont quatre gravement, dans une école de Pennsylvanie. L'agresseur était un jeune de seize ans, armé de deux couteaux[1]. Le jeune aurait été finalement maîtrisé par le proviseur du lycée. Les journalistes y allaient de comparaison avec le massacre du 14 décembre 2012 à l'école primaire de Sandy Hook, dans le Connecticut, lors duquel vingt-huit personnes avaient trouvé la mort, dont vingt jeunes enfants. Deux femmes employées de l'école avaient tenté de s'interposer. Criblées de balles. Une des journalistes n'hésitait pas non plus à tirer une analogie avec la tuerie du 22 juillet 2011 à Utøya, en Norvège. Anders Breivik avait alors massacré soixante-neuf personnes. Trente-trois avaient été blessées. Principalement des adolescents.

Mais si l'on excluait le meurtre de masse, avec derrière la même volonté « déclarative » et de gloire sanglante des tueurs, les trois monstruosités n'avaient rien à voir, selon Janssens. Qu'auraient pu faire de jeunes enfants, et même des adultes, contre un Bushmaster .223, un fusil d'assaut semi-automatique en version civile[2], qui crache une pluie de balles ? Qu'auraient pu tenter des jeunes, piégés sur une île face à des armes,

1. Lemonde.fr, 09/04/14.

2. Il existe une version automatique réservée à l'armée et aux forces de l'ordre aux USA.

là encore semi-automatiques ? En revanche, comment se faisait-il que des lycéens et des adultes n'aient pas essayé de neutraliser immédiatement un ado armé de deux couteaux ? À coups de chaise, ou de tout autre objet à portée ? Le syndrome de l'ange ? L'annihilation de l'instinct de survie ? Un instinct si basique que même les hannetons le partagent avec nous. Devenons-nous comme ces dauphins qui s'échouent en masse sur les côtés de l'Atlantique[1], leur système nerveux si perturbé qu'ils se suicident sans même en avoir conscience ? À ceci près que nul virus ne pourra être incriminé dans notre espèce[2].

Il allait transférer cette info à Artemis. Il aimait beaucoup la très jeune fille, sa stupéfiante résilience, son énergie, son extrême intelligence. Il ne l'avait vue pleurer qu'une fois, en dépit de tout le reste, de sa pathologie, des traitements. Lorsqu'il lui avait expliqué par webcam les raisons pour lesquelles ils ne pourraient rien pour Apollo. Apollo allait mourir. Le seul cadeau qu'elle pouvait lui offrir consistait à illuminer son sursis et à chérir ensuite son souvenir.

Thierry Janssens se moqua de lui-même : il appréciait aussi beaucoup Jeanne, sa mère. Pas de la même façon. L'inflexible obstination de cette mère, sa farouche détermination lui avaient fait comprendre dès leur première rencontre à Uccle qu'Élisabeth/Artemis présenterait le patrimoine génétique nécessaire pour être aidée. Qu'elle eût choisi comme pseudonyme le prénom d'une déesse chasseresse devenu celui d'une reine guerrière[3] n'était d'ailleurs pas anodin.

---

1. Lemonde.fr, 11/08/13.
2. Une des théories pour expliquer cette sur-fréquence récente d'échouages est l'infection des cétacées par Morbillivirus, qui provoque des lésions de l'appareil respiratoire et du système nerveux.
3. Artemise ou Artemisia (vers 480), reine de Carie et d'Halicarnasse. Elle mena ses troupes contre la Grèce et se distingua lors de la bataille de Salamine.

Chapitre 28

Un peu plus tard, 9 décembre, Paris, France

Une pluie fine, glaciale, dégringolait depuis le début de l'après-midi. Lucie sortit du métro à 18 h 25. Elle détestait ces journées d'hiver. Partir et rentrer de chez elle avec la nuit. Elle avait l'impression de devenir une créature nocturne, elle qui aimait plus que tout la lumière. Un prénom prédestiné que le sien : Lucie, du latin *lux*, lumière.

Elle jeta un regard nerveux derrière elle. Étrange, elle avait le sentiment diffus d'être suivie, depuis deux ou trois jours. Un truc de femmes, un instinct de proie. Les hommes se rendent rarement compte qu'ils sont pistés. Sans doute parce qu'ils savent, croient, souvent à tort, qu'ils pourront faire face en cas d'attaque. De plus, ils ne sont que rarement les cibles d'autres prédateurs masculins. Au contraire, les femmes savent qu'elles sont des victimes désignées. Aussi maintiennent-elles en général un niveau permanent de vigilance. Un truc inconscient qui fait retentir un signal d'alarme dans leur cerveau.

Rien. Une multitude de visages maussades, de têtes baissées, capuche rabattue, parapluie ouvert. Une armée de pardessus sombres, de doudounes, de grosses vestes imperméables.

Lucie Dormois pénétra dans le petit supermarché situé au coin de sa rue. Elle n'avait pas besoin de grand-chose : une plaquette de jambon, une bouteille de lait, une autre de jus de fruit, un pain de mie tranché, du café lyophilisé. Et allez, soyons folles, elle s'offrirait une bouteille de vin. Plutôt du blanc. Un blanc sec mais fruité. Connaissant les lieux comme sa poche, elle avança au pas de charge entre les linéaires.

Alors qu'elle hésitait devant les bouteilles de vin, à nouveau, la dérangeante intuition que quelqu'un l'épiait. Elle se retourna d'un bloc. Personne, hormis une jeune femme vêtue du gilet bleu marine du magasin au dos duquel était inscrit en grosses lettres carrées « Puis-je vous aider ? »

Bon, elle n'allait pas recommencer le cirque de ses années Lucie de Noisoury, lorsqu'elle se croyait en permanence victime de filatures, de surveillances diverses et variées. Du moins avait-elle gagné cela lors de son divorce : la paix, le retour à l'anonymat, à l'insignifiance.

Elle régla ses emplettes et sortit du magasin, accueillie par la bruine glacée qui ne parvenait même pas à éliminer les odeurs de cette ville déjà trop peuplée.

Elle baissa sa capuche, rentrant les épaules, et avança d'un pas vif. Rejoindre sa tanière, se sécher, enfiler son pyjama, regarder une bêtise à la télé en dégustant un sandwich et un bon verre de vin.

Lucie devina une haute silhouette d'homme qui avançait résolument vers elle. Elle leva la tête. L'homme la percuta si brutalement que son sac recyclable, d'un vert chartreuse pénible, chuta sur le trottoir. Un choc sourd. À tous les coups, la bouteille de vin avait explosé. Elle ouvrit la bouche, prête à insulter l'homme emmitouflé dans un anorak. Avant même qu'elle ne comprenne, son cœur s'emballa, le sang afflua à ses joues. Les yeux très bleus, encore plus bleus que dans son souvenir, la fixaient. Le visage émacié, au beau nez droit, à la mâchoire soulignée, avait juste un peu vieilli.

— Dégage tes fesses du dossier Beaujeu, Lucie. Au plus vite. Après tout, tu es quand même la mère de mes enfants.

François !

Avant qu'elle n'ait eu le temps de recouvrer ses esprits, de prononcer un mot, la silhouette avait disparu, engloutie par l'obscurité pluvieuse.

Lucie demeura là, bras ballants, son sac recyclable aux pieds, indifférente à la foule pressée et grognon qui s'écoulait sur le trottoir.

Une sirène de voiture de police la fit sursauter. Elle se baissa. Heureusement, la bouteille n'était pas cassée. Elle s'épargnerait une corvée de nettoyage une fois rentrée chez elle.

Rentrer chez elle, au plus vite. Une effroyable fatigue l'alourdissait, ralentissant ses mouvements. Enfin, elle se propulsa dans l'ascenseur, puis se traîna le long du couloir jusqu'à sa porte.

Elle abandonna le sac dans l'entrée, ne récupérant que la bouteille de vin.

Il lui sembla que rejoindre la kitchenette, déboucher le sancerre, remplir un verre exigeaient d'elle des efforts surhumains. La légère odeur de pamplemousse du vin l'apaisa un peu. Elle vida son verre d'un trait et se resservit.

François avait mis un point d'honneur à disparaître de son radar sitôt terminé le divorce, au point qu'elle ignorait où il habitait aujourd'hui. Pourtant, il venait de se matérialiser. Il l'avait mise en garde, d'une voix tendue.

Comment était-il au courant de l'implication de son ex-femme ?

Pourquoi ?

Parce qu'Alexandra Beaujeu était donc devenue un « dossier ». S'avérait-il particulièrement dangereux ? Ou alors, Lucie agaçait-elle prodigieusement quelqu'un de haut placé, un de ses supérieurs ?

Elle vida son deuxième verre, à petites gorgées cette fois, et siffla :

— Magnifique, le coup de « la mère de mes enfants » ! Jusque-là, il ne s'était jamais préoccupé de savoir si elle crevait de faim, la mère de ses enfants !

Sa rage mourut aussitôt : qu'en savait-elle ? Il était intervenu pour lui trouver du travail à la BIS.

Non, mais quelle gourde ! Son cœur s'était emballé comme celui d'une ado à son premier rencart. Son cœur avait reconnu le mari trompeur et traître avant même son cerveau. Connard de cœur !

Non, elle n'était plus amoureuse de lui. Un matin, après sa douche, elle avait balancé son alliance dans la cuvette des toilettes, songeant que cette « destination » convenait à merveille à l'ultime vestige de son mariage. Certaines personnes autour de Lucie avaient pensé qu'elle conservait le mince symbole d'or par fidélité, par amour pour François. Faux ! Elle avait tant grossi qu'elle ne parvenait plus à faire glisser l'anneau de son doigt. Ce matin-là, l'onctueux gel douche l'avait permis.

Elle haussa les épaules, se contraignant à la lucidité. En revanche, sans doute était-elle encore amoureuse de ses souvenirs avec François. De cette voix presque rauque qui n'avait pas besoin d'expliquer pour convaincre. De ses fous rires enfantins pour un rien. De ses mains qui connaissaient chaque centimètre de ses seins et de son ventre. De ses yeux si bleus lorsqu'il la dévisageait en riant après l'amour.

La ferme, Lucie !

Chapitre 29

Un peu plus tard, 9 décembre, hôtel de Beauvau,
Paris, France

Yann avait trompé l'ennui comme il le pouvait, en s'absorbant dans son rapport. Il avait coupé-collé des bouts d'autres travaux. De toute façon, sa prose finirait très certainement à la poubelle sans qu'on se donne la peine de la lire. Au début, affligé du syndrome du bon élève, il s'était défoncé, croyant en sa minuscule importance : ses déductions allaient un peu incliner le cours des choses. Vaste rigolade ! Personne ou presque n'en avait quoi que ce soit à foutre, et certainement pas son supérieur direct, l'inénarrable Babar, ainsi que Yann l'avait surnommé. Babar confondait componction et compétence. Il n'était pas là pour faire, mais pour plaire et gravir les échelons. Sans doute un nul utile. Il en faut.

Un coup péremptoire lui fit lever les yeux de son écran. Avant même qu'il n'ait le temps d'inviter le commandant à pénétrer, celui-ci poussa la porte, en territoire conquis.

Henri de Salvindon le salua d'un petit mouvement de tête et s'installa sur le fauteuil d'invité. Il poussa les papiers épars sur le bureau et déposa la mallette de son ordinateur. À nouveau, Yann se fit la réflexion que ce type était impressionnant dans un genre assez désagréable. Comme à chaque fois qu'il s'interrogeait sur la personnalité d'un vis-à-vis, il se demanda qui pouvait être Henri de Salvindon en privé. D'un autre côté, ces individus étaient-ils jamais « privés » ?

— Alors ? lâcha son ultra-chef, en le fixant de son regard marron presque noir.

— Alors… quoi ?

— Mes faux-semblants et approximations, la lumière pendant que vous reconstituez le puzzle ?

— Pourquoi au juste vous intéressez-vous tant à Alexandra Beaujeu, alors que vous savez maintenant, et que peut-être vous saviez déjà, qu'elle ne pouvait pas avoir tué l'avocat général et téléchargé cette merde sur son ordinateur ? Pourquoi a-t-elle reçu un avertissement de l'ordre des médecins lorsqu'elle exerçait à Lyon, puis démissionné de l'hôpital ? Et ne tentez pas de me faire gober que vous n'en savez rien ! Pourquoi…

Salvindon leva la main :

— C'est une véritable salve ! Procédons dans l'ordre. L'avocat général, d'abord. Disons qu'il s'agit d'une… courtoisie envers son cadet, Charles Delebarre, qui m'a contacté à titre amical. Inutile de vous dire que dans une famille de cette réputation, des soupçons de pédophilie font très désordre et dépassent largement le cadre privé. Charles était certain de l'innocence de Thomas. Vous l'avez démontrée, c'est parfait. Eh oui, je l'appelle Charles. Nous chassons ensemble. Concernant maintenant la très discrète Alexandra Beaujeu, vous vous trompez. J'ai véritablement pensé qu'elle pouvait avoir tué Delebarre. En revanche, il y a en effet derrière une autre raison à mon intérêt : l'insaisissable Dr Thierry Janssens, arrivé sur nos radars il y a deux ans, dans le cadre de nos missions de surveillance sur les mouvements subversifs potentiellement dangereux. Il est de nationalité belge.

— Mais vous ne m'avez jamais parlé de ce Dr Thierry Janssens, rétorqua Yann, surpris.

256

— Non. J'espérais qu'il remonterait dans vos filets. Janssens était médecin interniste dans le même hôpital lyonnais qu'Alexandra Beaujeu. Elle l'a formé à la neurologie. L'avertissement de l'ordre des médecins les concernait tous deux.

— Sa raison ?

— De témoignages concordants, Beaujeu et Janssens auraient tenté de mettre au point une thérapie génique contre une myopathie dont j'ai oublié le nom. Un nom double. En dehors de tout cadre légal et institutionnel. Il n'y a jamais eu de preuve formelle, ni d'expérimentations sur humains, bien sûr, mais Alexandra Beaujeu a démissionné. Le Dr Thierry Janssens a suivi peu de temps après et est parti aux États-Unis.

— Et il a refait surface voici deux ans, déduisit Yann.

— Sur nos radars, en effet. Toutefois, il est rentré en Europe bien avant.

— Le côté « mouvements subversifs potentiellement dangereux », il est où ?

— La clientèle du Dr Thierry Janssens, pour ce que nous en savons, est plus que prestigieuse. Un bon quart des plus grosses fortunes de la planète.

— Je ne vois toujours pas le « subversif » dans l'histoire, s'obstina Yann.

— Lorsqu'on dit « plus grosses fortunes de la planète », Lemadec, en réalité on sous-entend « ceux qui dominent, qui dirigent véritablement la planète ». Vous ne pensiez tout de même pas qu'il s'agissait des politiques ?

— Non, j'ai perdu mon doudou à l'âge de six ans, mon pucelage un peu plus tard, pesta l'analyste qui songea que l'humour de Lucie déteignait sur lui.

De fait, Salvindon serra les mâchoires de mécontentement. Il embraya d'un ton encore plus sec :

— Il est donc crucial pour l'équilibre de la planète de savoir ce que trame Janssens.

— À mon tour de m'étonner, monsieur. Vous ignoriez que les plus riches ne consultent pas le petit médecin de quartier ? Vous ne saviez pas que si certains très riches obtiennent aussi vite des organes du bon groupe tissulaire en vue d'une greffe, c'est parce qu'ils les achètent ? Qu'ils se font booster à l'hormone de croissance ou à l'EPO recombinante, voire pratiquer une autogreffe de moelle osseuse pour régénérer leurs globules blancs ? Ou qu'ils s'offrent des transfusions sanguines intégrales pour oxygéner au mieux leurs cellules, notamment celles du cerveau ? Vous pensiez véritablement que si la plupart parviennent à quatre-vingt-dix, quatre-vingt-quinze voire cent ans dans une forme éblouissante, c'est simplement parce qu'ils possédaient un patrimoine génétique de compétition ou un excellent Karma ?

— J'oubliais que vous aviez été chimiste dans une vie antérieure, Lemadec. Bien sûr que ces gens bénéficient de ce qu'il y a de mieux, dans tous les domaines. Au demeurant, et vous me pardonnerez de vous extirper avec brutalité de votre univers de bisounours, ces gens sont importants justement parce qu'ils dominent le monde. Le problème est ailleurs.

Henri de Salvindon se mordit la lèvre inférieure et admit ensuite :

— À l'instar de mes camarades des services de renseignements du monde entier, dont certains avec qui nous collaborons sur ce dossier, je déteste les incertitudes. Si Janssens se rendait totalement indispensable à ces grandes fortunes, pour une raison médicale ou autre, s'il parvenait à les influencer, ou à les tenir en laisse dans le mauvais sens, je dois le savoir.

— Dans un sens contraire à vos intérêts, reformula Yann.

— Nous ne sommes pas dans un James Bond. La réalité est largement moins *glamour*, croyez-moi. Mes intérêts sont ceux de l'État français et de ses alliés du moment.

Yann posa les coudes sur son bureau et appuya son menton dans ses mains en coupe. Salvindon recommençait à le balader

258

et il était de moins en moins sûr qu'il agissait pour le compte de la DCRI.

— Récapitulons, avec votre permission, monsieur. Plutôt que de remonter directement vers le Dr Thierry Janssens, vous – les différents services de renseignement impliqués dans ce dossier – contournez le problème en vous intéressant à Alexandra Beaujeu, qui a priori n'a plus de relations avec Janssens depuis quoi… une quinzaine d'années ? Un peu la stratégie du mec qui éponge le débordement d'une baignoire sans fermer le robinet, non ?

— Il s'agissait, ainsi que je vous l'ai expliqué, de faire d'une pierre deux coups, s'énerva Henri de Salvindon.

— Ouais ? En l'occurrence, elle n'a fait aucun coup. Alexandra Beaujeu n'est pas coupable de ce dont vous l'accusiez et je n'ai jamais entendu ou vu la moindre mention de ce Thierry Janssens. En revanche, auriez-vous des infos sur le consortium Alpha devenu Upstream ?

Yann perçut la crispation de son interlocuteur. Surtout, il sentit sa peur. Et il comprit qu'il avait mis le doigt sur le seul aspect crucial de cette affaire. Salvindon aboya presque :

— Qui vous a parlé de ça ?

Yann n'avait aucune envie de mentionner l'aide de Lucie Dormois, aussi biaisa-t-il en adoptant un ton vexé :

— Je sais naviguer sur le web profond. Une seule mention du consortium, très discrète. Membres fondateurs d'Alpha : Edward Armstrong, l'arrogant voisin en Perche du Pr Alexandra Beaujeu, Charles Delebarre, le frérot de l'avocat général, et son gendre le baron von Hopenburg. Pas de Dr Thierry Janssens dans cette brochette. Charles Delebarre et le baron disparaissent du second montage financier. La question qui me vient est la suivante : qui vous intéresse vraiment ?

— L'ex-Alpha, bref Upstream, fait partie des dossiers hautement classifiés, Yann. Il ne s'agit pas d'un prétexte foireux pour éviter de répondre. Au demeurant, je doute d'avoir été informé pleinement à ce sujet. Quant à Edward Armstrong, cet homme est une véritable énigme, même pour nos amis de la NSA.

— Nos amis, alors qu'ils nous espionnent ?

— Ah, parce que vous pensiez que nous ne faisions pas la même chose ? On a juste moins de moyens que la NSA. Le prétendu scoop de leur flicage via Prism n'a surpris personne. En revanche, sa divulgation en a fait rigoler certains.

— Edward Armstrong serait quoi ? Un homme de paille ?

— Non. Ce petit plouc de l'Arkansas, jamais sorti de sa bouse, sauf pour intégrer les Marines durant quelques années, parvient à mettre sur pied des montages financiers extrêmement complexes que seule une poignée de gens dans le monde maîtrisent. Avouez qu'on est en droit de s'étonner. À ce niveau de milliards gagnés, ce n'est plus du bol, ni de l'intuition.

Salvindon marqua une pause, puis :

— Edward Armstrong n'a plus de famille, personne ne l'ayant connu dans sa jeunesse, si j'en crois mes collègues de la NSA. En réalité, on ne réussit à remonter véritablement sa trace qu'à partir de 2000-2001, approximativement. Je veux dire avec preuves à l'appui. Providentiel, non ?

— Une identité forgée ?

— À l'évidence. Néanmoins, avec un compte en banque tel que le sien, les faux deviennent plus vraisemblables que les pièces authentiques, surtout dans un pays relativement peu centralisé mais très informatisé, du moins par comparaison avec le nôtre. Quant à sa fille Deborah, âgée de vingt et un ans, on ne sait rien de rien sur sa mère. Probablement une latino, si on en juge par les deux photos de Miss Armstrong à notre disposition. La jeune femme a la peau mate, les yeux marron foncé, les cheveux très bruns évoquant une ascendance mexicaine ou d'Amérique latine. Deux photos pour une héritière de ce poids en milliards ! Elle n'a fréquenté aucune école, aucune université, recevant un enseignement grâce à des précepteurs ou en ligne. En cause, la terreur d'un kidnapping brandie par papa. Tout juste sait-on qu'il s'agit d'une cavalière émérite et d'une pianiste talentueuse. Edward Armstrong possède une ferme luxueuse, mieux protégée que le palais de l'Élysée, non loin de Concord, dans le Massachusetts. Pas mal de haras dans le coin.

— Des montages bancaires comme dans magouilles financières ? supputa Yann.

— À ce niveau de complexité et de rendement, oui, bien sûr. Des magouilles licites, cependant.

— Peut-être faut-il y voir la raison de l'acrimonie du Pr Beaujeu à son égard ?

Un véritable sourire, le premier depuis leur rencontre à la DCRI, illumina le visage dur du commandant :

— Je me félicite chaque jour de ne pas vous avoir recruté comme agent de terrain, Lemadec. D'abord parce que vous êtes bon dans ce que vous faites actuellement. Ensuite parce que vous avez une étourdissante propension à gober tout ce qu'on vous fait croire. Mauvais, pour un type de terrain !

Interloqué, Yann déclara :

— Je ne… comprends pas…

— Enfin, Lemadec, vous pensez véritablement qu'une femme du QI d'Alexandra Beaujeu, qui a perdu son fils de la pire manière qui soit, se prendrait la tête avec une haie de thuyas ? Et pourquoi pas l'after-shave d'Armstrong, tant qu'on y est ?

— Mais je…

— Selon moi, ils sont comme les deux doigts de la main. Armstrong lui fournit, à elle et son fils, un alibi en béton pour le meurtre de Thomas Delebarre. Et là, c'est inquiétant.

Yann ne put retenir un gloussement :

— Il faudrait alors admettre que Vincent Levasseur, commandant de gendarmerie, est leur complice ! Ça fait beaucoup, non ? À moins que vous ne supposiez qu'en réalité, ce pauvre Levasseur a dîné, ainsi que son épouse, avec les sosies du Pr Beaujeu et de son fils, qu'ils fréquentent, en n'y voyant que du feu. En effet, pour le coup, on est vraiment dans du

sous-James Bond, ou un ersatz de *Mission impossible* ! ful-
mina Yann.

— Touché ! Levasseur est un hic.

— Non, pas un hic. Il vous empêche de coller un meurtre
sur le dos du Pr Beaujeu, alors que cela vous arrangerait.

— Vous croyez à de l'acharnement de ma part. C'est faux.

— Peut-être, mais je n'ai toujours pas saisi ce que vous
vouliez, résuma l'analyste.

Henri de Salvindon se leva et récupéra son ordinateur.

— Je veux savoir si Mme Beaujeu est toujours en relation
avec le Dr Thierry Janssens, et la nature de ces relations. Je
me répète : vous ne mentionnez absolument pas l'implication
de la DCRI, de la BIS, et ne discutez avec personne de
l'affaire. Je reste votre unique interlocuteur. Vous avez carte
blanche. Au fait, Janssens exerce aujourd'hui à Uccle, en Belgique. Il y possède et dirige une très luxueuse clinique.

Il sortit sur ces mots, sans un salut.

Resté seul, Yann revécut cette conversation. Il en jeta les
éléments cruciaux sur un mail qu'il s'envoya et stocka sur sa
clef USB.

De fait, la haie de thuyas semblait un mince prétexte pour
la haine farouche d'Alexandra envers Armstrong. Quelle excellente comédienne, en ce cas. Cependant, s'il acceptait l'hypothèse de Salvindon en la matière, cela revenait à penser que
Grégoire, Armstrong et Levasseur étaient complices de cette
mascarade. Un peu beaucoup !

*Ce qui manque est aussi révélateur, sinon plus, que ce qui
est présent.*

Durant toute la conversation, Salvindon avait habilement
manœuvré pour laisser de côté le baron von Hopenburg, et
dans une moindre mesure Charles Delebarre.

Chapitre 30

Artemis souffla et s'efforça de tendre les bras vers le plafond. Le mouvement lui arracha une grimace de douleur lorsque ses omoplates se soulevèrent en ailes, mais elle se débrouillait bien mieux que deux ans auparavant. Elle avala une longue gorgée d'eau. Elle avait un peu faim, mais si elle attaquait son pique-nique aussitôt, elle n'aurait plus rien à manger ensuite. Bon, juste une clémentine. Elle la savoura et s'essuya les doigts avec soin avant de reprendre sa tâche de transcription. Elle était en retard sur l'emploi du temps qu'elle s'était fixé. Cependant, entre la séance poupée Barbie décidée par Jeanne le dimanche, puis les exercices et massages imposés par Sylvain, son génial kiné, lundi matin, elle n'avait pas eu une heure afin de se concentrer. Lorsque Sylvain partait, elle se sentait comme une pauvre larve épuisée. Ses épaules, ses jambes, tout lui faisait mal. Son organisme entier se rebellait contre elle. Elle restait assise sur son fauteuil, attendant un bienvenu engourdissement.

Quelle défaite que ce corps si jeune, qui aurait dû pouvoir danser toute la nuit mais se mouvait comme s'il était déjà centenaire. Assez avec ces regrets ineptes. Ainsi que le lui serinait Jeanne :

— On fait avec ce qu'on a, mais on fait au mieux. Tu es ultra-intelligente, que ce soit ton arme. Quant au traitement, on croise les doigts. Ils sont géniaux !

Oui, Jeanne. Bien sûr, Jeanne. Je t'aime, Jeanne.

Elle caressa du bout de l'index la petite oursonne en peluche et replongea dans la vidéoconférence du Dr Ariel Goldberg. Il remontait à nouveau ses lunettes rectangulaires et hésitait en réarrangeant la mince pile de feuilles posée sur la table :

— Hum… La mauvaise nouvelle, c'est qu'il n'y a presque plus d'oméga-3 dans notre alimentation moderne, bourrée d'oméga-6. Attention, les oméga-6 sont aussi essentiels, mais nous en consommons trop par rapport aux oméga-3. Un des grands noms dans ce genre de travaux est donc Joseph Hibbeln. Je le cite à nouveau, parce que c'est quand même une bête dans le domaine. Les chercheurs de son équipe ont trouvé une corrélation marquée entre une consommation plus importante d'acide linoléique, un oméga-6 donc, que nous surconsommons en Occident, et un risque accru de mortalité par homicide dans cinq pays occidentaux, entre 1961 et 2000. Il avait auparavant trouvé que des apports augmentés en oméga-3 de poissons étaient corrélés à un taux de mortalité par homicide abaissé dans trente-six pays, ce qui était cohérent avec les résultats obtenus sur animaux lors d'études expérimentales. Les auteurs concluaient donc que la carence en oméga-3 était un des facteurs à prendre en compte afin de réduire la pandémie de violence en Occident.

Artemis avait cherché la publication d'origine afin de la citer dans sa transcription. Elle avait été publiée dans la prestigieuse revue *Lipids*[1]. Elle cita également d'autres

---

1. « Increasing homicide rates and linoleic acid consumption among five Western countries, 1961-2000 », Joseph R. Hibbeln, Levi

travaux du chercheur, qui enfonçaient encore davantage le clou[1].

Contemplant l'image figée d'Ariel Goldberg sur son écran, Artemis n'en revenait pas. La démonstration était éblouissante, preuves scientifiques à l'appui. Une carence nutritionnelle pouvait donc expliquer, du moins en partie, la violence, les meurtres, les comportements déviants ? Mais pourquoi ne faisait-on rien ?

— Hum… et c'est là que je coince la doxa – bien-pensante ou réac' d'ailleurs – qui veut que l'agressivité et la violence soient uniquement la résultante de l'environnement social. Parce que parler biochimie, neurobiologie et génétique, c'est nécessairement suspect, hein ? Hé, les mecs vous avez oublié un aspect ! Enlevez vos lunettes dogmatiques. Qui ne sait pas comment bien se nourrir, qui n'a pas l'éducation pour cela, et plus la tradition familiale, vous savez, la cuiller à soupe d'huile de foie de morue aux enfants ? Qui se fait bourrer le mou par les pubs ? Les couches défavorisées. La boucle est bouclée ! Merci, maman ! Ma mère était femme de ménage. Pas beaucoup d'éducation, comme elle dit, mais un énorme bon sens. Quand elle était enceinte de moi, puisqu'elle m'a allaité, elle mourait d'envie de manger des harengs[2]. Matin, midi et soir.

R. C. Nieminen, and William E. M. Lands, *Lipids*, Vol. 39, No. 12, 2004, 1207-13.

1. Omega-3 fatty acid deficiencies in neurodevelopment, aggression and autonomic dysregulation : opportunities for intervention. Hibbeln JR, Ferguson TA, Blasbalg TL, *Int Rev Psychiatry*, 2006 Apr ; 18 (2) : 107-18.

2. Les besoins de la femme enceinte et allaitante sont environ de 2 g par jour pour l'acide alpha-linolénique (ALA) et de 250 mg pour le DHA. En 1990, la consommation moyenne en ALA des femmes était approximativement de 0,8 g par jour, c'est-à-dire très insuffisante. En 2007, elle est passée à 1,2 g par jour chez la femme allaitante, c'est-à-dire un peu mieux mais pas suffisant. Étude menée par l'ITERG (N. Combe) en collaboration avec Cl. Billeaud (CEDRE – lactarium de Bordeaux).

Elle a engouffré des kilos de harengs, à l'huile, en saumure. En confiture, même... non, je plaisante. Elle se disait que si elle en avait tant envie, alors que d'habitude, elle préférait largement les pâtisseries, c'est que son corps le lui ordonnait. Et qu'est-ce que c'est le hareng ? Une de nos dernières sources d'oméga-3, des meilleurs dans cette famille. Ça prouve bien que si la graisse, c'est moche sous un bikini, c'est ultra-sexy pour le cerveau. Du moins les bonnes graisses. Le cerveau se transforme en loup de Tex Avery lorsqu'il voit arriver les oméga-3. Il a la langue sur les genoux et les yeux qui lui sortent de la tête, tellement il est excité !

Artemis interrompit la conférence pour chercher ce qu'étaient ce loup et ce Tex Avery. La vidéo sur YouTube de *Red Hot Riding Hood*, créé en 1949, une version très libre du Petit Chaperon rouge, la fit tant rire qu'elle dut plaquer la main sur les lèvres. Ça faisait mal. Elle repassa à la conférence. Ariel Goldberg poursuivit :

— Donc, les oméga-3 sont les grands amis de notre cerveau. Mais il n'y a pas qu'eux. Comme vous le savez peut-être, le cerveau renferme un gros quart du cholestérol total de l'organisme. C'est d'autant plus surprenant qu'un cerveau représente seulement 2 % du poids de l'organisme. En plus, le cholestérol est la molécule mère des hormones stéroïdes, dont des hormones sexuelles et du cortisol – une hormone cruciale dans la réponse fameuse de « je fuis, je me bats ou je subis[1] » –, de la vitamine D, des acides biliaires. C'est aussi un constituant essentiel des membranes cellulaires qui participe aux communications entre elles, via ce que l'on nomme les radeaux lipidiques. Franchement, même en me creusant la

_____

1. La fameuse loi de « de la fuite ou du combat » a été énoncée par Walter Bradford Cannon (1871-1945), un physiologiste américain. Il s'agit de la réponse physiologique qui survient face à une menace perçue comme dangereuse, voire mortelle. En psychologie humaine, on lui associe maintenant une troisième « option » : subir.

tête, je ne vois pas de molécule plus cruciale, du moins pour les animaux. D'ailleurs, pas mal de publications lient une faible concentration sanguine de cholestérol à l'agressivité, la dépression et le suicide. Alors, cessons de penser qu'il s'agit de notre pire ennemi.

Artemis souffla. Ah non, il refaisait le coup en ne citant pas ses sources, comme si elles étaient évidentes pour tous. Elle fouilla le net à leur recherche, et mentionna deux publications parmi la masse qu'elle trouvait[1] :

— Et on parle de mettre les gosses sous statines alors même que leurs cerveaux ne sont pas achevés ? J'exclus l'hypercholestérolémie familiale de mon propos. Mais, c'est clair que si on continue à baisser la norme réputée idéale de « méchant » LDL-cholestérol – et il y aurait beaucoup à dire sur cette appellation obsolète – même les nouveau-nés seront bientôt traités ! On ne sait rien ou pas grand-chose des bénéfices ou risques à vingt ans. Il y a un super papier de réflexion à ce sujet sur http://www.ncbi.nlm.nih.gov/pmc/articles/PMC2585111/. Manque de bol, il est en français.

Dans un français à peine compréhensible, Ariel Goldberg cita la publication : *Les statines, l'étendue des indications et les risques pour les enfants et les adolescents.* Noni MacDonald, MD MSc,[*] Matthew B. Stanbrook, MD PhD[†], et Michael J. Rieder, MD PhD[‡] CMAJ[2]. déc. 2, 2008 ; 179 (12) : 1241.

---

1. http://www.ncbi.nlm.nih.gov/pubmed/8848510. « Low concentration level of total serum cholesterol as a risk factor for suicidal and aggressive behavior », Ainiyet J., Rybakowski J., *Psychiatr Pol.* 1996 May-Jun ; 30(3) : 499-509.

http://www.ncbi.nlm.nih.gov/pubmed/11519167. Low serum cholesterol and suicidal behavior. Kunugi H. Nihon Rinsho. 2001 Aug ; 59(8) : 1599-604.

2. Canadian Medical Association Journal.

— Euh... où en étais-je... Voilà, vous me faites bavarder et ensuite, je suis paumé ! prétendit-il s'offusquer, et Artemis fut certaine que cette boutade lui permettait de réorganiser ses pensées. Il repoussa la masse indisciplinée de ses cheveux vers l'arrière et pointa l'index en direction de la caméra :

— Ah oui, ça me revient ! Certains semblent redécouvrir l'Amérique. Figurez-vous que les enfants nés de femmes mal nourries présentent une réduction du niveau cognitif, évaluée par les tests de QI[1]. Noooon, c'est pas vrai ! ironisa-t-il, cinglant. Les chercheurs ont poursuivi cette étude chez des mères dépressives et mal nourries. Et le serpent se mord la queue. Hum... On connaît le lien entre dépression et carence en oméga-3. Des travaux, déjà un peu anciens, ont démontré chez l'animal que cette carence affecte de façon négative le système dopaminergique dans le cortex frontal[2]. La dopamine est un neurotransmetteur dit de la récompense. C'est presque une hormone, assez trouble, c'est d'ailleurs le cas de pas mal de neurotransmetteurs. Entre autres, la dopamine aime le plaisir et sa satisfaction immédiate. Elle est donc impliquée dans les conduites dites « à risque », comme la prise de stupéfiants, le jeu et les conneries dangereuses du style « sans les mains ». Nous en avons une parfaite illustration avec le jeu stupide : j'ai nommé la *neknomination*. On se bourre la gueule et chacun se met au défi de faire un truc dangereux, genre sauter d'un pont, traverser les rails à l'arrivée d'un train. On se filme et on poste sur les réseaux sociaux. Et là, la dopamine frétille : elle a de l'alcool, éventuellement du shit et/ou des amphet' ou autres, du risque et, si on ne se fait pas écraser par le train, de

1. Barker ED et coll : « Prenatal maternal depression symptoms and nutrition, and child cognitive function », *Br J Psychiatry*, 2013 ; 203 : 417-421.

2. http://www.ncbi.nlm.nih.gov/pubmed/10771153. Chronic n-3 polyunsaturated fatty acid deficiency alters dopamine vesicle density in the rat frontal cortex, Zimmer L., Delpal S., Guilloteau D., Aïoun J., Durand G., Chalon S., *Neurosci Lett*. 2000 Apr 21 ; 284(1-2) : 25-8.

la notoriété. Encore plus stupide : le *firechallenge* qui débarque. On s'asperge de produit inflammable et on s'immole avant de sauter dans une douche. On poste bien sûr la vidéo sur les réseaux sociaux. Un ado vient de se brûler le torse au deuxième degré : « Ben, il avait pas réfléchi[1]. » Évidemment, « un truc de jeunes » parce que leur cerveau n'est pas terminé. Je répète : il n'est pas terminé ! D'autant que dans le lot, certains présentent déjà des dysfonctionnements dus à des carences.

Je ne veux pas réduire le cerveau humain à une horlogerie de précision uniquement influencée par les molécules et l'électricité. Mais ce sont elles qui le font fonctionner plutôt bien ou plutôt mal. Avec ma propre histoire, petit juif fils d'une femme de ménage et d'un ouvrier sidérurgiste mort lorsque j'avais dix ans, je ne nie pas l'importance des paramètres socioculturels. Je dis, ou plus exactement, j'interroge. Comment expliquer l'explosion de la violence la plus brutale, la plus barbare ? Comment expliquer l'explosion de pathologies comportementales de l'enfant qui étaient presque inconnues il y a quarante ou cinquante ans ?

Comment expliquer l'explosion des états dépressifs ? Comment expliquer l'explosion des toxicomanies, ces gens qui acceptent de devenir les cobayes de chimistes de merde qui bidouillent des molécules capables de flinguer le cerveau en quelques utilisations ? Comment expliquer l'explosion d'Alzheimer ? Personne n'a envie de devenir délinquant, déficient cognitif, toxicomane ou sénile. Personne ne le choisit ! Et qu'on cesse de prétendre qu'il n'y a pas d'aggravation des toxicomanies : l'État de New York balise complètement parce que les saisies d'héroïne ont presque doublé en un an et que la « clientèle » s'est élargie aux cadres, aux couches plus éduquées[2].

1. Lexpress.fr, tempsreel.nouvelobs.com, 31/07/2014.
2. Lefigaro.fr, 21/05/2014, « New York : cri d'alarme sur l'épidémie d'héroïne ».

Au fond, ce que je voulais dire est à la fois vertigineux et très simple. Attention, il s'agit là de déductions et je sors de mon rôle de chercheur, des faits démontrés pour rejoindre mes habits de citoyen qui s'interroge. Et si on cessait de mélanger causes et conséquences, un travers classique de l'être humain ? Il est vrai qu'en général, soigner les conséquences, les symptômes, rapporte beaucoup plus d'argent que s'attaquer aux causes. Mais, dans le cas qui nous occupe, si la cause n'était qu'une conséquence ? Je m'explique : si un niveau socioculturel faible n'était pas la cause de la délinquance, de la violence, des échecs, de la difficulté à se concentrer, à apprendre, à engager des relations favorables, de la toxicomanie, etc. mais la conséquence de carences nutritionnelles ayant engendré des désordres dans le cerveau ? Un vrai cercle vicieux, puisque les carences se reproduisent de génération en génération, et les problèmes avec. On en arrive donc à la reproduction des classes, cette fois-ci d'un point de vue physiologique. Les classes aisées et surtout éduquées savent ce qu'elles doivent manger, comment nourrir leurs enfants qui deviendront performants et bien intégrés. Ça se constate d'ailleurs avec l'obésité ou la mortalité en général, en plus de la réussite sociale. Les pauvres sont frappés de plein fouet. Ces classes dites défavorisées qui engouffrent des sodas et des pizzas ne trouvent pas ce qui convient à leurs cerveaux et à ceux de leurs enfants. Et c'est reparti pour un tour. Je schématise, bien sûr. Pourtant, les statistiques le corroborent.

Mais, vous demandez-vous, les pouvoirs publics des grands pays occidentaux ne seraient-ils pas au courant ? Peut-être bien que si. Néanmoins, il y a tellement de fric en jeu, au-delà de l'imagination. Or, ne rien régler fait gagner beaucoup plus d'argent que d'appliquer des solutions simples.

Un exemple : les gouvernements ne cessent de répéter d'un ton meurtri que la violence, la délinquance coûtent des milliards de dollars par an. C'est faux. Ça fait gagner un fric fou ! Le fric du contribuable-consommateur-victime bien sûr. Ce

sont des millions de systèmes d'alarme ou de surveillance indi-
viduels ou communaux, ou d'heures de peintre pour recouvrir
les tags sur les murs d'une maison, ou de garagiste pour
repeindre une carrosserie vandalisée. Ce sont des millions de
dollars d'impôts pour refaire les banquettes de rames de métro,
pour des commissions ou des experts qui enfoncent des portes
ouvertes, pour ces nouvelles résidences gardées qui fleurissent,
pour des portiques de détection d'armes à la porte des lycées.
Tant d'autres exemples. Bref, un pan non négligeable de l'économie. Autre pan de l'économie, l'argent de la dope, réinjecté
dans le système, mais on s'en accommode. D'ailleurs, l'Europe
souhaite inclure la drogue et la prostitution dans le PIB des
pays membres. Le crime, l'esclavage humain vont participer à
la bonne santé économique des pays. Est-ce un constat d'échec
ou la manifestation du plus conquérant des cynismes ? Les
politiques pousseront des cris d'orfraie. Bien sûr, ils sont si
vertueux et ils nous aiment comme leurs enfants. D'ailleurs,
ils nous baratinent comme des enfants. Des contes et des pro-
messes à dormir debout. Votez pour nous et ensuite, ayez le
bon goût de disparaître et de raquer.

Ariel Goldberg s'était soudain interrompu, plaquant la
main sur sa bouche dans un geste enfantin.

— Oups, je me suis laissé emporter par mon discours…
Promis, je ne le referai plus.

Elle n'avait eu aucun doute qu'il avait tout prévu, à la
phrase près.

— Revenons à nos moutons. Vous ajoutez carences alimentaires affectant la formation du cerveau et son fonctionnement, drogues, sans oublier certaines substances polluantes,
dont les perturbateurs endocriniens, et vous obtenez un cocktail détonant. Parmi ces polluants, les neurotoxiques. Peu de
gens dans le grand public ont entendu parler des nanoparticules qu'on est en train de nous balancer. Ces minuscules par-
ticules de moins de 100 nanomètres, ça veut dire moins de
100 milliardièmes de mètre, peuvent franchir les barrières de

protection de l'organisme, notamment celles du cerveau. Tout ça pour des dentifrices, des déodorants, des cosmétiques, des bonbons, du ciment dentaire, de la lessive, etc. Nos dentifrices d'il y a vingt ans ne lavaient-ils pas les dents ? Et nos bonbons étaient-ils dégueu ? Ah, les nounours guimauve et chocolat, je me serais roulé par terre pour en avoir ! On ne sait rien des effets à long terme chez l'homme de ces nouvelles nanoparticules. Pas assez de recul pour en tirer une certitude épidémiologique. En revanche, les études sur animaux ou *in vitro* engagent à la grande prudence. D'ailleurs, les Français viennent de sortir un rapport recommandant cette dernière[1]. Pour l'anecdote, l'amiante est une nanoparticule naturelle. Beaucoup d'inquiétudes voient le jour chez les scientifiques au sujet de leur toxicité, notamment concernant leur potentielle neurotoxicité. Pas mal d'équipes asiatiques travaillent sur le sujet. Mais là encore, on parle d'un chiffre d'affaires de dizaines et de dizaines de milliards de dollars.

Artemis ne connaissait rien à ces nanoparticules. Elle replongea dans le net et en extirpa quelques publications, parmi de nombreuses[2]. Elle en profita pour vérifier à nouveau sa messagerie. Toujours pas de mail d'Apollo. Elle hésita, luttant contre la sourde inquiétude qui ne la lâchait plus. Non, elle ne lui enverrait pas de mail. Si Apollo luttait contre une nouvelle crise, elle ne devait pas l'affaiblir par des récriminations, aussi gentilles soient-elles. Elle relança la lecture de la vidéoconférence.

1. http://www.anses.fr/fr/lexique/nanoparticules, publié ou mis à jour le 15/05/2014.

2. http://www.ncbi.nlm.nih.gov/pmc/articles/PMC3189781/ Nanoparticles and Neurotoxicity. Tin-Tin Win-Shwe and Hidekazu Fujimaki, *Int. J. Mol. Sci.* 2011 ; 12 (9) : 6267-6280.

http://www.researchgate.net/publication/43532983_Potential_neurotoxicity_of_nanoparticles. Potential neurotoxicity of nanoparticles. Yu-Lan Hu, Jian-Qing Gao, *Int. J. Pharm.* 2010 Jul 15 ; 394 (1-2) : 115-21.

— Hum… J'ai encore dérivé… Il serait si simple de vérifier ces théories qui sont quand même validées par bon nombre d'études. Ensuite, la certitude obtenue, il serait si simple de remédier au problème. Pourquoi ne le fait-on pas ? D'accord, concernant les oméga-3, il n'y a pas des milliards de dollars à gagner avec des huiles de poisson, naturelles donc non brevetables. C'est le même problème que le crétinisme en Afrique centrale, ou dans certaines régions d'Asie, dû à une déficience en iode des mères. C'est un crime contre l'humanité, qui dure depuis des décennies, alors qu'on en connaît la cause, alors que l'on sait qu'il suffit d'une cuiller à café d'iode pour couvrir les besoins d'un individu durant toute sa vie, alors que ça coûterait moins d'un dollar par femme ! On condamne à la débilité, aux troubles moteurs, des centaines de milliers de bébés qui ne sont pas encore nés.

Artemis était revenue en arrière trois fois, parce qu'elle avait senti une véritable rage en lui. Jusque-là, en dépit du sérieux de sa conférence, il avait un peu fait le pitre, joué les savants têtes en l'air. Elle aurait parié qu'il s'agissait d'une mise en scène lui permettant de cibler ses attaques.

— En conclusion, je vous l'affirme, mesdames : vous êtes l'avenir de l'humanité et vous l'avez toujours été. Ne vous ruez pas vers ces forums débiles « comment profiter du fait que je suis enceinte pour perdre du poids ». Je ne vous conseille certes pas de devenir des vaches. Mais mangez bien, bon, suffisamment, et équilibré en oméga-3. Je répète : équilibré en oméga-3 ! Et si votre Jules veut vous voir en bikini, ventre plat trois jours après l'accouchement, conseillez-lui d'aller se faire… épiler la verge et l'anus à la pince, sans oublier les testicules. Ooohhh, j'en transpire d'angoisse rien que d'y

---

http://f1000.com/posters/browse/summary/1092470. Age and size dependant neurotoxicity of engineered nanoparticles from metals.

penser ! Ne nous faites pas le coup de la mummyrexie[1]. Ou alors, n'ayez pas d'enfants. Eux se foutent que vous rentriez dans une taille XXS. Ils préfèrent avoir un système nerveux au maximum de ses capacités. Fabriquez-nous de magnifiques bébés sains, bien dans leur cerveau et dans leur corps. L'humanité en a grand besoin. Bon, à vos tweets, insultez-moi, ça me détend.

Artémis songea que le docteur Ariel Goldberg voyait juste. De fait, l'avenir en avait grand besoin.

Savait-il que l'automne était là, que l'hiver arrivait et qu'il durerait ? Sans doute pas. Il mettait ses connaissances de scientifique et son intelligence au service de l'espèce.

_____

1. Une tendance très dangereuse, où les femmes tentent de ne pas prendre un gramme durant leur grossesse et même de maigrir. Le fœtus a impérativement besoin d'une alimentation équilibrée de la mère, surtout en lipides, et il ne peut rien trouver qu'elle n'ingère ou ait stocké.

Chapitre 31

10 décembre, Neuilly-sur-Seine, France

Jean-Bernard Louvier avait comploté avec Mme Chen-Huang Zhen pour qu'elle quitte son hôtel particulier de la villa Sainte-Foy lorsqu'il y passerait sous le fallacieux prétexte de vérifier le visa de Lian.

Il était 14 heures lorsqu'il enfonça la touche du vidéophone. La voix du maître d'hôtel lui répondit aussitôt, moins méfiante que la première fois, lui sembla-t-il :

— Vous êtes attendu, commissaire divisionnaire Louvier.

Le haut portail s'entrouvrit. Il progressa vers la maison blanche évoquant un petit château fort flanqué d'une tourelle ronde.

Le maitre d'hôtel l'accueillit en haut des marches :

— Mademoiselle Lian vous attend.

Jean-Bernard Louvier le suivit dans le long vestibule. Un vase, retenant un conquérant bouquet de pivoines à peine rosées, trônait sur le guéridon octogonal de bois presque noir. Il se souvint qu'elles étaient violines lors de sa première visite. Où avait-il lu que pour les Chinois, la pivoine est le symbole de l'amour et de la beauté féminine mais également de l'opulence et de la réussite sociale ?

Le maître d'hôtel annonça de sa voix monotone :

— Voulez-vous bien pénétrer dans le salon, commissaire divisionnaire ?

Jean-Bernard Louvier retrouva les bibliothèques de hêtre aux lignes sobres, le piano demi-queue poussé devant une large baie vitrée, la vue sur un jardin parfaitement entretenu. Une jeune femme d'une beauté renversante était assise sur l'un des canapés en velours cramoisi. Elle était vêtue d'une robe d'épaisse soie verte qui mettait en valeur la finesse de sa silhouette. Elle lui sourit et désigna son passeport posé sur la grande table basse d'inspiration chinoise.

— Bonjour, commissaire divisionnaire. Maman me dit qu'il y aurait un souci avec mon visa ? Asseyez-vous, je vous en prie. Elle a dû s'absenter et vous prie de l'excuser.

— Oh, une simple vérification. Les tracasseries de la bureaucratie.

Il ouvrit le passeport, bien sûr en règle, et prétendit l'examiner.

— Je ne vois vraiment rien, et je suis désolé de vous avoir importunée.

Elle éclata d'un rire cristallin en fermant les paupières et demanda d'une voix basse, assez troublante :

— Je ne voudrais surtout pas vous embarrasser, mais si… si nous en venions à la véritable raison de votre visite.

— Ah !

— Dès que maman m'a annoncé qu'elle ne pourrait pas assister à notre entrevue, qu'elle avait oublié un rendez-vous chez son masseur, j'ai compris. Ma mère n'oublie rien et elle ne me laisserait jamais seule avec un homme inconnu. Même un policier.

Il lui sourit, séduit par ce visage qui ressemblait à celui de Chen-Huang Zhen, en plus fin, beaucoup plus doux. Séduit par ses magnifiques cheveux artistement entortillés autour d'une longue épingle en corne. Séduit par ses pommettes hautes et soulignés, par ses yeux au parfait amande.

276

— Eh bien, puisque je suis démasqué, voilà, mademoiselle Chen-Huang…

— Appelez-moi Lian, s'il vous plaît.

— Votre mère s'inquiète. C'est le rôle d'une mère. Elle vous trouve soudain… un peu distante, craint une mauvaise fréquentation masculine, des ennuis que vous n'oseriez pas lui confier, que sais-je. J'ai eu le sentiment d'un amour très fort, que vous étiez très liées.

Elle inclina la tête et sourit. Il se rendit compte qu'il imitait involontairement ce sourire.

— C'est vrai, un amour très fort nous unit. Cela étant, ma mère est, comment dites-vous… une mère poule. Vous savez, elle voit partout des rapaces prêts à fondre sur son poussin.

— Sans doute n'a-t-elle pas complètement tort ?

— À l'évidence. Bon…

Elle tendit une jolie main, paume vers le ciel, en annonçant :

— Bon, si je vous avoue la vérité, m'aidez-vous ? Topez là, comme vous dites ?

— Tout dépend de la vérité.

Elle prit une longue inspiration et débita :

— Je veux participer aux Jeux olympiques.

Il la regarda, perdu :

— Pardon ?

— Dans la compétition des archers. Il semble que j'aie… un don, et mon professeur en Belgique est certain que je pourrais rafler une médaille… peut-être pas l'or, mais…

Jean-Bernard Louvier sourit. Chen-Huang Zhen et lui avaient envisagé la drogue, un coureur de dot, une secte. Dans quel monde vivons-nous pour ne plus imaginer que les jeunes filles ont des rêves aussi charmants et inoffensifs qu'obtenir une médaille de bronze aux jeux olympiques ?

— Mais je ne plaisante pas, se vexa Lian.

— Non, non… excusez-moi, c'est un sourire de soulagement. Je… enfin, je pensais…

— À des choses affreuses ? sourit-elle.

— Écoutez, ça me paraît si… bénin et… admirable que discuter avec votre mère semble la meilleure option. Comme moi, elle serait très soulagée.

— Vous ne la connaissez pas. Maman va se mettre en tête que des hordes de kidnappeurs me suivront pas à pas et m'enlèveront à la première occasion dans le village olympique. Vous voulez bien m'aider ? (Elle joignit les mains en prière et il la trouva craquante.) Je vous en prie, aidez-moi, commissaire. D'après mon professeur à Bruxelles, je peux prendre un pseudonyme pour participer à la compétition. Peu de gens me connaissent. Personne ne saura qui je suis. Et même, j'accepte un ou deux discrets gardes du corps. Aidez-moi, je vous en supplie !

Il se leva à regret, n'ayant plus de raison de prolonger cet entretien. Elle l'imita et lui tendit les mains, un sourire adorable aux lèvres.

— Je vais discuter avec votre mère. Je doute qu'elle résiste longtemps.

Après son départ, Lian se mit au piano et joua le Nocturne n° 2 de Chopin en mi bémol majeur. Elle avait très bien mené la partie. Mignon, Jean-Bernard Louvier, vite conquis au point qu'il l'avait crue sans discussion. Cela étant, l'intervention du policier prouvait que Zhen s'inquiétait vraiment, et Lian allait devoir redoubler de prudence. Sa mère pouvait devenir un véritable char d'assaut. Zhen, mon précieux trésor. Si je pouvais te dire la vérité, tu serais si fière de moi, mā[1]. Dans un premier temps, Lian devait prévenir Thierry Janssens.

Ses doigts effleuraient les touches du clavier. Elle sourit. Elle avait conservé un souvenir si précis, presque cinématographique de ce jour de pure terreur, de pure félicité, cinq ans

---

1. Maman en chinois.

278

plus tôt. Non loin de Concord, dans le Massachusetts. Elle avait dix-neuf ans. Sa mère lui avait accordé l'autorisation de monter tous les après-midi dans ce magnifique haras qui élevait des Lusitaniens, des chevaux volontaires mais de tempérament stable. Le haras proposait également des cours et des balades à quelques « élus » triés sur le volet ainsi qu'une pension cinq étoiles à leurs chevaux. Cet élitisme avait rassuré Zhen qui avait quand même tenu à visiter les lieux et rencontrer leur propriétaire. Quatre autres cavaliers étaient devenus des habitués du haras, dont une adolescente assez revêche de seize ans, avec laquelle Lian avait tenté en vain de socialiser. Deborah Armstrong. Tous savaient qu'elle était la fille unique du milliardaire américain Edward Armstrong. Lian avait espéré devenir son amie, une façon de rompre son grand isolement. À l'évidence, Deborah ne manifestait aucune velléité de se faire une copine. Déjà splendide cavalière, elle paraissait n'avoir d'attirance que pour les chevaux. Au demeurant, les autres avaient dû se lasser de ses réponses monosyllabiques, puisque plus personne ne s'essayait au bavardage avec elle. Seuls les échanges avec le maître d'équitation intéressaient Deborah Armstrong.

Lian se laissa dériver dans ses souvenirs de ce jour étrange. Le jour de sa seconde naissance, cinq ans plus tôt. Elle en revécut chaque seconde.

Cet après-midi-là, Deborah Armstrong et elle se garèrent au même moment sur le petit parking ombragé situé à trois cents mètres du haras. Les bâtiments d'habitation et les boxes s'élevaient dans une enclave boisée, qui permettait à l'été de rafraîchir cavaliers et montures. Le coupé Audi de Lian était à l'arrêt lorsque surgit le gros 4 × 4 Mercedes de Deborah Armstrong. Un peu surprise par l'absence de l'autocollant « L » sur le pare-brise qui signalait un conducteur débutant, Lian crut trouver un bon moyen d'engager la conversation.

— Nous sommes de l'Arkansas, rétorqua Deborah d'un ton sec. On obtient le permis d'apprentissage à quatorze ans, puis le permis restreint à seize, enfin le permis définitif six mois plus tard, sauf si on déconne. De plus, seize ans, dans mon cas, ça ne signifie pas grand-chose.

— Ah ? Une belle voiture… massive pour une jeune fille, eut l'imprudence de formuler Lian que cette sortie, assez virulente, sidérait.

Du haut de son mètre soixante, Deborah Armstrong la détailla. Lian se fit la réflexion qu'elle avait sans doute des origines latinos métissées, avec ses cheveux très bruns, sa peau mate, ses grands yeux gris frangés d'épais cils. Elle était très jolie mais étonnamment musclée pour une adolescente. Surtout, une expression de dureté émanait de son visage, et même de la façon dont elle se tenait.

— Mon père dit que si un tordu me gonfle sur la route, je peux pulvériser sa caisse sans problème avec ce 4 × 4.

Sa réponse laissa Lian bouche bée, tant elle la sentit sincère, sans emphase, sans bravade particulière.

Étrangement, Lian en conçut une sorte de gêne, et évita de s'approcher de Deborah durant leurs deux heures de manège et de parcours d'obstacles, même lorsqu'elles trottèrent vers les boxes pour changer de monture. L'idée qu'une femme puisse sciemment percuter une autre voiture lui était étrangère, et elle la jugeait presque vulgaire. Certes, attaquée, elle était certaine de ne pas se laisser faire. Zhen lui avait servi d'excellent modèle. Sa mère n'était pas une femme placide ou soumise. Toutefois, dans le cas évoqué par la jeune Armstrong, le coupé nerveux de Lian lui permettrait de prendre la fuite d'un bon coup d'accélérateur plutôt que d'opter pour la confrontation.

Lian avait trouvé un faible prétexte pour partir un peu plus tôt : sa mère recevait des membres de leur lointaine famille. En vérité, elle n'avait pas envie de se retrouver seule sur le parking avec Deborah. Cette fille la mettait mal à l'aise.

Elle ramena son cheval et tendit les rênes à un palefrenier avant de récupérer son sac pour changer ses bottes.

Elle s'engagea d'un bon pas sur le long sentier boisé qui menait au parking. Une nuée d'insectes voletait autour de ses cheveux et elle les chassa mollement de la main. Elle aimait la forêt, ses odeurs, surtout au printemps, ses sons étouffés. Le bruit d'une branche qui se rabattait sur sa droite. Lian tourna le regard dans cette direction, sans rien distinguer. Un craquement, pas celui d'un animal. Elle s'immobilisa, aux aguets. Et soudain, il surgit. Une sorte de masse répugnante qui puait la vieille sueur. Il était énorme, avec de longs cheveux filasse clairsemés. Un sourire humide découvrait ses canines. Ses petits yeux rapprochés scrutaient Lian. La panique lui desséchait la gorge. Elle fournit un effort pour déclarer d'une voix qu'elle espérait ferme :

— Laissez-moi passer. Vous ne savez pas qui je suis.

— Mais si ! Une rejetonne qu'a des thunes, un coupé Audi et un beau cul.

Lian comprit qu'il l'épiait sans doute depuis qu'elle s'était garée en début d'après-midi, peut-être même avant cela. Mais à cet instant, Deborah Armstrong était arrivée, dissuadant le type de se manifester.

Lian se tourna d'un bloc pour fuir vers le haras. Il fut sur elle en deux enjambées. Elle voulut hurler mais il lui asséna une gifle brutale qui la fit tomber sur la terre du sentier. Il récupéra son sac de sport et l'agrippa de l'autre main par le col de sa veste, la tirant vers les buissons. Lian se débattit, essayant de le griffer. Un coup de pied vicieux en plein flanc lui fit monter des larmes de douleur. Elle s'efforça de reprendre son souffle.

L'homme se baissa, son visage adipeux frôlant presque celui de la jeune femme. Il sortit une énorme langue et lui lécha le nez et la bouche, en gloussant :

— Un peu de bon temps, tu vas voir. Après, je prends ta bagnole, t'en auras plus besoin… Allez, fais pas ta difficile.

Et elle sut qu'il allait la violer et la tuer. De fait, elle n'aurait alors plus besoin du coupé. Elle se débattit avec l'énergie du désespoir, tenta de crier, mais il serra l'encolure de son chemisier et de sa veste à l'étrangler. Des dizaines de visions, monstrueuses, sanglantes, hurlantes, défilèrent dans son esprit. La panique l'empêchait de penser. Un hurlement dans sa tête, le sien : « Jiùming, mā, jiùming[1] ! »

Et soudain, elle put respirer. Soudain, les cailloux du sentier ne lui blessèrent plus le dos. Soudain, tout s'arrêta. Soudain, la masse s'écroula sur le côté. Elle ouvrit les yeux et parvint à se redresser sur les coudes. Deborah Armstrong armait à nouveau une courte arbalète. La flèche acérée en métal bleuté brilla sous la lumière qui filtrait des arbres. D'une main, la jeune fille lui fit signe de s'écarter. Lian roula sur elle-même, incapable de se lever. Un sifflement. La masse tressauta une dernière fois. La seconde flèche s'était fichée dans sa gorge.

Le visage impavide, Deborah se rapprocha et se planta au-dessus d'elle.

— Tu te lèves, tu respires et tu m'aides à le tirer dans le sous-bois.

— Mais… pourquoi… on peut appeler les gens du haras… la police.

D'une voix calme, l'adolescente déclara :

— Pour qu'il obtienne trois millions de dollars de dommages parce qu'il n'avait pas réussi à te violer, te torturer, à te tuer mais que je l'avais blessé ? Non ! Debout !

Assommée, Lian obéit. Elles tirèrent avec peine la « chose », ainsi que l'avait baptisée Deborah Armstrong, aussi loin que possible du sentier. L'adolescente la recouvrit de paquets d'herbe, de feuilles et de brindilles après avoir arraché ses deux flèches du corps adipeux.

Elle remorqua Lian dans un état second jusqu'au parking. D'un ton presque vipérin, elle lâcha :

---

1. Au secours, maman, au secours !

— Bienvenue dans la vraie vie ! Maintenant, tu te réveilles et tu arrêtes de jouer les poupées de porcelaine. Une fois rentrée, tu te débarrasses de façon définitive de ta veste, ton chemisier, ton sac, tout ce qu'il a touché. Ses empreintes digitales et son ADN sont dessus. Nous n'avons vu personne. Tu entends ? Personne !

Une crise de nerfs eut raison des dernières résistances de Lian. Elle éclata en sanglots et se coucha sur le capot de son coupé. Une main timide caressa ses cheveux et la voix adoucie de Deborah Armstrong expliqua :

— Là… Ce n'est rien. Un déchet meurtrier de moins. C'était toi ou lui. Le choix était vite fait. D'un ton réjoui, elle poursuivit : La vie est dingue, quand même. Tu m'as fait la gueule tout l'après-midi, et je m'en suis voulu d'avoir été hargneuse sur le parking. Tu essayais juste d'engager la conversation. Je t'ai suivie parce que je voulais m'excuser. En fait, je préfère de loin l'arc. Plus noble, plus élégant, je trouve. Mais moins logeable dans un sac de sport. Là, remets-toi. Il y a un chouette salon de thé à Concord où je vais souvent. Je t'invite ? Ça te permettra de te calmer. Ensuite, je te ramènerai au parking et tu reprendras ta voiture. Au fait, elle est super, ta bagnole. C'était juste pour t'embêter. Pas malin, je sais.

— Et ça s'arrête là ? hoqueta Lian entre deux sanglots.

— Pour lui, oui. Ça aurait déjà dû s'arrêter. Lian, il voulait te violer et te tuer, sans oublier ses amusements entre. Tu ne vas pas porter le deuil, non ? Tu sais qui il m'a rappelé, physiquement ? Cet immonde truc de Geoffrey Portway, cet anglais de quarante ans installé à Worcester, pas très loin d'ici. Le FBI a trouvé plus de 4 500 images pédophiles violentes sur son ordinateur. Il avait aménagé une prison dans sa cave. Insonorisée, avec une cage, un billot de boucher et des instruments à découper. Son plan était de kidnapper des jeunes enfants pour les torturer, les violer, les tuer puis les bouffer. Il a pris vingt-sept ans[1].

---

1. www.telegraph.co.uk/worldnews/northamerica/usa/103165.

Lian grimpa dans le 4 × 4 Mercedes comme si elle escaladait une montagne hostile. La conversation qu'elles eurent durant le trajet jusqu'à Concord, ou plutôt le monologue de Deborah, devait changer sa vie. Sa façon d'envisager la vie. Elle sut tout, du moins le crut-elle. L'origine de Deborah Armstrong, sans lien de sang avec Edward, son père adoptif. L'affrontement impitoyable, titanesque, qui se préparait. L'absence totale d'importance que revêtait le meurtre du violeur, ce que l'adolescente nommait d'une voix lointaine « l'incident du sentier ». Le fait que toutes les vies humaines n'étaient pas égales. Certaines servaient l'espèce, même de façon invisible, simple. D'autres la détruisaient par plaisir ou pour faire de l'argent. Ça commençait par le petit caïd dealer de banlieue et se terminait, tout en haut de l'échelle sociale, par le CEO d'une multinationale avide de profits, au mépris de toute morale, de tout sens du groupe. Dans ces deux cas, sans oublier toutes les nuances intermédiaires, l'appât du gain et du pouvoir justifiait tout, quelles qu'en soient les conséquences.

Deborah se gara sur le parking réservé à la clientèle du salon de thé et conclut :

— L'arbitrage est difficile, au début. Enfin… je crois. Toutefois, dans mon cas, c'est si loin que j'ai un peu oublié. La fuite, le combat ou la soumission. On apprend aux femmes à subir. Être victime, c'est si féminin. Il s'agit de l'option à éliminer. Les femmes subissent parce qu'on leur a rentré dans le crâne que, peut-être, si elles pleuraient, si elles suppliaient, leurs tortionnaires auraient pitié d'elles. Grave erreur. Ils vont se déchaîner parce qu'elles sont faibles et qu'elles ne les menacent en rien dans leurs jeux sadiques. Elles leur permettent de se sentir le plus fort, le dominant. Ce qu'ils ne pourraient jamais ressentir face à des mecs. Les enfants subissent aussi. Mais eux n'ont aucun moyen de se défendre. Si elle sort de son conditionnement, une femme tue sans difficulté. La preuve. Pas un enfant. Ce sont eux les véritables victimes. Avec les animaux.

— Je n'ai pas « subi », comme tu dis. J'ai tenté de me défendre. Il était beaucoup plus fort que moi ! tempêta Lian, ulcérée.

— Non. Tu es partie du principe qu'il était plus fort que toi. Je pèse cinquante kilos. Il en pesait au moins cent.

— Tu étais armée.

— Évidemment. Je compense pour les cinquante kilos manquants, pouffa Deborah. J'admets. Tu n'as pas subi. Tu as essayé de te défendre. Le problème est que ta première option fut la fuite, alors même qu'elle était impossible et que tu le savais. C'est une bonne solution, la fuite. Quand elle est possible. Sans cela, ne reste que la lutte. C'est ce qu'il faut réparer chez toi. Mon père affirme que ta mère, Zhen, est une dure, et que ton père était un requin honorable. Tu dois donc avoir ce qu'il faut en toi pour la réparation, ajouta d'un ton léger Deborah. Allons boire un thé et déguster des crêpes Suzette. Les meilleures de l'est des États-Unis. J'adore les crêpes Suzette ! Je trouve ça plus léger que les pancakes ou les crumpets. On parle d'autre chose : de fringues, de maquillage, de chevaux et de cheveux. *Girly-talk*[1]. On m'a dit que tu jouais divinement du piano ?

Lian sourit :

— J'ai commencé très jeune.

— Moi, je manque de finesse, de fluidité, je le sens. Tu pourrais me donner des leçons ?

— Et toi, tu me donnes des leçons d'arbalète en échange ?

— Non, arc. Ce sera beaucoup plus joli avec ta silhouette. Et puis, l'état d'esprit n'est pas le même.

Elles descendirent du 4 × 4.

Une voix aimée la tira de ses souvenirs :

— *Wô de bào béi*[2] ? Lian ? *Wô de bào béi* ?

---

1. Conversation de nanas.
2. Mon trésor chéri ?

— Je suis dans le salon, mā ! cria-t-elle.

Zhen pénétra à la manière d'une tornade et se rua vers le piano. Elle enserra sa fille dans ses bras et murmura d'un ton urgent, tendu :

— Je suis contente d'être de retour, tu m'as manqué.

— Ça t'a fait du bien ?

— Hum…

— Le massage ?

— Oui, oui. Oh, il est parfait, ce masseur. Ça détend beaucoup.

Sa mère avait reçu un appel du commissaire divisionnaire Louvier qui l'avait rassurée en justifiant le changement d'attitude de sa fille. La fable d'un entraîneur au tir à l'arc à Bruxelles avait fonctionné. Lian songea que Zhen était la plus mauvaise menteuse qu'elle ait jamais rencontrée, du moins avec sa fille. Une vague d'amour l'envahit.

— Tu jouais, je te dérange ?

— Tu ne me déranges jamais. Un Nocturne.

— J'aime Chopin, si élégant, si français.

— Il était polonais, mā.

— Peu importe. Européen de la grande époque. Tu veux bien jouer pour moi ?

Lian s'exécuta. Sa mère demeura plantée derrière elle. La jeune femme plaqua les derniers accords avec une subtilité parfaite.

Sa mère soupira de bonheur et proposa :

— Une coupe de champagne ? Veux-tu que nous dînions au restaurant ?

— Une coupe de champagne, volontiers. Pour le reste, non, je n'ai pas très envie de sortir.

Zhen transmit ses ordres par interphone et s'installa sur un des canapés en allumant nerveusement une cigarette. Une hilarité difficile à contenir chahutait dans la gorge de Lian. Comment sa mère allait-elle se dépêtrer de ce qu'elle avait appris, de ce qui ne la réjouissait pas mais l'apaisait considérablement ?

— Je me disais que… Enfin, Neuilly est une ville très agréable, mais bon… pas trop longtemps. Et si nous partions une semaine, dix jours à Bruxelles ? Je ferais tous les instituts de beauté et toutes les boutiques et tu… visiterais tous les musées ? Les musées me barbent, tu le sais. J'en connais ce qu'il faut pour pouvoir tenir une conversation, et ça me suffit. *Wô de bào béi*, tout me tente si tu n'es pas en danger, que nous sommes… nous deux.

Lian se jeta dans les bras de sa mère et couvrit son front de baisers.

Zhen ne savait pas que le danger était avant. Aujourd'hui, il n'y avait plus de danger.

Chapitre 32

10 décembre, hôtel de Beauvau, Paris, France

Yann Lemadec avait préféré rester chez lui la matinée afin de surfer tous azimuts sur le net. Le Dr Thierry Janssens n'apparaissait nulle part, hormis dans une publication scientifique conjointe avec Alexandra Beaujeu, rédigée quatorze ans plus tôt et portant sur la dystrophie facio-scapulo-humérale, troisième dystrophie au monde en termes de fréquence, encore appelée maladie de Landouzy-Déjerine. L'article traitait de l'origine génétique de cette myopathie, qui n'était pas due à un gène en particulier mais, le plus souvent, à une anomalie située en bout de chromosome 4. À cette extrémité, une séquence d'ADN était répétée[1]. Statistiquement, les sujets victimes de la maladie possédaient moins de répétitions que les sujets indemnes. En dépit de ses bases en sciences, déjà lointaines, Lemadec n'en comprit pas beaucoup plus.

Yann avait repensé à ce que lui avait confié Salvindon la veille en renâclant. Alexandra Beaujeu et Thierry Janssens auraient tenté de mettre au point une thérapie génique contre la maladie de Landouzy-Déjerine, en dehors de tout cadre légal et institutionnel.

---

1. D4Z4.

Il rejoignit son bureau de la grande serre vers 13 heures. Lucie n'était pas encore rentrée de sa pause déjeuner. Il mit cette absence à profit pour peser à nouveau le pour et le contre. Obéir à l'ordre d'absolue discrétion du commandant s'avérait un peu tardif puisqu'il avait jusque-là tout révélé à l'informaticienne. Surtout, il ne doutait pas qu'elle monterait au front si jamais il avait des ennuis. En revanche, il n'avait aucune confiance en Henri de Salvindon. Le fait que Lucie connaisse tout de sa mission le rassurait. Il fonça dans son bureau dès qu'il entendit la porte se refermer et lui narra dans le détail la visite de leur ultra-chef la veille au soir et ses recherches du matin.

Aussitôt, elle extirpa Bébé de sa grande sacoche, demandant :

— Ça s'écrit comment, Thierry Machin ?

Il épela le patronyme du médecin. Lucie poursuivit :

— Allez, le petit père Janssens… Dis-nous tout. Donc, ce type soignerait les super-riches de la planète, mais on ne trouve pas une seule mention de sa clinique privée ou de son cabinet sur Internet ? Pas banal !

— Et ça te suggère ?

— Un effacement de données béton. Tant qu'il s'agit de comptes à supprimer sur des réseaux sociaux, certains sites proposent des outils, du genre Just Delete Me ou Account Killer. Ça marche assez bien, mais ce n'est pas l'effacement intégral. Si tu veux disparaître complètement du net, c'est plus compliqué et le mieux, à moins d'être un génie de l'informatique, est de rémunérer une boîte spécialisée en gestion de réputation.

— C'est dingue ce que les gens peuvent poster ! Merde, on fait un peu attention, bougonna Yann.

— Qui ne s'est jamais pris une bonne cuite avec des potes, ou n'a pas baissé son froc devant l'odieuse boulangère ou charcutière pour faire le mariole ? Qui n'a pas un jour signé une pétition parce qu'il était jeune, bourré de bons sentiments, pour se rendre compte ensuite qu'il avait été manipulé ? La différence, c'est qu'avant, le « secret » restait entre cinq copains alors qu'il est maintenant disponible partout sur la toile. Ajoute à cela la malveillance : un « ami » qui poste une bonne grosse calomnie à ton sujet pour te nuire. S'il sait comment s'y prendre, il est presque impossible de remonter à la source ou alors ça coûte pas mal d'argent. Pour couronner le tout est arrivée la reconnaissance faciale par photo… D'ailleurs, ça risque d'empirer si des algorithmes de modélisation en 3D du genre DeepFace sont installés[1]. En d'autres termes, un efface-ment méthodique peut devenir nécessaire pour certaines per-sonnes… c'est qui, Caroline Janssens ? Remarque, il s'agit d'un nom fréquent en Belgique.

— Pas la moindre idée. Qu'as-tu déniché ?

— Une courte mention avec photo dans le *Progrès de Lyon*… concernant l'hôpital privé Paul Ehrlich… Celui où exerçait le Pr Alexandra Beaujeu, donc Thierry Janssens, si ma mémoire ne me joue pas de tours.

Soudain très intéressé, Yann la pressa :

— Qu'est-ce qu'ils disent ?

— Pas grand-chose… que l'hôpital privé Paul Ehrlich ouvre une consultation de podologie qu'assurera à partir du mois prochain Mme Caroline Janssens-Delacroix. J'adore aller chez le pédicure, commenta Lucie.

— Je n'y ai jamais mis les pieds, si je puis dire.

— Tu as tort. Ça fait un bien fou. On néglige trop ses pieds. Pourtant, ils nous portent toute notre vie. J'ai le senti-ment d'avoir perdu cinq kilos quand je ressors de chez le mien. L'article est daté de septembre 1999.

— À moins d'une coïncidence, parce qu'il ne doit pas y avoir une foultitude de Janssens à Lyon, ils ont un lien de parenté.

---

1. www.metronews.fr/high-tech/deepface-la-reconnaissance-faciale-sur-puissante-de-facebook/mnct!580jsRjPJSrg/

— La légende de la photo précise que Mme Janssens est la deuxième personne en partant de la droite. En dépit de la qualité plus que moyenne de la photo de groupe, ce pourrait être sa femme ou sa sœur, pas sa mère.

— Tu peux creuser ?

— Bien sûr, mon poussin. Tu vas me chercher un café au distributeur et un paq…

— Non ! Je te ramène deux cafés si tu veux, mais ni paquet de madeleines, ni barre chocolatée.

— Sans cœur !

— Ouais ! lança Yann en filant vers le couloir.

Lorsqu'il revint, portant avec prudence les deux gobelets, Lucie, bras croisés sur la poitrine, contemplait l'écran de Bébé. Elle le remercia d'un hochement de tête et annonça :

— Deux possibilités s'offrent à nous. Trois, plutôt. Commençons par la plus simple en plus d'être, à mon avis, la plus efficace. GraphSearch.

— Mais encore ?

— Le nouveau logiciel de croisement de données de Facebook.

— Jamais entendu parler !

— Normal, puisque tu n'as pas de compte et qu'en plus, il n'est pas encore fonctionnel en France. Il devrait débarquer en avril prochain. D'ailleurs, les usagers ont intérêt à faire gaffe à ce qu'ils ont mis en consultation libre[1] ! Ça permet de retrouver à peu près n'importe qui. Les infos réservées aux amis ne seront pas concernées, d'après ce que j'ai lu. On va passer par l'application US. On croise les nom et prénom de cette femme, sa profession. Éventuellement, on pourra ajouter le fait qu'elle se trouvait en région lyonnaise en 1999, l'hôpital

---

1. www.cnil.fr/linstitution/actualite/article/article/graph-search-testez-limpact-du-nouvel-outil-de-recherche-de-facebook-sur-vos-données/, 21 novembre 2013.

privé Paul Ehrlich, etc. La requête va fouiller dans tout Facebook.

— Les autres options, c'est quoi ? s'enquit Yann pendant que les doigts de Lucie volaient sur les touches.

— Attends, c'est en anglais… je me débrouille pas mal, mais quand même…

Il rongea son frein. Lucie répondit enfin :

— Une reconnaissance faciale via le réseau social, mais la photo est ancienne et médiocre, ou alors nous avons recours à notre système.

— Le fameux TAJ ?

— Le Traitement des Antécédents judiciaires concerne la police et la gendarmerie. Je parle de la BIS. Des outils de recherche qui ne sont pas connus du public. Et ne me la joue pas outrée ! Quand on se mêle de défense du territoire, mieux vaut s'associer la meilleure technologie.

— Je n'ai rien dit, protesta Yann.

— Non, mais tu allais. On pourra extraire la photo du journal, la vieillir par logiciel et lancer une recherche. Long, compliqué. En plus, on risque de se faire tomber sur le poil par Babar. Si tu l'aides à racler le parquet de ses longues incisives, tout baigne, sans cela c'est la faute professionnelle. Yeah ! s'exclama-t-elle soudain en levant les bras en signe de victoire.

« Caroline Delacroix ex-Janssens a un compte Facebook et un mur public. Ah oui, je comprends pourquoi… elle voudrait s'installer en libéral et cherche du boulot dans un cabinet de podologie en Suisse ou au Luxembourg. Futée, les salaires n'ont rien de comparable ! Divorcée, pas d'enfant, quarante ans. Peut expédier son CV via mail. Plaisantins s'abstenir, etc.

— On a une adresse ?

— Tu ne veux pas non plus son carnet de vaccination ? ironisa l'informaticienne.

— Si son adresse est mentionnée dessus, je prends.

— Appelle le commandant. Je te parie que ses gars la retrouvent en moins de deux heures.

Lemadec ne réfléchit même pas :

— Hors de question ! Je n'ai pas envie de lever le drapeau sur cette femme. Si elle n'a rien à voir avec cette histoire, il est exclu d'éveiller la curiosité de la DCRI à son égard.

— Juste ! J'approuve ! Au fait, Yann... parano de ma part... mais... non rien.

— Mais si, quoi ?

Lucie hésita. Non, elle ne lui parlerait pas de la stupéfiante réapparition de François. Elle ignorait tout des mobiles réels de son ex-mari, se débarrasser d'elle ou la protéger. Cependant, elle aimait bien Yann :

— Euh... T'est-il venu à l'esprit que Salvindon pouvait jouer solo sur ce truc... je veux dire qu'il ne représente pas la DCRI ?

— Tout à fait. D'où mon exigence de lettres de mission officielles et le fait que je ne veux pas faire émerger le nom de cette femme avant d'en savoir davantage.

— D'accord. N'oublie pas ce point : Salvindon peut se servir de la DCRI, sans que sa hiérarchie soit informée. Ça s'est déjà vu. Bon, ne reste plus qu'à convaincre Caroline de nous envoyer son CV.

— On fait comment ? Tu connais des cabinets de podologie-pédicurie en Suisse ou au Luxembourg qui accepteraient d'envoyer un mail pour nous ? rigola Yann.

— Non. Cependant, ça peut s'arranger.

Elle replongea sur le net et triompha quelques secondes plus tard :

— Voilà, première entrée Google, la SSP, la Société suisse des podologues. Ils ont un chapitre consacré au diabète... Bon, le message à notre chère Caroline, maintenant. Il suffit de créer une messagerie avec une nouvelle adresse sur Orange ou Yahoo. Allez, je m'appelle... euh... un nom qui fait sérieux... Guillaume Muller, ça sonne bien, non ? Je suis podologue à Genève et Paris et cherche une associée ayant une connaissance approfondie des soins aux diabétiques pour mon cabinet suisse. Sans blague, il faut faire gaffe avec ces sujets. Il y a des risques d'infections ultra-graves. Le fait que j'évoque les diabétiques devrait la convaincre de mon sérieux professionnel.

— Et si elle ne connaît rien aux diabétiques ?

— Je doute qu'un podologue-pédicure ne soit pas sensibilisé à ce problème, surtout un professionnel ayant exercé en milieu hospitalier. Ensuite, elle cherche du boulot et elle se fera un *crash course* le cas échéant. Je lui donne mon adresse mail bidon en France et l'adresse de la SSP pour la rassurer. Ne reste plus qu'à croiser les doigts. En général, ce type de site met trois, quatre jours à te répondre, quand ils te répondent. Espérons que les Suisses ne sont pas plus efficaces que nous en la matière.

Lucie termina son café, maintenant froid, et relut à voix haute son mail. Yann le peaufina un peu et se déclara satisfait.

— Bon, ben, on sort le trèfle à quatre feuilles, mon poussin. Je t'avertis dès que j'ai un retour.

Il lui envoya un baiser du bout des doigts et réintégra son bureau.

Chapitre 33

Plus tard, 10 décembre, entre Maubeuge et Bavay,
nord de la France

Adèle Laumonier, soixante-treize ans, frissonna. Un vent violent soufflait depuis la tombée du jour, rafraîchissant considérablement la température pourtant clémente pour un hiver du Nord. Les braises agonisaient dans la cheminée de la cuisine salle à manger et elle hésita à lancer une nouvelle bûche. D'un autre côté, elle n'aimait pas savoir qu'un feu brûlait lorsqu'elle rejoignait sa chambre à l'étage pour la nuit. Adèle chauffait peu la maisonnette de trois pièces, pas plus de quinze degrés. La réversion de la retraite agricole de son mari, plus que minime, ne le lui permettait pas. Cinquante-quatre pour cent de pas grand-chose, ça fait presque rien. À la mort de Robert, son époux, ses deux enfants avaient exigé leur part d'héritage « pour bien partir dans la vie », alors même qu'ils avaient plus de trente ans. Elle avait donc vendu la ferme, pas grand-chose là non plus. Avec l'argent qui lui restait, elle avait acheté cette maisonnette, située en bord de départementale. Le jardinet lui permettait de faire pousser quelques légumes, en plus des fleurs. Adèle adorait les fleurs. Son vieux pommier, fidèle au poste, lui offrait presque tous les ans une belle récolte qui lui permettait de déguster de splendides compotes durant

297

les mois froids. Et puis, elle s'était offert Séraphine, son bon-heur de chaque jour, sa compagne, sa confidente. Séraphine, dite Choupette, une chienne cairn aujourd'hui âgée de neuf ans. Séraphine du Plessis de la Brocardière, fille de champion européen, s'il vous plaît, puisqu'elle possédait un pedigree long comme le bras. Adèle n'en était pas peu fière. Il s'agissait du seul luxe qu'elle ait jamais possédé. La vieille dame aurait bien élevé deux poules pour avoir des œufs, mais l'intérêt suspect que leur manifestait Séraphine l'en avait dissuadée. Entre le jardinage, la maison et les longues promenades avec sa chienne, elle gardait la forme, fermement décidée à s'y cram-ponner afin de ne pas finir dans une maison de retraite. À tous les coups, ses fils useraient du premier prétexte pour la coller dans un de ces établissements, le moins cher possible, bien sûr. Peut-être même qu'ils l'expédieraient en Belgique, à quelques kilomètres de là. Il paraît que les maisons de retraite y sont bien moins onéreuses et plus agréables. Adèle ne redou-tait pas un déménagement définitif en Belgique. Les Belges sont des gens sérieux et affables, qui aiment la bonne chère, pour ne rien gâcher. En plus, elle connaissait là-bas un sacré médecin. Pas un de ces petits toubibs de rien du tout. Non, non ! Un grand professeur internationalement réputé. On venait des quatre coins du monde pour le consulter. Eh bien, il lui avait parlé avec la même courtoisie, la même attention que si elle avait été une de ses riches patientes. Adèle se rengor-gea à ce souvenir. Et puis, quel beau sourire il avait. Un sourire qui naissait du dedans. D'ailleurs, tout était élégant chez lui, même son nez droit, ses mains longues mais puissantes.

— Bon, Choupette, j'ai fermé et débranché la télé. L'orage menace. On monte se glisser sous la couette. On se réchauf-fera, expliqua-t-elle à la cairn qui frétilla de la queue avant de sauter du fauteuil qu'elle avait réquisitionné dès son arrivée chez Adèle.

La femme avait bien tenté de l'en dissuader. Assez mollement. Mais bon, Séraphine n'était pas vraiment un chien. C'était son unique amie. On ne fait pas dormir sa meilleure amie sur une descente de lit.

Qu'est-ce qui avait dérapé avec ses fils ? La question, toujours la même, ne trouvait aucune réponse. Avaient-ils toujours porté en eux cette absolue indifférence aux autres, à elle, comme leur père d'ailleurs ? Robert qui n'avait jamais voulu qu'elle déclare les heures de ménage ou de repassage qu'elle effectuait chez les dames d'Amiens au prétexte qu'il refusait de payer des impôts « pour elle ». D'où sa retraite de cinq cent quatre-vingt treize euros mensuels. Bah, assez avec le passé. Le passé ne vaut le coup qu'on le ressasse que lorsqu'il fut bon, ou du moins semé de moments joyeux. Le sien avait décliné le manque sous toutes ses nuances. Le manque d'amour, le manque d'argent, le manque d'espace, le manque de joies. Bref, le manque de lumière. Le manque de vie. Mais Séraphine était arrivée. Oh, les bêtises qu'elle avait pu accumuler jusqu'à ses seize mois ! Tous les chaussons, les coins de coussins, les collants d'Adèle y étaient passés. Même les accoudoirs du fauteuil. Elle avait rapiécé les dégâts avec tant de soin qu'on devinait à peine la reprise. D'un autre côté, elle grondait Choupette, puis éclatait de rire. Aussi la chienne avait-elle fini par croire que sa maîtresse se réjouissait de son vandalisme.

Précédée de la petite bête, elle monta à l'étage, énumérant mentalement ses derniers gestes. Elle avait verrouillé la porte, fermé les volets. Si elle avait eu un peu d'argent, elle aurait installé ces épaisses barres intérieures de métal qui bloquaient l'ouverture, et un second poste de téléphone en haut. Peut-être même se serait-elle offert un portable. C'est drôlement pratique lorsqu'on a un problème.

Depuis son veuvage, Adèle avait toujours fait preuve de vigilance, d'autant que la maisonnette était assez isolée. Il ne passait personne sur la départementale après dix heures du soir, sauf le samedi. Cependant, les gros titres des journaux locaux qu'elle avait vus récemment, lorsqu'elle allait faire ses courses à Bavay, n'avaient fait que renforcer ses précautions. Trois femmes âgées du coin, vivant seules, avaient été découvertes mortes, ligotées sur leur lit avec des fils électriques. Les victimes avaient été tabassées, tailladées, et portaient de multiples brûlures de cigarette sur le corps. Tout ça pour leur arracher le code de leur carte bancaire et l'éventuelle cachette de maigres économies. Les vieux font d'excellentes victimes.

Elle n'avait rien oublié, la maison était bouclée et elle refusait de repenser à ces histoires affreuses au risque de ne pas fermer l'œil de la nuit.

Elle ôta son épaisse robe de chambre écossaise et se faufila entre les draps, aussitôt rejointe par Séraphine qui s'allongea de tout son long entre elle et le mur, sa place favorite. Adèle récupéra le roman emprunté à la bibliothèque municipale qu'elle avait abandonné hier soir sur la table de chevet. Elle appréciait beaucoup les romans historiques, surtout avec une histoire d'amour, si possible compliquée et se terminant bien.

Une heure plus tard, papillotant des paupières, elle reposa le roman et éteignit la petite lampe. Sans doute s'endormit-elle tout de suite.

Le grondement sourd mais continu de Séraphine la réveilla en sursaut. La chienne s'était dressée sur le lit et fixait la porte. Elle tourna la tête vers sa maîtresse et lâcha un aboiement.

Adèle fut aussitôt sur pieds, intimant dans un murmure :

— Chut, Choupette, tais-toi !

Elle jeta un regard fébrile autour d'elle. La porte s'ouvrit sous un coup de pied. Il était grand et maigre. Son odeur de transpiration et d'alcool lui fouetta les narines. Ses cheveux crasseux et longs étaient retenus en queue-de-cheval. Surtout, il avait un regard de dingue ou de drogué. Le grognement de Séraphine redoubla d'intensité. Il cramponnait un large cutter dans la main droite. Adèle découvrit ce qu'il tenait dans l'autre : des fils électriques. La terreur lui coupa les jambes et elle redouta de s'affaler sur son lit. Séraphine grondait, découvrant les crocs. Adèle, certaine qu'il n'hésiterait pas à tuer sa chienne, cria, affolée :

— Ne bouge pas ! Couché !

— C'est toi qui te couches, mémère ! éructa le type qui devait avoir vingt ou vingt-deux ans. Tu dis où tu caches le fric et les bijoux et j'te ferai pas de mal.

Comme aux autres.

Adèle évalua ses chances de fuite. Il intercepta son regard et gloussa :

— T'es pas assez rapide, la vieille, et j'vais me fâcher. Faut pas m'fâcher.

Il avança vers elle, ses grosses godasses sans lacets heurtant le plancher. Il leva la main armée du cutter. Elle se plaqua dos au mur. Séraphine s'apprêtait à bondir, pour la sauver. Adèle le devinait aux muscles bandés de ses courtes pattes.

— Couché ! hurla-t-elle, terrorisée à l'idée de ce qu'il ferait subir à sa meilleure amie.

Et soudain, quelque chose bascula dans l'esprit d'Adèle. Elle eut le sentiment qu'un truc tiède, puissant, dévalait dans ses jambes, dans son ventre. Son cœur s'emballa, mais il s'agissait d'un bel emballement. Elle sentit les pulsations de son sang jusque dans sa gorge. Elle déclara d'un ton heurté tant les mots ne sortaient pas assez vite :

— Ce grand professeur, il m'a dit : « Vous avez des yeux magnifiques. » Comme à Michelle Morgan, « T'as de beaux yeux… tu sais ? » Non, bien sûr. Tu ne sais rien. Vous êtes des barbares incultes ! La vie se résume à un iPhone ou à une bagnole pour toi, non ? Volés, parce que bosser, c'est trop dur, hein ? Tuer, c'est moins fatigant, hein ?

Mauvais, il siffla entre ses dents :

— Ta gueule, vieille conne ! T'es inutile, d'accord ? Tu t'allonges ou j'te bute !

Mâchoires serrées de fureur, il lâcha les fils électriques et la rejoignit en trois enjambées. Il la déséquilibra d'une poussée brutale. La lame du cutter passa à un centimètre des yeux d'Adèle. Elle savait ce qui suivrait. Ça s'étalait dans les journaux locaux. Sans doute le même dégénéré. Il allait la ligoter avec le fil de fer et la torturer pour qu'elle avoue où se trouvaient sa carte bancaire, son code, ses sous. Sauf qu'il n'y avait pas un rond dans la maison ou sur son compte. Mais il ne la croirait pas et ça continuerait durant des heures, jusqu'à ce qu'elle claque. Les trois autres vieilles étaient mortes de cette façon. Brûlées avec une cigarette, la peau tailladée. Adèle maintint son équilibre de justesse. Séraphine, hors d'elle, bondit sur l'agresseur, babines retroussées. Pauvre Choupette de quinze kilos, que pouvait-elle faire ? Mais elle fonçait, pour protéger sa maîtresse. Les larmes montèrent aux yeux d'Adèle, des larmes de gratitude. Qui l'avait un jour défendue ? Personne.

Un coup de pied mauvais cueillit la chienne qui valdingua en couinant. Il transpirait à grosses gouttes et elle lut le meurtre, l'envie de faire mal dans son regard. Il allait les tuer, elle et Séraphine. Il se foutait maintenant presque de l'argent. Elles le « gavaient », comme ils disent aujourd'hui. Elles devaient donc mourir. Surprise, elle s'entendit déclarer :

— Il faut toujours être préparé au pire. C'est le meilleur moyen de l'éviter, chère Adèle. Réfléchissez-y. Voilà ce qu'il m'a dit, le grand professeur.

D'une voix qui frisait l'hystérie, le jeune homme hurla et faisant de grands gestes de cutter :

— Ta gueule, j'te dis ! Le fric ! T'es bouchée ou quoi ?

Adèle inspira avec difficulté, bouche grande ouverte, sa respiration produisant un son rauque.

— Je vais me trouver mal. Crise d'asthme. Mon inhalateur…

Elle se tourna vers la table de chevet et souleva le roman historique.

— Bouge pas ! Bouge pas, connasse !

Adèle lui fit à nouveau face et pressa de toutes ses forces le petit conteneur en aluminium. Une longue giclée de la recharge de Zippo frappa le torse et le visage de l'agresseur, une autre et encore une autre. De l'autre main, elle battit le briquet dont elle vérifiait la haute flamme chaque matin. La seule chose qu'elle ait conservée de Robert, puisque ses fils ne fumaient pas.

Il tenta de reculer, beuglant :

— Tu fais pas ça, déconne pas ! Mais arrête, là ! Arrête… j'me barre…

— Je me suis toujours demandé ce que l'on ressentait lorsqu'on tuait un homme. Toi, tu le sais. Trois femmes au moins. Pour combien ? Quatre cents, cinq cents euros ? Moi, je tuerai pour nous défendre.

Adèle balança le briquet. Les vêtements en synthétique du jeune s'enflammèrent. Il hurla, fonça vers la porte, mais elle le devança et donna un tour de clef. En flammes, il tenta de la saisir. Elle esquiva, intimant d'un index péremptoire à la chienne de ne pas s'approcher. Durant ce qui lui sembla une éternité, à peine une minute, le hurlement continu de l'homme percuta ses tympans. Elle avait soudain l'impression d'être une danseuse, légère, libre de ses mouvements, sans douleurs de genoux, sans crainte. Elle l'évitait dans une chorégraphie mortelle, sautant de côté, passant sous ses bras en feu. Enfin, il s'écroula sur le vieux tapis façon quaker qui ornait le parquet.

Méfiante, Adèle récupéra une vieille chaussette de Robert dans le tiroir de sa table de chevet. Elle l'avait remplie avec des billes d'acier et cousue serré. Une arme de grand-mère. Très efficace. Et après tout, elle était grand-mère, bien que ne voyant jamais ses trois petits-enfants qui, eux non plus, n'en avaient rien à faire d'elle. Les rares fois où ils lui avaient rendu visite encore enfants ou jeunes ados, traînés par leurs pères respectifs, Adèle n'avait pu leur offrir qu'une tarte au sucre.

Elle les réussissait très bien. Ils attendaient une enveloppe avec de l'argent. Aussi avaient-ils été déçus.

Elle s'avança vers le corps noirâtre, fumant, immobile. Elle se baissa en surveillant le moindre mouvement, le plus infime frémissement de paupières dont les cils avaient disparu. Le torse de l'agresseur se soulevait encore. Elle abattit de toutes ses forces la chaussette alourdie de billes sur le crâne de l'homme, encore et encore, jusqu'à ce que le gros coton du pied cède et que les billes s'éparpillent dans la pièce en ricochant dans une cascade de sons métalliques. Séraphine s'approcha à son tour, humant à distance, une patte avant levée à la manière d'un chien d'arrêt. La petite chienne remua la queue. Adèle fixa le crâne défoncé et ensanglanté, et commenta :

— Là, il est mort. Je vais le rouler dans le tapis et je le tirerai un peu plus tard jusqu'au puisard. D'après la rumeur, ils y ont balancé un collabo qui avait donné le groupe de résistants du coin. Une balle dans la tête, terminé. Comme ça, ils se tiendront compagnie. Le tapis est cramé. Normal, le synthétique ça brûle facilement. J'en ferai un autre. Ça m'occupera. J'ai plein de bouts de tissus pour coudre les tresses. D'autant que tu as vomi dessus et que je n'ai pas pu récupérer l'auréole, précisa-t-elle au profit de Séraphine.

Adèle trottina vers le mur opposé et ouvrit en grand fenêtre et volets. Elle inspira avec délice l'air humide de la nuit paisible. Pas un son, pas un chat. Du coin de l'œil, elle aperçut un beau scooter appuyé contre la haie. Sans doute celui de son meurtrier en puissance. Elle l'aurait volontiers gardé. Bien plus pratique que son vieux vélo pour aller faire les courses à Bavay. Non, très imprudent. Elle le pousserait tout à l'heure jusqu'à l'étang des Flandrins, assez profond. Dommage. À force de balades avec Séraphine, elle connaissait les bois comme sa poche. Une bonne chose.

Elle s'apaisa et se souvint pour la centième fois de cette extraordinaire rencontre. Ce matin-là, trois ans plutôt, elle avait pénétré dans la boulangerie de Bavay, remarquant la grosse berline BMW garée juste devant. Pas une voiture du coin. D'ailleurs, la plaque minéralogique était belge. Un homme grand, encore jeune, très élégant, payait son pain au chocolat. Il s'était tourné pour sortir et l'avait dévisagée avec attention, son lumineux sourire atténuant son insistance.

Ce grand professeur de Belgique lui avait alors dit :

— Vous avez des yeux magnifiques, madame. C'est très rare, les yeux gris. Gris franc, pas gris bleu ni gris vert. Presque aussi rare que les yeux vert émeraude.

Un peu interdite, elle l'avait fixé, sans mot dire. Tentant sans doute de la rassurer, il avait précisé :

— Dr Thierry Janssens. Spécialisé en médecine interne. Au revoir, mesdames, les avait-il saluées, la boulangère et elle.

Après avoir papoté de tout et de rien, du temps, de la saison de la chasse, du prix du gaz, Adèle était ressortie. Le médecin l'attendait, les reins appuyés contre le capot de sa voiture. Le caducée orné d'une croix rouge collé en bas du pare-brise l'avait rassurée.

— Si vous avez un peu de temps… j'aimerais bien discuter avec vous, madame. Vous poser des questions sur les couleurs d'yeux dans votre famille. Je m'intéresse aux aspects génétiques. Il avait désigné le bar-tabac-restaurant-point presse de la Boule Verte et offert : Un café, un demi, un jus de fruits ?

Adèle n'avait hésité qu'une seconde. La Boule Verte était en général très fréquentée à l'heure du déjeuner. Il ne pouvait rien lui arriver. Elle avait accepté et devait par la suite s'en féliciter. Encore cette nuit, d'ailleurs. Alors qu'ils bavardaient depuis une bonne demi-heure et qu'elle lui avait expliqué que les yeux gris lui venaient de sa mère, il l'avait gentiment invitée à déjeuner. Soudain, le Dr Thierry Janssens avait lâché :

— Il faut toujours être préparé au pire. C'est le meilleur moyen de l'éviter, chère Adèle. Réfléchissez-y.

Cela devait bien faire quinze ans qu'Adèle n'avait pas mangé au restaurant, même dans une brasserie sans chichi. Elle s'était régalée avec la carte du jour : une énorme tranche de pâté de chevreuil maison et une entrecôte bleue, accompagnée de frites, le tout suivi d'une crème au four, sans oublier un verre de côtes-du-rhône. De très bonnes frites, légères, croustillantes, cuites à point.

Plus tard, une fois rentrée chez elle, après avoir accepté la prise de sang qu'il lui avait proposée, elle avait réfléchi, ainsi que le célèbre professeur le lui avait conseillé. Dès qu'elle avait lu les titres des journaux locaux quelques mois plus tôt, elle s'était préparée. Avec la recharge d'essence et la chaussette-matraque, regrettant que son fils aîné ait réclamé, ou plutôt exigé, le fusil de chasse de Robert. Et le pire n'était pas advenu. Du moins pour elle et sa valeureuse Séraphine. La mort d'un dégénéré ne peut pas s'apparenter au pire. Combien de vieilles personnes ignoreraient toujours qu'Adèle venait de les sauver d'une longue et effroyable agonie ?

S'adressant à Séraphine, intriguée par cette viande brûlée qui gisait sur le tapis, Adèle répéta pour la millième fois :

— Il m'a donné le numéro direct de sa secrétaire. Ça, je suis sûre qu'il n'y a pas beaucoup de gens qui l'ont. En cas de besoin, a-t-il précisé.

Le puisard, maintenant. Heureusement qu'elle se maintenait en forme. « On n'a pas du sang de navet chez nous », répétait sa mère, une forte femme à qui mieux valait ne pas souffler dans les bronches.

Chapitre 34

11 décembre, XVe arrondissement, Paris, France

La sonnerie de son portable tira Yann du sommeil. Il poussa un juron lorsqu'il découvrit l'heure au réveil : 6 h 03. Il répondit, prêt à agonir d'injures le malotru :

— Vous savez l'heure qu'il est ? vociféra-t-il, aussitôt interrompu par la voix guillerette de Lucie.

— Mon poussin, si le téléphone t'emmerde… éteins-le ! Caroline Delacroix, ex-Janssens, j'ai une touche, envoyée à 23 h 57.

— T'as son adresse ?

— Et son numéro de téléphone, sans oublier son CV. Elle a travaillé à l'hôpital privé Paul Ehrlich à l'époque qui nous intéresse. Peut se libérer très vite, ce qui sous-entend qu'elle est au chômage. T'as du bol, elle habite le XIIIe arrondissement, rue de Tolbiac.

— J'y vais, à l'improviste. Tu veux m'accompagner ?

— Oh non ! Je ne fais pas les gens. Je fais les ordinateurs. Bien plus peinard.

Chapitre 35

Un peu plus tard, 11 décembre,
forêt de Rambouillet, France

Après un dernier soupir de satisfaction, Laurent Lecomte remonta son pantalon et ferma sa braguette. Le froid vif de cette fin de nuit le fit frissonner. Pourtant, il l'avait oublié durant quelques minutes. Il récupéra son duffle-coat en cuir doublé de cashmere qu'il avait suspendu à une branche basse et l'enfila.

Il fouilla dans la poche intérieure et en tira trois billets de cinquante euros. Il les tendit à la très jeune femme qui se rhabillait sans un mot.

— Merci. C'était parfait. À la prochaine fois.

Elle fourra l'argent dans son grand sac en bandoulière et en extirpa un paquet de lingettes. Elle s'essuya méticuleusement le visage et les mains.

— J'attends votre appel à votre prochain passage en France. Bonne journée, répondit-elle avant de tourner les talons.

Elle se dirigea d'un pas vif vers sa voiture garée deux cents mètres plus loin, le long d'un chemin forestier. Laurent attendit que la voiture démarre et s'éloigne dans la pénombre grise.

Bras levés vers le ciel, il s'étira. Il se sentait bien, comme après chaque rencontre avec celle qui se faisait appeler Eva.

La même interrogation lui revint pour la millième fois. Pourquoi avait-il recours aux services d'une jeune prostituée alors qu'il était heureusement marié, et qu'il « fréquentait » deux maîtresses dont une à l'étranger, sans compter les coups de quelques heures, bref les femmes qui le trouvaient à leur goût ? Il plaisait et en était conscient. Certes, il aimait le sexe. Pas au point toutefois de se sentir en manque s'il venait à se raréfier. Lorsqu'il partait quelques jours, voire une ou deux semaines en déplacement, il ne songeait même pas à se masturber. Quant aux mecs, ils ne l'attiraient aucunement, du moins sexuellement. Dommage, d'une certaine façon, parce que les hommes ne manquaient pas dans son domaine professionnel : la réalisation de plateformes pétrolières. Quoi ? Fallait-il qu'il paie pour se sentir parfaitement libre, sans obligation de réciprocité ? Fallait-il ce petit parfum de clandestinité, au fond bien banal, pour que le sexe redevienne une véritable aventure ? Laurent Lecomte n'aurait su le dire. Toutefois, l'apaisement parfait que lui vendait Eva le détendait durant des jours. Contrairement aux échanges conjugaux qui, pour harmonieux et satisfaisants qu'ils fussent, ne le comblaient jamais tout à fait. Il rangeait ses maîtresses dans le même rayon que l'épouse. Ces dames l'ignoraient, mais elles avaient finalement de la chance. Le plus souvent en déplacement, il les utilisait assez peu souvent pour ne pas complètement s'en lasser. Et puis, Eva ne l'aimait pas. Il ignorait même si elle le trouvait, elle aussi, séduisant. Il y avait de la crudité dans leurs échanges, une totale absence de faux-semblants. À part cela, il ignorait tout d'elle, hormis son numéro de portable « professionnel ». Elle était jeune, jolie, a priori saine, et elle n'en avait rien à foutre de lui. Tout comme il n'en avait rien à foutre d'elle. Un marché sans dupe.

Il eut envie de faire quelques pas, de profiter du silence trompeur de la forêt qui s'éveillait. Il avait toujours aimé les forêts, quoi que regrettant qu'elles ne fussent plus que des étendues apprivoisées par l'Homme, tracées de chemins, balisées de couleurs pour les randonneurs, de tables et bancs de bois pour les familles en promenade. Il remonta vers le chemin où s'était garée Eva un peu plus tôt. Il avait toujours songé qu'après sa mort, il voudrait être incinéré, ses cendres répandues entre les arbres, sur l'humus, poussière retournant à la poussière, organicité rejoignant la véritable matrice. Étrangement, alors qu'il était architecte, spécialisé dans les plateformes MODU, Module Offshore Drilling Units, destinées au forage et au logement des employés, Laurent n'aimait pas la mer. Elle ne l'intéressait que parce qu'elle était génératrice d'une foule de contraintes : tempêtes, sel corrosif, glissements sous-marins et autres, et qu'il fallait la vaincre sans cesse.

Il inspira bouche ouverte, à pleins poumons, l'air acidulé et glacial. Le chemin s'enfonçait, perpendiculaire à la route qui traversait la forêt et reliait Rambouillet à Cernay-la-Ville puis Chevreuse. Les remugles de pots d'échappement ne parvenaient pas jusqu'ici.

Il admettait qu'il avait changé, de façon d'abord si subtile, insidieuse presque, que lui seul, sans doute, s'en était rendu compte. Il aimait ce changement, la solitude qu'il sous-entendait. Il avait l'impression d'être enfin l'exclusif habitant de son esprit. Pas toujours, mais la plupart du temps. Étrangement, il n'en était devenu que plus sociable, plus chaleureux envers les autres. Une fausse sociabilité, si convaincante que certains de ses collaborateurs proches avaient même cru qu'il avait suivi une thérapie comportementale. Il l'avait deviné à quelques questions maladroites de Virginie, son assistante parisienne, une ancienne et très passagère maîtresse. Il ne l'avait pas détrompée, sans pour autant confirmer. Cette explication erronée l'arrangeait en lui simplifiant la tâche. En réalité, il se sentait maintenant parfaitement à l'aise avec ses congénères parce qu'il n'en avait plus peur. Plus peur de leur regard, plus peur de leurs médisances, de leurs jugements. Plus peur non plus de son propre regard sur lui-même. Une libération. Il était lui et n'avait plus rien à foutre du reste. Les autres étaient devenus des quantités interchangeables. Tous, même sa femme.

La plénitude qui l'habitait aujourd'hui était encore meilleure que le sexe. Presque aussi grisante que l'argent.

Un froissement de feuilles mortes lui fit relever la tête. Le silence à nouveau. Il reprit sa marche. Il allait bientôt rejoindre sa berline de luxe garée non loin de la route. Il traverserait Rambouillet et s'arrêterait sur la place du château pour boire un bon crème. Il serait dans son cabinet de Paris avant 9 h 30.

À nouveau, une sorte de froissement sur sa droite. Il tourna le regard. Il lui sembla qu'une ombre légère détalait. La forêt s'éveillait. Un animal dérangé par sa présence, sans doute. Il sourit. À cet instant précis, il aurait aimé être un cerf, un renard ou même un sanglier, ivre de liberté, courant à la pleine puissance de ses muscles, droit devant. Seul au monde.

Un sifflement. Une douleur explosa dans sa jambe gauche. Il baissa les yeux et resta médusé quelques dixièmes de secondes. Une flèche avait traversé son mollet de part en part. Une pointe triangulaire dépassait, juste sous son genou. Une nappe rouge s'élargit sur l'épais velours tabac de son pantalon. Il souffla bouche ouverte, retenant le gémissement de douleur qui montait dans sa gorge. Il se laissa aller contre un tronc et tenta de tirer la hampe lentement pour déloger la flèche. La panique l'envahit. La pointe était étrange, ancienne, très acérée. Pour ce qu'il en savait, c'est-à-dire peu de choses, les arcs de compétition, avec compensateur et viseur, tiraient des flèches à bout arrondi pour éviter les accidents. D'autant qu'aujourd'hui, les hampes étaient faites de métal ultraléger. La douleur irradiait jusque dans sa hanche. Le sang dégoulina sur l'humus presque noir. Qui ? Un abruti qui se la jouait Robin des bois ou *Hunger Games* ? La fureur remplaça la peur et il hurla :

— Connard, je suis blessé ! Vite, appelle les secours, je pisse le sang ! À l'aide ! Quelqu'un ? Putain, appelle les secours, DuCon, et casse-toi après si tu veux.

Une silhouette mince et élancée se matérialisa devant lui. Il tenta de l'agripper, mais elle recula d'un bond léger. Encore, un pas, un autre. Elle leva l'arc et le banda.

Il hurla :

— Arrête, mais arrête, c'est quoi cette histoire ! Mais qui es-tu, qu'est-ce que tu veux… Arrête, merde ! Arrê…

La seconde flèche traversa son cou à hauteur du larynx. Il s'écroula, vagissant comme un bébé. Il tenta à nouveau de protester, de supplier mais le sang l'étouffait. Il leva les yeux. La silhouette avait disparu. Il rampa sur le flanc, en gémissant, toussant des gorgées de sang. La mort était maintenant et ici. Dans quelques secondes, dans quelques mètres.

La silhouette patienta puis s'approcha et se pencha pour retirer les deux flèches qu'elle essuya à la luxueuse doublure du duffle-coat. Elle les replaça dans le long carquois en cuir noir et s'élança au petit trot pour rejoindre son véhicule.

Chapitre 36

Un peu plus tard, 11 décembre,
XIIIᵉ arrondissement, Paris, France

Il était à peine 9 heures lorsque Yann Lemadec dépassa un restaurant italien et une cave de la rue de Tolbiac. Il s'arrêta devant le numéro précisé par l'informaticienne et repéra le nom qui l'intéressait sur l'interphone.

Une voix féminine peu amène répondit à la troisième sonnerie :

— Oui ? Qui est-ce ?

— PJ. Je souhaite m'entretenir avec Mme Caroline Delacroix.

— C'est ça, oui !

— Inspecteur Yann Lemadec. Je voudrais parler à l'ancienne Mme Janssens. Je peux vous faire convoquer, si vous préférez, bluffa-t-il.

— Vous avez une carte, ou un truc ?

— Évidemment !

— Vous le présentez devant l'œilleton, même s'il y a plein de fausses cartes. Troisième gauche.

Un déclic, la porte s'ouvrit. Yann n'attendit pas l'ascenseur et grimpa quatre à quatre l'escalier de l'immeuble assez cossu, de la période haussmannienne. Parvenu devant la porte, il s'exécuta, brandissant sa carte, un sourire pro mais avenant aux lèvres. Pour une fois, il remercia le ciel pour son physique très convaincant.

Caroline Delacroix entrouvrit et passa un bras afin d'examiner de plus près son badge. Yann le lui remit, plaisantant :

— Si j'étais animé de mauvaises intentions, je pousserais violemment le battant et je vous assommerais, ou alors je le tirerais et vous coincerais douloureusement le bras.

L'argument, inepte puisqu'alors elle aurait pu hurler, sembla la convaincre. Elle apparut sur le pas de la porte, vêtue d'un peignoir en éponge jaune, chaussée de mules.

— Entrez, offrit-elle sans enthousiasme.

Il la suivit dans un étroit couloir qui débouchait dans un salon, salle à manger. Un désordre ahurissant régnait dans la grande pièce. Des vêtements chiffonnés semaient les deux petits canapés et le fauteuil. La table basse débordait d'un monceau de trucs et détritus : une assiette au centre de laquelle achevaient de se dessécher les reliefs du dîner ou du déjeuner de la veille, un verre au bord maculé du pourpre des tanins de vin, des magazines entrouverts, deux télécommandes, deux tasses, une paire de ballerines en vernis noir un peu craquelé, un rouleau d'essuie-tout. Il jeta un regard vers la haute fenêtre, dont les vitres n'avaient sans doute pas été nettoyées depuis un an. Le cadavre d'un ficus achevait son agonie sur l'étroit balcon. Une odeur peu flatteuse flottait dans l'appartement, crasse mêlée de relents de cuisine, de remugles de poubelles et de pisse de chat.

Caroline Delacroix poussa des vêtements vers l'extrémité d'un des canapés et lui restitua sa vraie fausse carte en proposant :

— Vous pouvez vous asseoir.

Elle s'installa à califourchon sur l'accoudoir de celui qui faisait face à Yann, découvrant plus que de souhaitable le haut de sa cuisse. Il eut la certitude que cette position était calculée.

— Je vous aurais bien offert un thé ou un café mais je…
dois faire des courses.

— Inutile, merci.

Assez gêné par l'exhibition qui menaçait de révéler sous peu
le sexe de la femme, il la fixa droit dans les yeux. Caroline
Delacroix avait dû être jolie, mais sa peau blafarde, un peu
flasque, ses cheveux plus très propres, d'un blond fade barré
d'une racine plus foncée, et son étrange regard n'avaient plus
rien d'engageant. Le désordre cradingue qui régnait dans cette
pièce, ce laisser-aller, trahissaient-ils sa personnalité, ou bien
était-ce le résultat d'un long chômage déstructurant ? On perd
son boulot, on perd ses amis. Ensuite, le plus généralement,
on perd l'envie de lutter. L'amour-propre et le reste suivent
dans la dégringolade. Il faut être solidement construit pour y
résister, ou alors bien entouré.

— Vous vouliez parler à l'ex-madame Janssens ?

— En effet.

— Allez, une bonne nouvelle, j'en ai besoin ! Annoncez-
moi que cet enfoiré de Thierry est mort.

— Je vous demande pardon ? Nous menons une petite
enquête de routine. Je voulais savoir si vous l'aviez récemment rencontré.

— Rencontré ? Vous rigolez ? Il me fuit comme la peste
depuis le divorce. Comme je n'ai pas eu l'intelligence de lui
faire un enfant, tintin la pension alimentaire.

Yann sortit la panoplie habituelle. L'air grave et compréhen-
sif, la compassion à deux balles, la prétendue envie d'en savoir
davantage. L'idéal pour pousser aux confidences ceux qui
rêvent de parler d'eux.

— Je sens que ça a été très dur pour vous…

— Un peu, oui ! Mariée à un bel interniste avec un boulevard devant lui. J'ai obtenu une consultation de podologue
hospitalière grâce à lui, et soudain tout s'écroule. Et maintenant, pour ce que j'en sais, il se fait des couilles en or en

Belgique en traitant la crème de la crème ! Tout ça à cause de cette bonne femme !

— Une maîtresse ?

— Pire que ça. Un mentor, une égérie, une icône, aux yeux de Thierry…

Yann comprit immédiatement qu'elle parlait du Pr Alexandra Beaujeu, mais se tint coi.

— … En fait, tout a commencé à cause de cette gamine… La mère Beaujeu, une neurologue de l'hôpital, chef de service, la femme en question, a eu un doute. La fillette présentait dix-neuf fractures, un bébé[1]. Le père affirmait qu'elle était tombée. Mais les fractures étaient localisées sur les genoux et les côtes, et Beaujeu a jugé que c'était incohérent avec l'hypothèse d'une chute. Ils ont réussi à sauver le bébé, qui restera sans doute invalide à vie, mais Thierry ne s'en est pas remis parce qu'il avait cru les parents. Après, la mère Beaujeu est devenue la Sainte Vierge à ses yeux. Ce que je disais n'avait plus aucun intérêt. Il a changé. Il était gai, aimait faire la bringue, comme moi. Il est devenu lointain, lourd, pas drôle. Ensuite, elle a perdu son fils. Une histoire affreuse, je lui reconnais ça. Ça les a encore rapprochés. Le pire, c'est que je suis presque certaine qu'ils n'ont jamais couché ensemble. Elle n'était pas mal du tout, très classe. Bon, mais si vous me lancez sur le sujet, je suis intarissable.

— Ça m'intéresse. Ça me permet d'améliorer mon portrait de Thierry Janssens.

Elle sembla décider que se confier lui apportait plus qu'une rapide partie de jambes en l'air avec un inconnu séduisant, et rabattit le pan de son peignoir sur sa jambe avant de s'asseoir en face de lui.

— Ensuite, il y a eu cet avertissement de l'ordre des médecins.

---

1. Le bébé était âgé de deux mois. Actu.orange.fr/france/un-nourrisson-victime-de-19-fractures, 04/12/2011.

— À quel sujet ?

— Je ne sais pas trop. Beaujeu voyait des enfants atteints d'une myopathie. Un truc à ce sujet…

Elle confirmait les dires de Salvindon.

— J'ai sauté sur l'occasion pour rentrer dans le crâne de Thierry que cette bonne femme était néfaste à sa carrière. Merde, il gagnait déjà beaucoup de fric ! On n'allait pas tout perdre avec une radiation éventuelle. Quand elle a démissionné peu après, j'étais aux anges. Enfin débarrassée de cette folle. Thierry m'a annoncé dans la foulée qu'il partait se spécialiser à nouveau aux États-Unis et qu'il voulait le divorce. C'est de sa faute, c'est elle qui a tout manigancé. Elle l'a manipulé ! cria presque Caroline Delacroix, le visage tendu de rage.

— Selon vous, ils sont toujours en relation ?

— J'en sais foutre rien et je m'en cogne ! Ces deux-là ont pourri ma vie. À l'époque, un… un client m'a recommandé un ami avocat, excellent, affirmait-il. Un type spécialisé dans les divorces à fort profil. Traduire : dans lesquels il y a du fric à ramasser. Excellent sur les honoraires, ça, c'est clair. En plus, il m'avait convaincu d'avoir recours à un détective privé pour fouiner dans la vie et le passé de Thierry. Je suis certaine qu'il a palpé une jolie commission dessus. J'ai terminé de payer il y a quatre ans. Ça m'a lessivé financièrement. Thierry venait d'une famille riche. Sa vieille conne de mère, méfiante comme un pou, avait insisté pour qu'on signe un contrat de mariage. Il n'y avait pas de raison que je reste sans rien, non ?

— Très frustrant, biaisa Yann qui commençait à se faire une idée peu réjouissante de Caroline Delacroix.

— C'est le mot. Thierry a eu recours aux services d'un ténor du barreau. Un vrai, lui. Et brusquement, le témoignage de cet abruti a surgi…

Se souvenant soudain du prétexte fourni par Yann, elle demanda, un sourire aux lèvres :

— C'est quoi, l'enquête ? Il a des problèmes avec la police ?

319

— Vous comprendrez que je ne puisse vous le révéler. Mais les infos que vous me fournissez sont importantes, ça épaissit le dossier.

La formulation, pourtant vague, ne rata pas sa cible. Caroline Delacroix en déduisit que son ex-mari avait maille à partir avec la justice. Elle tenait enfin sa vengeance.

— Écoutez, inspecteur, selon moi… comment dire… l'itinéraire de Thierry est trouble… D'accord, c'était un très bon praticien. Mais soudain, il se retrouve avec les richards de la planète dans sa clientèle. C'est louche, non ? Il faut être introduit dans ce genre de milieu, hein ? Ou alors, il faut fournir des trucs spéciaux, du genre illégal, vous ne croyez pas ?

— Si, tout à fait. Et ce témoignage ?

— Un connard d'infirmier qui a affirmé que nous avions eu des rapports sexuels.

— C'était faux ?

— Bien sûr qu'il m'avait sautée, comme d'autres. Pas de quoi en faire un plat. Un truc hygiénique. Je suis certaine que la mère Beaujeu a convaincu l'infirmier de l'ouvrir. Elle est capable de tout. Elle protégeait Thierry, son fils spirituel. Le divorce a été prononcé. J'ai contre-attaqué et ai été condamnée aux dépens en appel. Je ne vous dis pas la somme ! Les honoraires de son avocat étaient cinq fois plus importants que ceux du mien. Pour couronner le tout, cette histoire avec l'infirmier avait fait le tour de l'hôpital, d'autres types en avaient rajouté une couche, et mon contrat n'a pas été renouvelé.

— Un choc.

— Plutôt, oui ! J'ai enchaîné les remplacements, surtout dans des instituts de beauté. Je n'avais plus le fric pour ouvrir un cabinet et je n'étais pas solvable, donc bye-bye les prêts. Je dois trois mois de loyer, et, à la fin de la trêve hivernale, je redoute le pire. Mais je cherche du boulot. À l'étranger, dans un pays francophone où les gens ont du blé. Là, je crois avoir une touche. Cerise sur le gâteau, si Thierry pouvait se prendre une méga veste, je sable le champagne.

Yann se leva et la remercia. Il ne lui expliqua pas que rendre les autres responsables de ses propres failles est un trait de caractère répandu, mais qu'il ne permet jamais d'améliorer son sort. Il la laissa avec sa rancœur. Après tout, il s'agissait de la dernière chose qui la portait.

Il ne s'en voulut même pas de lui avoir donné un faux espoir avec le prétendu Guillaume Muller de Genève, alias Lucie Dormois.

Chapitre 37

Un peu plus tard, 11 décembre, Paris, France

Artemis avait résisté toute la matinée, depuis le départ de Jeanne pour le travail. N'y tenant plus, elle vérifia sa messagerie. Un mail atterrit et son cœur s'emballa lorsqu'elle déchiffra l'adresse d'Apollo : enfin, il répondait ! Quelle idiote, elle avait passé ses journées, une partie de ses nuits à s'inquiéter, voire à s'affoler, se cramponnant à l'idée que son frère d'âme pouvait tout simplement connaître un pépin informatique. Un disque dur hors service, ça existe !

Dear Artemis,

I have found your three last mails, from which I guessed you were my son's Lucas very special friend. Forgive me : my French is lousy and I am so terribly devastated that I hardly find my words in my mother tongue.

Lucas was transferred in the ER Sunday night, and he passed away Monday morning. He died from a kidney failure worsened by an infection. The last months had been horrible. He suffered so much from the arthritis. God, he was only 20 years old !

I am so sorry to break this awful news to you in such a harsh manner, but I seem incapable of finding another way to do so.

Should you feel like it, please send me an email.

Take care, dear Artemis. Please, pray for my beloved son.

Arthur Griffin, Lucas'Dad[1].

Artemis resta figée, incapable d'aligner deux pensées cohérentes. Et soudain, la mer des souvenirs malfaisants se souleva, déchaînée. Une vague mauvaise s'abattit sur Artemis, l'engloutissant. Ses faibles ailes étaient paralysées. Elle suffoqua, incapable de remonter vers la surface, ne sachant plus si l'eau qui trempait son visage provenait de larmes ou des gouttes marines et assassines. Elle s'entendit hurler très loin dans son esprit. Jeanne, je me noie ! Jeanne, j'ai si peur, je coule, seule ! Jeanne, sauve-moi !

Et le souvenir de la main tiède de sa mère fut contre sa paume. L'ourse magnifique fut à ses côtés et la tira de toutes ses forces. Et Artemis écarta les ailes. Elle remonta, retenant son souffle.

Son front heurta le plateau du bureau. Elle éclata en sanglots. Les muscles de son visage la torturaient.

Elle récupéra son portable et enclencha la touche 1 correspondant au numéro professionnel de sa mère. Aussitôt, la voix inquiète :

— Quoi ? Que se passe-t-il chérie ? Tu es tombée ?

---

1. Chère Artemis, j'ai trouvé vos trois derniers mails qui m'ont permis de deviner que vous étiez l'amie très spéciale de mon fils, Lucas. Pardonnez-moi, mon français est minable et je suis si anéanti que j'éprouve des difficultés à trouver les mots dans ma propre langue. Lucas a été transféré aux urgences dans la nuit de dimanche et il est décédé lundi matin. Il est mort d'une insuffisance rénale aggravée par une infection. Les derniers mois ont été épouvantables. Il souffrait tant de son arthrite. Mon Dieu, il n'avait que vingt ans. Je suis désolé de vous asséner cette affreuse nouvelle de la sorte mais incapable de trouver une autre formulation. Si vous en avez envie, envoyez-moi un mail, s'il vous plaît. Prenez soin de vous, Artemis. S'il vous plaît, priez pour mon fils adoré. Arthur Griffin, le papa de Lucas.

Incapable de proférer une phrase dans ses sanglots, Élisabeth/Artemis balbutia :

— Non... non...

— Calme-toi, mon cœur. Explique-moi...

— Mon ami du Canada... celui qui souffrait d'un lupus... il est mort... je... je...

Elle s'interrompit, ses sanglots redoublant.

— Je rentre ! Attends-moi, chérie. Je saute dans un taxi, je rentre. Je t'aime, je t'aime, je t'aime.

Artemis parvint à taper quelques mots de réponse au père de Lucas/Apollo. Des mots de tristesse, mais des mots insuffisants, ineptes. Ce qu'elle ressentait était au-delà des mots de désespoir. De plus, Arthur Griffin ne devait jamais apprendre ce qu'elle avait partagé avec son fils, à l'autre bout du monde.

En dépit de ses souffrances et du fait qu'il savait sa fin proche, Apollo avait quand même réussi la prouesse de supprimer toutes traces de leurs échanges.

Elle effaça à son tour tous leurs messages et désactiva l'adresse mail qu'elle avait utilisée pour correspondre avec lui. L'avenir dépendait de leur vigilance à tous.

Chapitre 38

Un peu plus tard, 11 décembre, Roxbury,
Massachusetts, États-Unis

Karl McGovern gara sa Ford hybride vers 9 heures du matin, à quelques mètres de l'endroit où la police avait découvert le corps ensanglanté de Julianne Walker. Il ne doutait pas que son costume trois-pièces, ses cheveux blonds coupés très courts et ses yeux bleus attireraient vite l'attention. Thierry Janssens lui avait demandé s'il pouvait enquêter. La requête, car il ne s'agissait pas d'un ordre, avait été formulée avec tact. De toute façon, si Thierry avait besoin de quelque chose, n'importe quoi, Karl se mettrait en quatre pour l'aider.

Il détestait cet endroit, cette faune qui contrairement aux autres ne respectait aucune règle. Cependant, il n'en avait plus peur et depuis très longtemps, grâce à Thierry. Il se sentait enfin parfaitement bien, parfaitement équilibré. Avant, la rage lui avait bouffé la vie, lui donnant envie de cogner quand trop devenait vraiment trop. Aujourd'hui, il partageait un plan, un plan extrêmement intelligent et structuré qui ne tolérait aucun débordement d'ego froissé, aucun raisonnement inepte. Un plan qui indiquait qu'il faisait partie d'un groupe soudé, dont le but magnifique les dépassait tous, à l'échelon individuel. Karl avait le sentiment d'avoir grandi dans son esprit. De petite fourmi humaine stressée, rongée d'aigreur, courant d'un coin à un autre, il était devenu un soldat, un veilleur. Un atout pour d'autres, partout dans le monde. Il savait qu'en cas de menace contre lui, le groupe serrerait les rangs pour le protéger. Il savait que si le groupe était menacé, il irait jusqu'au bout du monde afin de prêter main-forte. Sa vie avait enfin trouvé la signification qu'elle se cherchait. Au fond, on pouvait sans doute les considérer comme une secte, mais au sens étymologique et sans les dérives actuelles du terme : des individus unis par la même croyance philosophique ou religieuse. De *sequi*, suivre, ou de *secare*, couper. Ils s'étaient coupés sans violence de la masse de ceux qui gobaient la logorrhée lénifiante des politiques, parce qu'eux croyaient encore au futur de l'humanité, parce qu'eux se savaient humains, parmi d'autres humains.

— Wow, mec ! T'as perdu ta nourrice ? T'es chez nous, là ! Tu veux acheter un truc ? Sans ça, tu te barres, vite fait. T'as rien à foutre chez nous.

Avant, avant Thierry, une colère flamboyante lui aurait fait perdre ses moyens. Il aurait rugi dans sa tête que non, il était aussi chez lui, aux États-Unis ! Du coup, il aurait détesté ce Black. Réaction stupide ! Il n'était qu'un produit des circonstances et aussi des règles de sa meute. Or Karl McGovern avait appris à penser en termes de groupe, plus en individu isolé. Il le détailla : un type d'une vingtaine d'années, trop maigre, qui portait ses cheveux mi-longs nattés, des lunettes de soleil de marque en dépit de la faible luminosité de ce matin hivernal et un gros brillant d'oreille. Karl lui répondit d'une voix ferme mais calme :

— J'achète des renseignements. Fiables. Une femme s'est fait tabasser à mort ici, dans cette rue. Une blonde qui conduisait un coupé Mercedes. Fin septembre. Je me fous de savoir où sont passés sa bagnole, son fric, ses bijoux. Je veux savoir comment ça s'est déroulé au juste. Je ne fais partie ni de la police, ni du FBI.

— J'vois vraiment pas de quoi tu parles, mec ! J'sais rien au sujet de cette gonzesse.

— Cinq cents dollars pour des infos fiables, insista Karl McGovern.

— Ta meuf ?

— Non, je l'avais juste rencontrée une fois, en Belgique.

— Ah ouais, une ville en France ! J'en ai entendu parler. Ils ont un roi. C'est cool, un roi. Cinq cents dollars, tu dis ?

— Oui.

Le Black le scruta des pieds à la tête, d'un air arrogant et teigneux.

— Tu bouges pas de ta caisse, j'vais voir ce que je trouve. Au fait, mec… t'as intérêt à payer !

— Si j'ai les renseignements, approuva Karl en palpant discrètement le Glock qu'il avait fourré dans sa poche de duffle-coat. J'ai dit : des renseignements fiables !

Une sorte d'ivresse l'envahit. Il lutta contre elle. Il n'avait plus peur et l'autre le sentait. Toutefois, il devait toujours se souvenir qu'il était maintenant un soldat. Pas comme ce tocard avec sa capuche de sweat enfoncée bas sur le front qui se la pétait Iron Man et Wolverine. Lui, Karl McGovern, avait une mission.

Un bon quart d'heure s'écoula. Puis, son intermédiaire refit surface, un smartphone à la main. Il exigea :

— Le fric !

— Non, les renseignements d'abord, contra Karl en le fixant de ses iris gris.

— Je sais que t'as un flingue. Si tu me butes, tu seras transformé en passoire par mes potes qui surveillent.

— Tu seras quand même mort avant moi. Les renseignements !

Le grand type sélectionna un fichier et tendit le smartphone sans toutefois le lâcher. Et Karl comprit tout.

Il vit le coupé Mercedes arriver trop vite dans la rue, tanguer. Il entendit le crissement des pneus. Il vit l'adolescent noir, d'à peine quinze ans, vêtu d'un sweat-shirt blanc crier, tenter de sauter sur le côté. Il aperçut Julianne Walker derrière le volant, incapable de redresser la voiture.

Un cri strident tira Julianne Walker de son infime endormissement. Ses rétines enregistrèrent quelque chose, un garçon vêtu d'un sweat-shirt blanc à capuche. Il fixa la voiture, bouche grande ouverte, la terreur dans le regard. Pourtant, le cerveau de Julianne ne réagit pas. Il était trop occupé à détailler le carrelage blanc verdâtre de la salle de bains du mobil-home, la femme morte repliée en berceau autour d'une enfant ensanglantée. Un autre cerveau, pas vraiment le sien, lui ordonna d'enfoncer la pédale de frein. Les pneus de la voiture geignirent puis le véhicule s'immobilisa.

Quelques secondes plus tard, quelques mètres plus loin, le sweat-shirt blanc d'un jeune adolescent noir allongé au sol se teintait d'une marée rouge. Une frappante palette de couleurs. Normalement, il n'y avait que du blanc terne, du gris pâle et du verdâtre dans ses rêves.

Julianne Walker ferma les paupières et se massa les tempes. S'agissait-il toujours de son rêve, de cette détestable réalité décalée ? Étrange. Il n'existait aucune parole, aucun son dans ses rêves. Or là, en cet instant précis, cinq jeunes Blacks environnaient sa voiture, vociférant, tapant de leurs poings contre le pare-brise, tentant d'ouvrir la portière verrouillée. Bouches grandes ouvertes, dents blanches, langues rouges. George Michael chantait You've changed.

Un des jeunes, déchaîné, envoya de grands coups de pied à la carrosserie. Un autre traça du bout de son pouce appliqué sur son cou la ligne imaginaire d'un futur égorgement. La voiture tangua. La fureur envahit Julianne. Une houle conquérante, une tempête

*d'adrénaline. Sa migraine disparut soudain. Elle sut que ceci était
la réalité. Au fond, la réalité qu'elle attendait sans oser se l'avouer.*

Karl vit Julianne Walker descendre de voiture en brandissant un pistolet, traiter les cinq Blacks qui fondaient sur elle,
dont son interlocuteur, de rats, de parasites, de déchets. L'écho
d'une détonation. Un cri. Un jeune type plaqua la main sur
son bras que la balle avait traversé. Julianne s'écroula très vite.
Elle ne poussa pas un seul hurlement alors que les coups pleu-
vaient sur elle.

— Elle devait mourir, conclut Karl dans un murmure.

— Ouais, mon mec. On s'en est chargé. Le fric.

— J'envoie le fichier vidéo à un ami, en Belgique.

— Tu fais pas ça ! éructa l'autre. Je suis dessus !

D'un geste rapide, Karl sortit son Glock. Il écrasa la gueule
de l'arme sur la joue de l'autre et asséna :

— Je m'en cogne. Tu n'as aucun intérêt à mes yeux. C'est
elle qui nous préoccupe. Alors, tu restes sage.

Il tapa l'adresse que Thierry lui avait donnée. Un compte
messagerie qui disparaîtrait dès que le fichier vidéo serait
récupéré.

Thierry voulait comprendre pourquoi quelques rares ampli-
fications rataient. Julianne ne se droguait pas mais avalait des
antimigraineux et des anxiolytiques à la louche. Le rapport
d'autopsie que lui avait envoyé clandestinement le légiste Neils
Roberts était formel. Quant aux prises trop importantes
d'oméga-3 que Julianne multipliait, elles étaient responsables
de l'importance de l'hémorragie.

Karl, arme en main, rendit le téléphone au Black et fouilla
dans sa poche pour en tirer le rouleau de cinq cents dollars.
Il précisa :

— Je pars. Tu n'as jamais existé. Moi non plus. Cette rencontre n'a jamais eu lieu.

Chapitre 39

Plus tard, 11 décembre, Institut médico-légal, Paris, France

Le corps de Laurent Lecomte avait été découvert en forêt de Rambouillet, aux environs de 15 h 30, par un joggeur et son chien.

Une jeune généraliste, seul médecin qui avait accepté de se déplacer à l'appel de la police, s'acquitta des constatations d'usage, en vérifiant quelques caractéristiques post-mortem et en précisant aux policiers :

— Je ne suis pas légiste. Je vérifie ce que je dois vérifier, rien d'autre. Une seule chose est véritablement importante en ce qui me concerne : le décès est-il naturel ou pas ? Et je ne vous étonnerai pas en répondant par la négative.

Un des policiers envoyés par le commissariat de Rambouillet espéra en apprendre davantage et s'enquit :

— Selon vous, docteur... quel genre d'arme a provoqué la plaie à la gorge ?

— Pas la moindre idée, et ce n'est pas mon boulot. Mais c'est bien une arme, même d'opportunité, et a priori, elle a disparu, précisa le médecin en scrutant le sol. Une sorte de truc long, résistant, pointu au bout, plutôt mince... un genre de grand tournevis, ou alors une flèche ? C'est ce qui me vient à l'esprit, mais je n'y connais pas grand-chose. L'hémorragie a été profuse… importante, traduisit-elle.

— Un pic à glace ?

— Possible.

Le décès remontait à moins de douze heures, le corps étant encore tiède, rigide, mais les lividités s'effaçaient sous la pression des doigts. La généraliste cocha la case OML du certificat de décès avant de le tendre aux représentants des forces de l'ordre. Cet « obstacle médico-légal » allait engendrer la saisine du procureur de la République.

Le corps fut transporté à l'Institut médico-légal de Paris.

Le rapport d'autopsie fut rédigé dans la soirée. Laurent Lecomte, trente-deux ans, architecte renommé de plateformes pétrolières, était décédé entre 7 heures et 8 h 30 du matin. L'heure de la mort ne pouvait être davantage précisée, en raison de l'important volume de sang qu'il avait perdu, accélérant le refroidissement du cadavre. Il avait probablement eu des rapports sexuels peu avant, comme le révélait un balayage de son slip à la lampe de Wood[1]. Des analyses étaient en cours pour le confirmer. On pourrait ainsi déterminer s'il était l'unique donneur des traces détectées, voire la présence de sécrétions vaginales. On l'attendait à son cabinet parisien pour une réunion programmée à 10 heures. À part cela, Laurent Lecomte était mort en excellente santé. Le légiste insistait sur une musculature bien développée, une couche adipeuse mince, des systèmes cardio-vasculaire, hépatique et respiratoire en parfait état.

L'homme de l'art se faisait prudent en ce qui concernait l'arme ayant provoqué la blessure du mollet et la plaie perforante de la gorge, cause du décès. Un fût long, mince, cylindrique, très robuste, terminé d'une pointe triangulaire ou en carreau, qui, au retrait, avait provoqué une dilacération vers

_____

1. Elle émet une lumière UV sous laquelle le sperme fluoresce.

l'avant des tissus du cou et sous le genou. Un prélèvement avait été envoyé au laboratoire d'histologie, le légiste ayant cru apercevoir de minces fibres de bois dans la plaie. Il suggérait : *L'arme évoque donc une flèche, sans certitude, avec fût en bois.*

Le légiste terminait son rapport en précisant : *Laurent Lecomte était porteur de lentilles de contact colorées, noisette, ce qui correspond à la photo de son permis de conduire et à la description de sa carte d'identité. Cependant, ses iris étaient gris pâle. Il s'agit de lentilles à large circonférence, a priori en silicone hydrogel, donc à port permanent jour/nuit. À ma connaissance, mais ce point demande confirmation, ce type de lentilles n'est pas vendu en France en version colorée. Elles sont à l'analyse pour déterminer la correction qu'elles permettaient.*

Chapitre 40

12 décembre, environs de Mortagne-au-Perche, France

Une certitude avait progressivement gagné Yann Lemadec depuis le week-end dernier, lorsqu'il avait dévoré les trois derniers tomes du *Fils des dieux*. Il y avait autre chose qu'un simple divertissement derrière cette saga. S'ajoutait la discrétion pathologique de Ïoda Kyûjutsu alias Grégoire Beaujeu, l'auteur. Elle se serait justifiée s'il avait été haut fonctionnaire, ou profession libérale, ou militaire ou encore flic. Cependant, dans son cas, elle devenait presque suspecte. Il existait une marge entre se faire voir dans tous les cocktails de l'édition ou se consacrer seulement à une promotion nécessaire dans les salons voire en ligne et le choix d'une réclusion médiatique si totale que personne, ou presque, ne connaissait la véritable identité de l'auteur. Les Beaujeu étaient familialement invisibles. Or, durant ce dîner, ni la mère, ni le fils ne lui avaient fait l'effet d'être réservés, mal à l'aise en société, au contraire.

Lemadec s'avouait volontiers que la personnalité des Beaujeu l'intéressait bien davantage que sa nouvelle mission, qui consistait à déterrer d'éventuels liens entre Alexandra et le Dr Thierry Janssens. Les révélations de Caroline Delacroix la veille ne l'avaient pas aidé. Il était ressorti de l'appartement de la rue de Tolbiac un peu écœuré. Alors qu'il ne se sentait pas particulièrement prude, cette femme qui dévoilait son sexe à un étranger ne l'avait aucunement apitoyé. Caroline Delacroix n'avait pas compris que l'effroyable tableau qu'elle dressait d'Alexandra Beaujeu conférait à celle-ci un surcroît de grandeur. Quoi, elle s'était bagarrée pour qu'un bébé fille de quelques mois ne soit pas achevé par son père dans une autre crise de violence, pour que son protégé Thierry ne se fasse pas plumer par une ex-rapace ?

Il avait beaucoup réfléchi depuis la veille, et durant le trajet jusqu'au Perche. Il ne s'annoncerait pas chez les Beaujeu mais déboulerait et improviserait ensuite. Sans doute cavalier. Cependant, il voulait éviter une concertation entre la mère et le fils.

Il se gara à 10 h 45 devant la grille de la gentilhommière. Il hésita à nouveau, contemplant son téléphone portable comme s'il espérait que l'appareil allait lui dicter la marche à suivre. La camionnette du facteur pila devant la boîte. Une jeune femme en descendit et s'approcha du vidéophone. Elle parut écouter quelque chose de l'autre côté de la grille, et Yann l'entendit crier :

— Monsieur Grégoire ? Un colis international pour votre maman, contre signature.

Yann descendit de voiture et la rejoignit au moment où la grille s'entrouvrait. Grégoire parut stupéfait de le découvrir à côté de la préposée. Stupéfait et mécontent.

Il baissa les yeux et signa le bordereau, remerciant la jeune femme qui redémarra bien vite.

— Ah, Yann, quelle surprise. Euh… maman est absente… vous auriez dû nous appeler. Je dois moi-même partir.

— Je suis désolé. Mais je n'en ai pas pour longtemps, s'excusa Lemadec, intrigué.

Grégoire maintenait le regard baissé et l'analyste se demanda s'il tentait de dissimuler son mécontentement face à cette intrusion.

— Grégoire, je…

Enfin, l'autre leva les yeux. Yann resta un peu interdit puis sourit :

— Vous n'aviez pas les yeux gris acier. Ou alors j'avais vraiment trop bu.

D'un ton un peu embarrassé, Grégoire admit :

— Je porte des lentilles colorées. J'ai les yeux marron, comme tout le monde ou presque. Sauf vous et maman, plaisanta-t-il, d'un ton contraint. Une coquetterie. Ah, *vanitas vanitatum, et omnia vanitas*[1] !

Et pourtant, la façon dont il cligna nerveusement des paupières avertit l'analyste qu'il mentait.

— Que puis-je pour vous ? Excusez-moi, je ne vous fais pas entrer. Je suis assez pressé. Je dois rejoindre maman à Chartres à midi et je suis déjà en retard.

Ce fut au tour de Yann de baisser les yeux. Il fit mine d'hésiter, de peser ses mots tout en jetant un regard furtif sur le colis que tenait Grégoire pour distinguer l'oblitération. En vain.

— Je… doute que vous puissiez me répondre. Je m'en veux… j'aurais dû appeler, en effet.

Il se décida entre les deux approches qu'il s'était répétées en voiture. L'une concernait Thierry Janssens, et l'autre :

— En réalité, je me demandais si votre mère, ou vous, peut-être, aviez entendu parler d'un consortium Alpha ou Upstream ? Edward Armstrong est un des associés.

Grégoire écarquilla les yeux. Lemadec se fit la réflexion qu'il était encore plus beau avec cette coloration d'iris. Elle ajoutait une sorte d'étrangeté à ses traits virils mais fins.

— Franchement, ça ne me dit rien. Mais j'en parlerai à ma mère. Yann, pardonnez-moi, mais il faut vraiment que j'y aille.

— Non, c'est plutôt à moi de vous présenter mes excuses. Eh bien, à une autre fois !

---

1. Vanité des vanités, et tout est vanité.

— Entendu.

Alors que Grégoire se tournait, le soleil frôla ses iris. Yann n'aperçut pas le mince rebord d'une lentille.

La grille se referma et il rejoignit son véhicule, encore plus perplexe. Comment expliquer que le jeune homme n'ait manifesté aucune curiosité au sujet de ce consortium impliquant un voisin avec lequel sa mère était prétendument à couteaux tirés ? N'aurait-il pas dû poser des questions sur sa nature, ses buts ? La réflexion d'Henri de Salvindon lui revint en mémoire : *Vous avez une étourdissante propension à gober tout ce qu'on vous fait croire.*

Il démarra en direction de Chartres et gara la voiture dans le premier chemin ombragé sur sa route. Grégoire ne pouvait qu'emprunter le même itinéraire pour rejoindre sa mère.

Chapitre 41

12 décembre, environs de Mortagne-au-Perche, France

Un cocktail de jus de légumes à la main, Edward Armstrong s'était installé dans la salle de sport qu'il avait fait aménager au sous-sol du château. Il admirait la mince silhouette musclée de sa fille alors qu'elle bandait l'arc qu'il venait de lui offrir. Il l'avait commandé chez un facteur réputé. La souplesse et la robustesse des bois d'if et de buis d'Amazonie garantissaient un tir puissant et d'une rare précision. Un sifflement sec. La flèche se ficha au milieu de la cible. Il l'applaudit, fier et ému.

Son smartphone sécurisé très privé, dont une petite dizaine de gens connaissait le numéro, vibra. Un sourire aux lèvres, Edward Armstrong écouta avec attention son interlocuteur tout en suivant les gestes précis de Deborah.

— *I'am not sure it is such a blunder. We have to move on. We'll be leaving France after New Year's Eve, as you know. Things have to be solved by then. Take care... Oh, yes, we'd love that. Of course, come over. Stay cautious*[1].

---

1. Je ne suis pas certain qu'il s'agisse d'une vraie gaffe. Nous devons poursuivre. Nous quittons la France après la nouvelle année, comme tu le sais. Les choses doivent alors être réglées. Prends soin de toi. Oh oui, ça nous ferait très plaisir... Bien sûr, tu peux passer. Sois prudent.

Non, sans doute pas une gaffe. Un incident qu'il parviendrait à retourner en leur faveur. Il ne serait jamais devenu aussi riche, aussi vite, s'il avait été incapable d'improviser lorsque le hasard s'en mêlait.

Un autre sifflement. Une autre flèche se planta au centre de la cible. Deborah sautilla de joie en regardant son père :

— Cet arc est sublime, une merveille ! s'extasia-t-elle. Oh, merci, merci, tu es le plus génial des pères !

— Je sais, chérie. Sans doute parce que tu es la plus géniale des filles et des archers, éclata-t-il de rire.

Il la revit, lorsqu'elle avait six ans, ou sept ou cinq ans, elle ne connaissait pas trop son âge. Elle prétendait s'appeler Sofia ou Paulina. Une vraie furie, crasseuse, les cheveux infestés de poux, analphabète, maigre comme un chaton des rues, ce qu'elle était. Sa hargne, son sens inné de la débrouille et son talent pour le vol lui avaient permis de survivre. Ce jour-là, Edward avait rendez-vous dans le quartier de Tepito, l'un des plus vieux et des plus dangereux de Mexico, avec un *fixer*, un facilitateur. Un de ces types qui peuvent tout arranger depuis un meurtre, une livraison de dope, jusqu'à une rencontre avec un prélat important. Edward voulait racheter des terrains à l'ouest de la zone métropolitaine de Mexico et de la municipalité d'Atizapan, à une cinquantaine de kilomètres du centre historique de Mexico. Depuis deux ou trois décennies, les gated-communities[1] se multipliaient en Amérique latine et notamment au Mexique, ultime parade des classes moyennes supérieures contre la déferlante de criminalité. Edward souhaitait construire un quartier à l'image de la *Zona Esmeralda*, l'un des secteurs urbains enclavés et sécurisés les plus réputés. Ses collaborateurs émissaires s'étaient fait balader durant des mois, entre de prétendus propriétaires qui, au dernier moment,

---

1. Résidences protégées de grilles, de vigiles, de systèmes de sécurité. Dans ce cas, il s'agit de pâtés de maison entiers.

étaient incapables de produire un acte de propriété, et des menaces de mafieux qui avaient tout compris au business. Ils engendraient la terreur puis revendaient au décuple des terrains à ceux qui tentaient de la fuir. Edward avait rendez-vous avec un certain Carlos, qui devait s'appeler Luis ou Jose, et affirmait pouvoir le mettre en relation avec les véritables propriétaires des terrains qu'il convoitait, moyennant pourcentage.

Edward aimait bien ce quartier de Tepito qui tombait en décrépitude et virait par endroits au bidonville, mais conservait quelques beaux vestiges d'architecture. On y trouvait à peu près toutes les contrefaçons de la Terre. Surtout, cette foule aux vêtements bigarrés qui se pressait sur les marchés, ces femmes qui invectivaient les vendeurs, ces boutiques de bondieuseries kitch, le brouhaha constant l'amusaient. Les habitants du quartier avaient réussi à préserver une sorte de structure de groupe expliquant qu'ils réglaient les problèmes entre eux, parfois de façon sanglante. À part cela, mieux valait rester prudent. Edward patientait depuis trois quarts d'heures au lieu de rendez-vous, la terrasse du Palm Beach Palace, sorte d'échoppe toute en longueur dont les murs beigeasses de graisse n'avaient pas vu une couche de peinture depuis quarante ans. Ses trois tables en formica empiétaient sur le trottoir. Carlos, ou Luis, ou Jose ne se montrerait plus. Edward avait terminé sa Bud tiède dont le tenancier avait exigé le règlement avant même de la poser sur la table. Une scène, un peu plus loin dans la rue, avait attiré son attention. Un petit garçon, âgé tout au plus de quatre ans, avait tendu une fleur en papier orange à une grosse touriste américaine, sanglée dans un pantalon rose qu'elle aurait dû éviter. Touchée, la femme l'avait remercié et avait voulu prendre une photo. Elle avait fouillé dans son sac pour lui tendre une pièce. Un bon sentiment, risqué dans ce coin du monde. Edward avait vu la petite chatte efflanquée des rues en profiter pour se faufiler derrière la femme, sa main plonger dans son sac et en ressortir en un éclair avec son portefeuille. Il avait foncé. Armstrong se fichait que la gamine pique une vingtaine de dollars à la touriste. En revanche, si celle-ci avait également ses papiers dans son portefeuille, elle risquait de connaître les joies de la bureaucratie mexicaine pour les faire refaire. Son gentil geste ne méritait pas une telle punition. Edward avait rattrapé la gamine par les cheveux, au moment où elle détalait. Il lui avait fait restituer le portefeuille à la femme maintenant ulcérée. Sofia ou Paulina s'était mise à hurler, à lui donner des coups de poings et de pieds. Des coups méchants, pas de malhabiles tentatives de fillette. Elle avait levé le visage vers lui, l'injuriant au-delà de l'imagination, et il avait plongé dans ses immenses yeux gris fer. Le choc avait failli lui faire lâcher la gamine qui se débattait comme un beau diable, jusque-là sans ameuter la foule qui l'avait vue en plein chapardage.

Edward avait murmuré :

— *Cincuenta dollars para ti. No tengas miedo. No estoy un pedofilo*[1].

Il avait désigné la piteuse terrasse du Palm Beach Palace, de nature à la rassurer. Méfiante, elle avait aussitôt tendu la main. Il y avait déposé un premier billet de vingt dollars. Sofia ou Paulina l'avait suivi et s'était installée en commandant un Coca-Cola. Étrangement, elle ne semblait pas avoir peur, bien qu'épiant ses moindres gestes. Dans un espagnol approximatif, Edward lui avait demandé qui elle était, d'où elle venait, où se trouvaient ses parents. Elle parlait à toute vitesse et il n'avait pêché que quelques bribes d'informations. Deux autres Coca-Cola plus loin, Sofia ou Paulina, un peu plus en confiance, avait ralenti son débit, articulant comme si elle avait affaire à un individu lent d'esprit. Elle ne venait de nulle part, hormis de Tepito. Sa mère était morte presque deux ans auparavant. Quant à son père, ça pouvait être n'importe qui parmi ses

---

1. Cinquante dollars pour toi. N'aie pas peur, je ne suis pas un pédophile.

centaines de clients. De fait, Sofia semblait avoir des origines métissées, sans doute un Américain de passage. Surtout, elle se fichait à peu près de tout, hormis de sa survie. En revanche, elle avait insisté à plusieurs reprises, en tapant de l'index sur la table, sur le fait qu'elle refusait d'être ramassée par la DIF[1]. Lorsque Edward lui avait demandé pourquoi, la DIF s'échinant avec relativement peu de moyens à faire face à une montagne de problèmes, la petite teigne avait fondu en larmes, secouant la tête en signe de dénégation. Certes, les scandales d'enfants de foyers, réduits en esclavage sexuel faisaient parfois la une[2]. Il l'avait poussée avec gentillesse dans ses retranchements. Elle avait hoqueté en s'essuyant le nez de la main :

— *Quiero hacer me una senorita*[3].

Avec pas mal d'argent et quelques pressions, Sofia/Paulina s'était métamorphosée le mois suivant en Deborah Armstrong, richissime héritière. Sa fille. Edward ne voyait pas en quoi ses gènes à lui auraient pu ajouter une particularité souhaitable à ce qu'était devenue Deborah.

Le mur sur lequel était scellé l'espalier à barres que Edward utilisait presque chaque matin coulissa. Deborah posa son arc avec délicatesse en criant de joie. Elle se rua vers la silhouette mince qui s'encadrait en haut du souterrain :

— Trop cool, trop cool ! Je suis super contente de te voir. Tu déjeunes avec nous ?

— Avec plaisir, si papa ne nous fait pas manger des trucs diététiques bizarroïdes, accepta Grégoire en embrassant sa sœur. Ensuite, tu me donnes un cours de tir à l'arc.

---

1. DIF : Desarrolo Integral de la Familia (développement intégral de la famille), une institution publique mexicaine d'aide sociale qui s'occupe, entre autres, des enfants des rues.

2. La police mexicaine découvre plus de 450 enfants réduits en quasi-esclavage, lefigaro.fr, 16/07/2014.

3. Je veux devenir une demoiselle.

— Tu n'es pas très doué. Trop mal à l'aise... Pas assez instinctif, trop conscient de toi, trop intellectuel. Il faut devenir l'arc, s'oublier.

— Je vais y arriver !

Grégoire enveloppa Deborah dans ses bras et la serra contre lui en murmurant contre ses beaux cheveux :

— Ça va ?

— Hier ? En forêt ? Ça va. Il le fallait.

Edward rejoignit son fils adoptif et l'embrassa avec tendresse. Abandonnant l'accent américain traînant du Sud qu'il imitait afin de masquer son léger accent anglais, il déclara :

— Nous en parlerons plus tard. Au retour d'Alexandra. Allez, les fauves ! Manger ! Promis, pas de graines germées pour cette fois.

Grégoire éteignit la rampe lumineuse du souterrain. Ce type de construction, très fréquent dans la région, avait permis un millénaire plus tôt aux paysans et serfs des fermes de se mettre à l'abri au château lors des attaques des pirates normands. Le Perche avait été durant des siècles la dernière frontière militaire entre les invasions scandinaves et le royaume franc[1].

— Raconte-nous plutôt ce qui s'est au juste passé avec Lemadec, cette gaffe, s'enquit Edward.

— J'ai un peu patouillé au début, je ne m'attendais vraiment pas à le voir surgir. Je ne portais pas mes lentilles de contact. Bon, je pense m'en être bien tiré.

— Il devient dangereux ?

— Pas pour l'instant. Pas encore. Mais il est curieux. D'un autre côté, il est toujours précieux.

_____

1. En francisque « Nordman », littéralement « homme du nord », désignait à l'origine les Vikings. Ils fondèrent le duché de Normandie en 911. Certains souterrains de la région, reliant fermes ou habitations à un château ou un monastère, faisaient plusieurs centaines de mètres de long, voire un kilomètre.

— Quand rentre maman ? intervint Deborah.

— Normalement dans la soirée. Au pire demain. Thierry pense avoir trouvé des sujets à Boston. Jeunes, très intéressants.

— Upstream ?

— Ils sont en train de l'évaluer. Ça et le reste. Lemadec a entendu parler d'Alpha et Upstream, mais il n'en sait pas davantage, leur révéla Grégoire.

— Il risque de devenir gênant, ce gentil garçon, soupira Edward, irrité. Je pensais qu'on était parvenu à nettoyer le web de toutes mentions.

— Yann aurait trouvé une trace sur le *deep web*, et je doute qu'il en ait les capacités informatiques. J'opterais plutôt pour Mme Dormois. Cela étant, pour l'instant, tout se déroule comme maman l'avait prévu. On mange ? Je meurs de faim !

Chapitre 42

12 décembre, environs de Mortagne-au-Perche, France

Il était 13 h 30 lorsque Yann décida de mettre un terme à sa surveillance et de reprendre la route de Paris. Grégoire lui avait menti pour se débarrasser de lui, ou alors il avait changé d'avis. Les détails troublants s'accumulaient.

Il venait de dépasser Rambouillet lorsqu'un autre détail perturbant se rappela à son esprit : Okugi, le héros guerrier de Ïoda Kyûjutsu/Grégoire Beaujeu, avait les yeux gris, un indice, dans la saga, qu'il était véritablement le *fils des dieux*, envoyé en protecteur et en libérateur.

Chapitre 43

12 décembre, hôtel de Beauvau, Paris, France

Lucie avait glissé un petit message sous sa porte :

« Désolée, mon poussin. J'ai pris mon après-midi : coiffeur et gynéco. Yeah ! Que des trucs chouettes. Je ne sais pas ce que je déteste le plus. Le dentiste, c'est clair, mais aujourd'hui, je ne fais pas. À demain. Tu peux m'appeler ce soir chez moi si pb. »

Il se sentit soudain bête avec son sandwich bacon tomates sous blister à la main. Il l'avait acheté dans une station-service sur l'autoroute en faisant le plein. Il n'avait eu qu'une hâte : rentrer pour discuter avec Lucie, lui raconter les derniers événements. Inutile de tenter son portable, elle l'éteignait les trois quarts du temps. De plus, il n'y avait pas urgence, juste l'envie de ne pas se sentir seul. Et puis, s'il la dérangeait alors qu'elle glissait les pieds dans les étriers, ou que le coiffeur lui démêlait les cheveux, il avait de grandes chances de se faire envoyer sur les roses.

N'empêche, il avait développé en quelques jours un lien très fort avec elle. Merde ! Il se sentait presque abandonné parce qu'elle avait rendez-vous chez le gynécologue ! Assez déroutant. Il ne s'agissait pas de maternage et encore moins de sentiment amoureux. S'était tissée entre eux, du moins de son côté à lui, une sorte de besoin, de complicité réconfortante. Il avait besoin de son intelligence, de son humour grinçant, de sa lucidité parfois blessante, de sa bienveillance envers lui pour avancer, mieux penser, mieux vivre dans sa tête. Et Yann fut contraint d'admettre ce qu'il avait refusé jusque-là : merde, qu'il était seul ! Cela n'avait rien de gênant puisqu'il s'y était bien habitué, l'ayant produit, mais rien d'enivrant non plus. Une vie de platitudes et d'habitudes assez confortables. Nombre d'humains s'en satisfont. Cependant, Lemadec était de moins en moins certain de faire partie du lot. D'un autre côté, il ne se sentait pas la fougue nécessaire pour en sortir. Et puis, pour quoi faire ? On sort du train-train, on se démène lorsque quelque chose ou quelqu'un a une véritable importance à vos yeux. Rien ne le passionnait à ce point. Ni lui, ni les autres.

Il mâcha le pain de mie insipide, gorgé de mayonnaise, le bacon qui avait un vague goût sucré, et les rondelles de tomates caoutchouteuses, d'un affligeant rouge rosâtre. Il attaqua le petit sachet de rochers à la noix de coco qu'il avait pensé partager avec Lucie.

Ne sachant trop qu'entreprendre, il surfa sur Internet à la pêche aux infos au sujet des yeux gris. Une couleur très rare. Yann apprit ainsi que si des gènes sont appelés par facilité « yeux bleus », « yeux marron », etc., en réalité, il n'existe qu'une couleur d'yeux : marron, due à la mélanine. La génétique qui préside à cette caractéristique physique est complexe. Il en résultait que seules la concentration, la répartition de ce pigment dans l'œil et la façon dont il réfléchissait la lumière produisaient des couleurs différentes. Il découvrit aussi un peuple dont il n'avait jamais entendu parler – les Chaoui, des Berbères. Ils présentaient une grosse surfréquence d'yeux gris, attestant de leur origine nordique, probablement Viking.

Grégoire, cap-verdien, pouvait avoir des origines très métis-sées qui auraient expliqué cette couleur d'yeux, car Yann était certain que sa prétendue « coquetterie » était une explication bidon. Il ne s'agissait pas de lentilles. En revanche, ses yeux châtaigne lors du dîner ne devaient rien à la nature. Pourquoi mentir ? Quoi de plus étonnant et attirant qu'une personne de peau et cheveux foncés ayant les yeux clairs ? De l'avis de Yann, cette particularité aurait enchanté ses innombrables fans, lesquels voyaient Ïoda Kyûjutsu comme un visionnaire, un magicien, un samouraï des temps modernes, un philosophe ou un génie. Il convenait donc qu'il sorte du rang physique-ment aussi.

Mais justement, Grégoire Beaujeu s'efforçait à couvrir ses traces et ne souhaitait absolument pas qu'on sache qu'il n'était autre qu'Ïoda Kyûjutsu.

Pourquoi s'intéressait-il tant au jeune homme ? Peut-être parce qu'il sentait que celui-ci était une des clefs du mystère Beaujeu et de l'enquête.

Lemadec continua de surfer pour contempler la multitude de gris. Gris acier, souris, fer, ardoise, chinchilla, anthracite, perle, argent, trianon, fumée, etc. Fumée, excellent ! C'était exactement cela. Les Beaujeu mère et fils étaient passés maîtres dans l'art des écrans de fumée. On enfume que lorsqu'on a quelque chose à cacher.

Yann aurait pu affirmer que la suite n'était que le résultat d'une impulsion, d'une intuition. Pourtant, cette explication simple n'était pas recevable. En réalité, un processus intellec-tuel rapide, presque inconscient, avait été à l'œuvre. Il com-posa donc le numéro qu'il découvrit sur l'intranet du service, le premier de la liste des instituts médico-légaux. Celui de Paris, quai de la Râpée.

Six sonneries plus tard, une voix molle lui répondit. Yann déclina son identité, ses qualités, se présentant comme un inspecteur de la PJ :

— Auriez-vous reçu un sujet, couleur d'yeux grise, portant des lentilles colorées ?

— J'sais pas… faut voir. Quand ?

— Sur l'année écoulée, offrit Yann au pif.

— Faut voir, répéta la voix lasse.

— Pourriez-vous me passer le médecin légiste, s'il vous plaît ?

— Ouais. Patientez.

Après plusieurs clics, une voix d'homme plutôt méfiante lui répondit :

— Dr Benoit Talbert. Vous êtes ?

— Yann Lemadec, Inspecteur de la PJ, détaché temporairement à la DCRI.

— Ah, des emmerdements en perspective, soupira le légiste.

— Vous pouvez vérifier, me rappeler, suggéra Lemadec.

— Inutile. De toute façon, le cas échéant, je vous communiquerai un numéro de dossier archivé dans notre base de données que vous ne pourrez consulter que si vous avez l'autorisation informatique. Pour répondre à votre question, oui, pas plus tard qu'hier. Ça changeait des AVC ou infarctus sur la voie publique. Sujet masculin, vous trouverez qui, où et dans quelles conditions sur le dossier. Il portait des lentilles marron-noisette, non correctrices. Sujet à yeux gris. Ennuyeux parce que les données de sa carte d'identité et de son passeport biométrique précisent : yeux marron. De perplexité, j'ai entamé une recherche sur Google : il y avait quelques photos de lui en rapport avec… avec sa profession, se reprit de justesse le légiste. Yeux marron.

— Mais… donc ses papiers officiels font état de la couleur noisette alors que ses yeux étaient gris ? Ça n'a pas de sens.

— A priori, non. Toutefois, mon boulot consiste à reporter leur véritable couleur sur mon rapport. La réponse est : gris. Le reste vous appartient. Au revoir, inspecteur Lemadec.

Yann n'eut aucun mal à retrouver le dossier de Laurent Lecomte sur leur intranet. Tué en forêt de Rambouillet par une arme qui évoquait un pic à glace ou deux flèches. Rapport sexuel peu avant les faits si on en jugeait par l'état des spermatozoïdes. Yeux gris clair. À part cela, il n'y avait pas beaucoup de renseignements sur ce Laurent Lecomte, hormis sa date de naissance, son adresse, sa taille, son poids. Bon, Yann allait devoir consulter le rapport de police. Mais il se ferait jeter si Salvindon ne lui facilitait pas la tâche. Il devait réfléchir avant de solliciter l'aide du commandant.

Il passa encore quelques appels aux autres instituts médico-légaux de province, sans rien apprendre de plus.

Il refermait son ordinateur lorsqu'un détail très vague lui revint : la description d'Alexandra Beaujeu, à la sortie du tribunal d'appel, qu'il avait lue en diagonale sur l'écran de Lucie. Quels mots clés avait-elle utilisés ? Dans quel journal de province ?

Il se décida à l'appeler, en espérant qu'elle ait commencé par le gynéco et se trouve en ce moment chez son coiffeur. Il jugeait plus aisé de déranger une femme sous le casque que la même, cuisses écartées sur une banquette.

Un brouhaha joyeux lui parvint en même temps que la voix de Lucie. Bingo : elle était chez le coiffeur ! Il lui expliqua ce qu'il cherchait.

— Inutile de te casser la tête, mon poussin ! Je l'ai en favori. Je t'envoie le lien et ensuite tu te débrouilles parce que je suis plongée dans la lecture des magazines people et que je me rends compte que je ne connais pas le dixième des gens dont ils parlent. Y a du taf en perspective pour rattraper mon retard !

Yann s'esclaffa, puis adoptant un ton pénétré, exigea :

— Tu me fais une synthèse demain. Je ne sais plus où nous en sommes des fâcheries, divorces, liaisons, bourrelets et de la cellulite des uns et des autres.

— Je n'y manquerai pas. Bisous. À demain.

— Par mail. J'ai pris mon vendredi. Long week-end en Bretagne.

Il ouvrit le lien. La petite photo d'Alexandra Beaujeu vêtue d'un long trench beige, apparut. Elle descendait des marches du palais de justice, se protégeant le visage d'une main. La journaliste, tentant de remplir ses lignes, avait écrit :

« Le professeur Beaujeu n'a pas souhaité commenter le verdict, que certains trouveront sans doute clément, étant donné la gravité des faits reprochés aux coupables : meurtre prémédité avec actes de barbarie et torture. Il y a deux ans, son fils Colin, âgé de seize ans, avait été brutalement assassiné. C'est le visage de la dévastation que j'ai eu devant moi, celui d'une mère défaite, meurtrie qui me fixait d'un regard gris glacé et vide. Le professeur Beaujeu assistait seule à l'audience. Le père de Colin, d'origine anglaise, n'était pas présent.

La journaliste s'était-elle trompée ?

Les yeux gris : un phénotype extrêmement rare, avait-il lu plus tôt. Grégoire et Alexandra n'avaient aucun lien de famille, non que la transmission de la couleur des yeux soit aussi simple qu'on l'avait longtemps cru.

L'Alexandra qu'il avait rencontrée, avec qui il avait dîné, avait les yeux bleus, très bleus. Grégoire, les yeux châtaigne.

Chapitre 44

Un peu plus tard, 12 décembre, XVe arrondissement,
Paris, France

Un malaise de plus en plus tangible habitait Yann. Baladé. Il était promené depuis le début, et par tout le monde, hormis Lucie. Une déroutante conclusion s'imposa à lui alors qu'il inspectait le contenu minable de son réfrigérateur à la recherche de n'importe quoi qui fût encore comestible. Il s'était toujours satisfait d'être un pion, assez interchangeable. Il existe de bons côtés au rôle de pion, du moins lorsqu'on le choisit. On met le minimum de soi-même et, en échange, on n'en attend pas grand-chose. Un marché confortable. À la faveur de cette enquête, quelques velléités lui étaient cependant venues : prendre des responsabilités, agir, bref devenir une pièce majeure de l'échiquier. Et il se rendait soudain compte qu'il était toujours traité à la manière d'un pion. Il lutta contre l'amertume qu'il ressentait. S'il voulait être sincère, il accordait des circonstances atténuantes à Henri de Salvindon. Son « ultra-chef » l'avait toujours connu sous les habits de petit fonctionnaire, et qu'il persiste dans ce jugement n'avait pas de quoi surprendre. En revanche, il en voulait un peu à Alexandra et à Grégoire. Enfin merde, il avait dîné avec eux, discuté. Une excellente soirée, selon lui. L'étendue de sa

357

stupidité le stupéfia. Bordel, Lemadec, sors de ta mentalité de boy-scout ! Ou ces deux-là ont des trucs à se reprocher et ils te manipulent, ou alors ils se méfient.

Il récupéra un reste de pain de mie sous cellophane, qui sentirait sans doute le réfrigérateur mais ne devrait pas lui coller une intoxication alimentaire. Pour le reste, il pouvait tout balancer avant son départ en Bretagne. Il repêcha une boîte de thon au naturel dans le placard scellé au-dessus du petit évier de la kitchenette.

Yann venait de se servir une bière lorsque la sonnerie de son téléphone fixe retentit. Il déchiffra le numéro qui s'affichait sur le petit écran. Son ex !

— Ah, merde, Emma ! murmura-t-il.

Elle n'appelait sur son fixe que lorsqu'elle savait en avoir pour un long, très long moment, de crainte de vider son forfait mobile. D'un autre côté, il n'avait pas répondu à ses quatre derniers messages. Et puis, il aimait beaucoup Emma, une fille très correcte, intelligente, mais qui était tombée dans le chaudron de la psy toutes déclinaisons, pour ne plus jamais vouloir en ressortir. En d'autres termes, une discussion qui n'aurait rien de léger ou rigolo se préparait.

Il décrocha, un peu à contrecœur, et lâcha :

— Comment vas-tu, Emma ?

— Je suis contente de t'entendre. Tu pourrais répondre à tes messages, bouda-t-elle.

— Je suis un peu débordé en ce moment.

Il s'admonesta : Emma avait le génie pour vous tirer les vers du nez. Elle avait en général son interlocuteur à l'usure. Il ne devait rien lui dire au sujet de l'enquête. Cela étant, elle ne semblait pas du tout branchée sur le programme « dis-moi tout, c'est très libérateur » mais plutôt « je suis le centre du monde et il faudrait que les gens s'en aperçoivent un peu plus ». Un soulagement.

— Je ne vais pas top, Yann, et j'aimerais avoir ton regard. Figure-toi que j'ai fait un rêve complètement dingue…

Cramponnant sa bouteille de bière d'une main, le téléphone coincé entre son oreille et son épaule, Yann poussa la sacoche qu'il avait abandonnée sur le canapé convertible à son arrivée. Emma, bien sûr, ne lui demanderait pas comment il allait. De fait, elle venait de passer en mode « moi-je-moi-même et qu'est-ce que tu en penses ? »

— … et donc, nous roulions vers la Bretagne et j'avais acheté cette belle bouteille de whisky pour l'anniversaire de ton père.

— De mon père ?

— Dingue, non ?

— Tu ne l'as pas connu et moi-même, je m'en souviens à peine. J'avais cinq ans lorsqu'il est décédé.

— Justement, c'est pour cela que c'est dingue, insista Emma d'une voix excitée. Selon moi, s'est opérée une espèce de connexion par ton prisme.

— Hum hum.

— Bon, enfin, à un moment, j'avais la bouteille de whisky enveloppée dans une sorte de kimono…

— Dans un kimono ?

— Oui, un kimono minuscule que j'avais cousu spéciale-ment pour envelopper la bouteille.

— Tu sais te servir d'une machine à coudre ? s'étonna Yann.

— J'en ai jamais approché une à moins de cinq mètres, mais là n'est pas le problème, le rembarra-t-elle. Et puis, sou-dain, j'avais les mains pleines de whisky, ça sentait fort l'alcool. Et le petit kimono était trempé. Je t'avertissais que la bouteille était sans doute fendue. On s'arrêtait, tu l'examinais. Rien. Le bouchon était parfaitement scellé, pas de fissure, et le niveau n'avait pas baissé. Pourtant, j'avais toujours les mains trempées de whisky…

— Hum hum…

— Tu me suis, là ?

— Jusque-là tout va bien.

Yann avala une longue gorgée de bière au goulot, tentant de déglutir le plus discrètement possible au risque, sans cela, de se faire tancer par Emma sur le mode « en fait, tu t'en fous de ce que je te raconte ».

Elle lui narra le rêve jusqu'à son terme : son réveil.

— Et qu'est-ce que tu en conclus ? demanda-t-il d'un ton pénétré.

— Tu sais, je m'aperçois de plus en plus que j'ai vraiment des capacités médiumniques. Pas tout le temps et, en plus, de façon assez anarchique. Il aimait le whisky, ton père ?

— Pas la moindre idée.

— Yann, écoute-moi bien, commença-t-elle d'un ton grave. Je pense que cette espèce de mal-être que je ressens depuis quelques semaines, ça vient de lui, de son décès. Il y a beaucoup de souffrance là-dedans.

— Sans doute, il est mort d'un cancer des testicules.

— Bien sûr, tu n'y crois pas ! rétorqua-t-elle, acide.

— Emma, le problème n'est pas d'y croire ou pas. Nous avons tous, absolument tous, eu des décès familiaux prématurés. Surtout il y a cinquante ans, ou avant la découverte des antibiotiques. Je ne dis pas qu'il s'agit de foutaises. Simplement, évoquer le décès ancien de mon père, que tu n'as jamais connu, qui n'est pas de ta famille, comme source d'un vague rêve de réveil et de ton mal-être qui dure depuis des années, me semble tiré par les cheveux.

— Je te sens dans l'opposition systématique ! C'est vraiment pas une attitude constructrice.

Ils étaient repartis comme durant leur relation. Yann ne parvint pas à retenir un long soupir d'exaspération.

— Mais dis carrément que je t'emmerde ! s'emporta-t-elle.

Marre, il n'avait aucune envie de tolérer cette mise en accusation ce soir. Pour la première fois, il chargea :

— Écoute, Emma… tu n'es pas le nombril du monde et je n'ai pas le tonus ce soir pour tes rêves et tes pouvoirs supra normaux. Là, je patouille dans une affaire tout ce qu'il y a d'anormale en référence à notre monde normal ! Je suis fatigué, tendu, et j'en ai ma claque parce que je sais que tout le monde me balade.

Un silence qui s'éternisa au point qu'il vérifia :

— Tu es toujours là ?

— Ouais. Raconte.

— Je ne peux pas. C'est ultra-confidentiel et la DCRI est impliquée.

— Donne-moi quand même quelques grains à moudre. Tu sais très bien que je ne comprendrai rien à vos petites histoires et que j'aurai oublié dans une heure.

De fait, l'aversion d'Emma pour le vrai réel se traduisait par une spectaculaire capacité d'effacement des données avec lesquelles elle n'avait pas envie de jongler. Cette femme qui savait manier des concepts très complexes, reléguait dans un coin de son cerveau bouclé à triple tour les composantes les plus terre-à-terre du quotidien de ses semblables.

— Ça reste strictement entre nous, Emma. Je pourrais vraiment avoir de grosses emmerdes, gigantesques même.

Il hésita encore un instant. Elle l'encouragea d'un :

— Promis, juré, craché.

— Comment dire…

— Vas-y, cherche, je ne suis pas pressée.

— Je… ah, c'est fou… me vient une image… pourtant, je n'ai jamais assisté à un défilé…

— Crache le morceau, Yann. Je te sens super mal, là.

— J'ai l'impression d'être un VIP… le spectateur très privilégié d'un défilé de mode. Tu sais, c'est toujours les mêmes mannequins qui défilent sur le podium, sauf que tu ne les reconnais pas parce qu'elles, ou ils, changent de coiffure, de fringues et même de maquillage dans les coulisses. C'est con, ce que je dis.

— Non, je ne crois pas. C'est qui, les mannequins ?

— Nous avons donc Alexandra et Grégoire Beaujeu, mère et fils ; Edward et Deborah Armstrong, père et fille ; Henri de Salvindon de la DCRI ; Lucie Dormois, une collègue, je t'en ai déjà parlé ; l'insaisissable star d'heroic fantasy, j'ai nommé Ïoda Kyûjutsu, alias le même Grégoire Beaujeu ; Lian Chen-Huang, richissime héritière ; le très prisé et plus que discret Dr Thierry Janssens, ancien élève d'Alexandra Beaujeu ; et même Vincent Levasseur, commandant de gendarmerie, sans oublier Chién, le secrétaire chauffeur de Armstrong dont je suis certain qu'il parle le français, contrairement à ses affirmations.

— Pfuit ! Jolie brochette. J'en conclus que tous ces gens sont mêlés de près ou de loin à une affaire assez importante pour que la DCRI y mette son museau ?

— Tout juste. À mon avis, méga importante, d'autant qu'au *feeling*, je pense que Salvindon n'est pas clair, corrigea Yann. Et c'est un euphémisme.

— Fie-toi à tes feelings, Yann. Ils sont en général pertinents, conseilla Emma.

Il ignorait d'où elle avait déduit cela, mais jugea superflu de le lui demander. Après une courte pause, elle reprit :

— Quand même, cette énumération me paraît très révélatrice, en termes de signifié connotatif.

— Mais encore ?

— Tu me l'as dit et répété : une fois, c'est le hasard ; deux fois, une coïncidence ; trois fois, un système.

— En effet. Mais encore ? répéta-t-il.

D'une voix pleine de vitalité, preuve que son affreux mal-être était oublié, du moins jusqu'à la prochaine fois, elle débita :

— Prenons Alexandra. Variante féminine d'Alexandre, bien sûr. Du grec *Alexein* : repousser et *Andros* : homme, guerrier. Associés, ça donne « le guerrier ou la guerrière qui repousse l'ennemi », bref un défenseur de l'humanité.

— Il s'agit de son prénom de baptême, lui rappela-t-il. Joli prénom, par ailleurs.

— Ouais, admettons qu'il s'agisse de l'implication du hasard, bref, de la première occurrence. Deuxième occurrence : Grégoire, prénom choisi par Alexandra, sa mère, non ?

— D'autant qu'il a été adopté au Cap-Vert et que je doute qu'il ait porté ce prénom dès sa naissance.

— Cool ! Grégoire, du grec *egrêgorêin* : veiller, se montrer vigilant. Troisième occurrence, maintenant, on entre donc dans un système : Edward. Ça vient du vieil anglais. *Ead* qui signifiait « fortune, richesse » et *weard*, « le gardien, le protecteur ». Ajoute à cela le patronyme *Armstrong*, bras fort, puissant. Thierry Janssens. Janssens signifie bien sûr « fils de Jean », comme dans l'apôtre. Le prénom Thierry est d'origine germanique, déformation de Théodoric. *Theud* signifiant « peuple » et *ric* « puissant ». Cinquième occurrence, et non des moindres : Deborah Armstrong, la fille d'Edward donc ?

— Oui, souffla Yann, qui sentait depuis quelques instants qu'Emma lui offrait un véritable fil d'Ariane, peut-être sans le comprendre.

Sans doute les signifiés connotatifs étaient-ils une des récentes lubies de son ex. Cependant, Lemadec était certain qu'un bout de la vérité s'y terrait.

— Deborah[1], donc. Deborah qui signifie « parole de Dieu », une prophétesse. Unique femme juge d'Israël, une guerrière. Là encore, le patronyme est *Armstrong*. Et si ça ne suffisait pas, je t'en rajoute une couche avec *Star Wars* : Yoda, grand maître Jedi et guerrier.

— Non, rien à voir, ça s'écrit Ï-O-D-A, épela-t-il.

— Ah oui, mais phonétiquement, c'est le même prénom ! Yoddha en sanskrit signifie guerrier, adversaire de taille, c'est d'ailleurs pour cela que George Lucas a choisi ce nom.

---

1. Livre des Juges.

Une sorte de vertige inconfortable avait envahi Yann. Il hésita :

— Attends… c'est énorme, là… je suis en train de regarder sur Internet ce que signifie Kyûjutsu… Tir à l'arc guerrier des samouraïs. Tant qu'on y est, je tape Chién… prénom vietnamien signifiant « combat, lutte ». Attends… c'est quoi déjà les noms des héros de la saga… le jeune guerrier s'appelle Okugi… « secret, mystère, objectif caché », quant à la prêtresse qui l'aide, c'est Hiroka… non, Hisoka… « secret, projet clandestin » Oh, merde ! En effet, on est en plein dans le système.

— Ha ! triompha Emma, très satisfaite d'elle, à juste titre. Et ne me fais pas le plan du rationalisme petits bras avec : « Gnagna, les prénoms ont en général pour origine des qualités, surtout la valeur, etc. »

— Ben, en géné…

— Tais-toi, tu vas dire une ânerie ! Emma, du germanique « maison », à moins qu'il s'agisse du diminutif d'Emmanuelle, « Dieu est avec nous » en hébreu. Yann, forme bretonne de Jean. Monique, ta grand-mère, du grec *monos* « l'unique ». Hélène, ta mère : du grec hélios « soleil » et plus probablement de hêlê « éclat de soleil ». Pas question de guerrier, de protecteur de l'humanité, de combat, d'armes dans ces cas, non ? Et comme tu m'énerves…

— Mais, je n'ai rien dit ! protesta-t-il.

— Tu allais, j'ai senti une onde contestatrice, négative. J'ai eu un copain de fac vietnamien qui s'appelait Anh Tu. Ça lui allait comme un gant, un très beau mec. Ça signifie « élégant ». Je suis sur la page Wikipédia des prénoms vietnamiens. Il y en a une tripotée, masculins ou féminins, qui n'ont aucun rapport avec la guerre, la lutte.

Yann expédia sa dernière gorgée de bière, sans se préoccuper d'un bruit de déglutition, et reposa sèchement la bouteille sur la table basse. Il tenta de se raccrocher au dernier brin de logique qui lui restait et argua :

— Encore une fois, ce sont des prénoms et noms de naissance. Je veux dire qu'ils ne les ont pas choisis. Sauf le pseudo
de plume de Grégoire et peut-être son prénom officiel, bien
sûr.

— Qu'est-ce que tu en sais ?

Et un gouffre s'ouvrit devant Yann.

Il passa une bonne partie de la nuit à mettre en application
le conseil de Lucie. Il rédigea des synthèses de tout ce qu'il
avait appris, de chaque conversation, des échanges avec Salvindon, sans oublier l'analyse étymologique d'Emma. Il s'envoya
tout par mail, imprima et détruisit la source après en avoir
quand même fait une copie sur une clef USB neuve, qui ne
sortirait pas de chez lui. Une clef USB, c'est chouette. Au pire,
on la colle dans la cuvette des toilettes et on tire la chasse
pour s'en débarrasser rapidement.

Il partait demain après-midi en Bretagne pour un week-end
de trois jours, et trouverait une cachette idéale dans la maison
de sa grand-mère.

Chapitre 45

13 décembre, Paris, France

Quelle étrange expression ! Une expression devenue si commune qu'elle avait dérivé. Faire son deuil.

Élisabeth/Artemis avait vérifié l'étymologie. « Deuil », du bas latin *dolus*, douleur. Comment pouvait-on « faire sa douleur » alors même qu'elle vous sautait à la gorge, dans l'intention de vous mettre en pièces ? « Faire son deuil » : se résigner à la privation. Non ! Elle ne se résignerait jamais à être privée d'Apollo. Elle refusait de se résigner.

Elle regarda une courte vidéo sur YouTube. Un psychologue expliquait que l'on devait « faire son deuil » et précisait les différentes étapes du travail mental : l'anesthésie, la recherche, la dépression réactionnelle, la restructuration, laisser partir les défunts sans pour autant les oublier. Pourquoi ? Apollo l'avait aidée à vivre. Il continuerait. Il ne s'agissait pas de lui élever une sorte de morbide mausolée de mémoire, mais plutôt de puiser encore en lui une partie de la force qui la maintenait en vie.

L'autre, la plus grosse partie de sa force, lui venait de Jeanne. Jeanne ne se résignait jamais.

Jeanne se battait. Artemis se battait aux côtés de sa mère.

367

Apollo continuerait de vivre dans son esprit, et tant pis pour la douleur. Jamais elle n'admettrait la fin, le départ, la dissolution, l'anéantissement d'Apollo. Une mince victoire sur la mort, mais une victoire quand même.

Au demeurant, Artemis doutait qu'on fasse jamais le deuil d'un être véritablement précieux. La douleur extrême diffuse d'abord dans chaque cellule du survivant. Elle saccage, démolit. Elle assomme aussi. Et puis, on cesse d'attendre l'écho d'une voix, d'un pas, d'un rire. On cesse de surveiller sa messagerie. On trouve ensuite un coin un peu plus indolore de son cerveau où ranger cette fin de liens physiques. Les mordants souvenirs s'atténuent. Resterait pour Artémis le réconfort d'un sourire, d'une façon de parler, de mots échangés. Alors même qu'elle n'était pas certaine de l'existence d'un Dieu ou d'une vie dans l'après-ailleurs, elle sentait la présence d'Apollo à ses côtés, une présence vague mais si douce. Non, elle refusait de faire son deuil.

Pour la première fois depuis des mois, elle s'appliqua aux exercices que lui recommandait Sylvain, son kiné, afin d'entretenir ses muscles. Elle serra les mâchoires, arrondit les lèvres, cligna des paupières. Elle souleva répétitivement les fesses du fauteuil roulant à l'aide de ses mains fermement appliquées sur les accoudoirs, puis de ses avant-bras. La sueur trempa son front, dégoulina de ses aisselles. Ses douleurs, ses difficultés s'amenuisaient.

Le carillon joyeux signalant l'arrivée d'un nouveau message la surprit, et elle se laissa retomber dans son fauteuil.

L'adresse ne lui évoquait rien : GAB@upstream.org, une adresse en *no-reply*.

Chère Élisabeth,
Nous venons d'apprendre le décès de Lucas. Nous nous doutons de votre terrible chagrin. Croyez que nous le partageons, même si nous ne connaissions pas ce jeune homme.
Je voulais vous réaffirmer que nous ne pouvions rien tenter pour lui. Nous ne possédons pas encore les outils

nécessaires pour aborder le lupus érythémateux disséminé juvénile[1], contrairement à la maladie de Landouzy-Déjerine sur laquelle nous travaillons depuis longtemps. Comme vous le savez, la cause du premier est encore mal connue, facteurs génétiques sans doute, mais pas seulement. En revanche, dans le cas du Landouzy-Déjerine que vous avez développé, le lien avec les motifs répétitifs d'ADN que nous maîtrisons de mieux en mieux a été établi par nos soins.

Quoi qu'il en soit, nous voulions vous assurer de notre tendresse.

Merci d'effacer ce mail et cette adresse,

Pr Alexandra Beaujeu.

Étrangement, ce mail, le premier qu'elle ait jamais reçu de la scientifique-médecin, la bouleversa. Un mail factuel, sans fioritures ni condoléances affligées, mais un mail qui suggérait une infinité de possibilités. Jeanne et elle n'étaient pas seules. Au-delà du Dr Thierry Janssens, un robuste maillage s'étendait à la manière d'un filet de protection. Un maillage occulte mais terriblement puissant. Artemis l'avait compris aux approximations et sous-entendus de Thierry. Comme le Pr Beaujeu, il utilisait toujours le pronom « nous ». Cependant, ce mail de quelques lignes devenait une véritable assurance que d'autres luttaient pied à pied.

Grâce à ce « nous », elle pouvait à nouveau se redresser, se mettre debout, faire quelques pas prudents, aller aux toilettes en se retenant aux barres que Jeanne avait fait installer lorsqu'elle ne pouvait plus attendre.

Grâce à ce « nous », la dévastatrice humiliation lorsqu'elle restait des heures entières les fesses glacées d'urine froide n'était plus qu'un mauvais souvenir.

---

1. L'amélioration de la prise en charge explique que la mortalité liée à cette forme de lupus ait beaucoup baissé. Elle est le plus généralement due à des infections et/ou des atteintes rénales. Il s'agit de la forme la plus grave de lupus.

Grâce à ce « nous », peut-être un jour parviendrait-elle à pleinement récupérer ses muscles, à se lever d'un bond pour serrer Jeanne à l'étouffer entre ses bras.

Chapitre 46

14 décembre, non loin de Fréhel, Côtes-d'Armor, France

Yann Lemadec n'avait pas retrouvé la maison familiale avec la joie habituelle. Une sorte d'apaisement le guettait dès qu'il déverrouillait la robuste porte bleu roi. Hier soir, lorsque Loïc, le taxi qu'il retenait depuis Paris pour le conduire de la gare de Lamballe jusqu'à chez lui, l'avait déposé, il avait senti que le soulagement lui serait refusé cette fois-ci.

Songeant qu'il irait faire quelques courses le lendemain, il avait dîné de biscottes à la confiture de fraises et d'un thé.

Il se réveilla vers 5 h 30 avec la sensation d'avoir dormi comme une souche alors même qu'il se sentait aussi fatigué que la veille. Il frissonna en enfilant sa vieille robe de chambre. La maison ne s'était pas encore réchauffée. Il descendit d'un pas lourd l'escalier qui reliait l'étage des deux chambres au rez-de-chaussée. En pilotage automatique, il passa dans la cuisine. Il aimait assez cette ancienne salle commune qu'il avait fait transformer, avec un budget modeste, en cuisine à l'américaine et coin salon. Il se tâta, contemplant le bois qu'il prenait la peine d'entasser avant chaque départ en prévision de son retour dans une maison glacée, mais eut la flemme de lancer une flambée dans la grande cheminée.

Lemadec fit réchauffer de l'eau et se prépara un grand bol de café lyophilisé au lait en poudre, les vivres d'urgence qu'il laissait d'une fois sur l'autre, scellés avec soin dans des bocaux ou des conteneurs en plastique. Il s'installa devant la table basse en bois flotté qu'il avait achetée à un ancien marin pêcheur devenu artisan. Une bonne affaire à l'époque. Le gars en question avait eu droit à des articles dithyrambiques dans des revues de décoration chic, et était depuis devenu inabordable pour la bourse de Yann.

D'où lui venait cette lassitude, alors même que son niveau d'activité en temps normal à la BIS ne pouvait certes pas être qualifié d'excessif ? D'un « temps anormal » ? Ou plutôt de cette enquête qui prenait des allures d'interminable partie de colin-maillard ? Une jolie légende. Jean Colin Maillard, soldat du Xe siècle, avait eu les yeux crevés lors d'une bataille mais avait continué à se battre, en frappant au jugé autour de lui. Colin, le fils d'Alexandra. Merde ! Il n'allait pas imiter Emma. S'il commençait à chercher des signes partout, il ne s'en sortirait pas. Il n'en demeurait pas moins qu'il éprouvait de plus en plus le sentiment d'avancer les yeux bandés.

Il termina son café, engouffra deux autres biscottes tartinées de confiture et passa dans son bureau-bibliothèque. Il s'installa sur la chaise os de mouton, devant la table de travail en bois sombre sur laquelle trônait l'écran de son premier ordinateur, une volumineuse relique à laquelle il s'était sottement attaché. Il avait aussi conservé le vélomoteur de son adolescence qui pétaradait en hoquetant mais le portait toujours avec vaillance jusqu'à Fréhel lorsqu'il y faisait des emplettes. Il alluma son ordinateur portable, et demeura là, à fixer l'écran de veille, incapable d'ordonner ses pensées. Il se tourna pour contempler les centaines de livres alignés sur les étagères des bibliothèques. Ses œuvres fétiches, pour certaines lues et relues. Il aimait les toucher, les feuilleter, s'arrêter sur une phrase oubliée. Pourtant, aujourd'hui, leur coutumier miracle n'opéra pas.

Avait-il eu raison de rompre avec Emma ? Certes, il ne comptait plus les fois où elle lui avait tapé sur les nerfs, où elle l'avait saoulé. D'un autre côté, il s'agissait d'une femme intelligente, bienveillante et involontairement drôle. Il asséna une grande claque à la table de travail. Ah non ! S'il se mettait à regretter sa relation avec Emma, cela prouvait qu'il allait vraiment mal. Emma était l'amie dont tout homme sensé rêverait, et le cauchemar de l'amant-petit-ami.

Yann récupéra une de ses pipes, couchées dans un cendrier improvisé à partir d'une brique de verre. Il se leva et la bourra de tabac blond. Il ne fumait qu'ici, une pipe occasionnelle. Il n'aimait pas particulièrement le tabac, mais l'odeur qui persistait ensuite dans la maison lui plaisait.

Le jour se levait avec paresse lorsque la clochette du petit portail égrena ses notes suraiguës. Il jeta un regard par la fenêtre. Gwenaëlle Lecoz, sa voisine la plus proche, une maîtresse femme de soixante-dix ans, mère de Loïc le taxi, était pendue à la chaînette. La connaissant, mieux valait répondre. Il sortit en serrant sa robe de chambre, luttant contre un vent glacial. Un peu sourde, mais bon pied bon œil, Gwenaëlle Lecoz s'époumona :

— Alors, mon mignon ? D'retour chez toi ? Elle lui tendit un panier en précisant : Mon gars m'a dit qu'y t'avait voituré hier. Y a une bouteille de cidre, d'la miche beurrée, un pot de pommé[1], six œufs cueillis c'matin au cul des poules, un bon bout de boudin, et une part de p'tit salé aux cocos d'Paimpol qu'y me reste d'hier, le tout maison. Tu d'vrais tenir jusqu'à d'main avec ça. Ça, d'où qu'elle est au ciel, ta mère pourra pas dire que j'te laisse mourir de faim. Dieu la bénisse !

Yann la remercia longuement, échangea quelques nouvelles avec elle et lui claqua deux baisers sonores sur les joues. Satisfaite, Gwenaëlle Lecoz repartit d'un pas martial.

---

1. Sorte de confiture réalisée avec des pommes à cidre et du cidre.

Il aimait cette terre et ces gens. Pas tant parce qu'il était breton d'aussi loin que remontait sa généalogie, mais parce que persistait ici, dans les petits villages ou bourgs, ce que devait être l'humain. On se connaissait, on se saluait, on se parlait, on s'entraidait. Certes, on se surveillait aussi. Il avait fui dès qu'il l'avait pu ce véritable réseau humain, en chair et en os, pour plonger avec avidité dans l'anonymat de la grande ville. Néanmoins, il devait reconnaître que le facteur de dilution qu'il avait trouvé à Paris commençait à perdre de son charme. Depuis cinq ans qu'il habitait le même immeuble du XVe arrondissement, il n'y connaissait personne. Hormis Emma, une Parisienne indécrottable, ses rares relations s'étaient tissées à la fac de Rennes. Il partait le matin travailler et rentrait le soir, sans connaître personne, sans se souvenir d'un seul visage à l'exclusion de ceux de ses collègues qu'il côtoyait par obligation. On prétend que l'homme n'est pas un animal grégaire, rien ne saurait être plus faux. L'homme est incapable de vivre en solitaire, si l'on exclut quelques ermites un peu allumés. En revanche, il ne se sent bien que dans son groupe, un groupe restreint, dans un périmètre limité. La famille, la tribu, le clan, le village, la bourgade. L'urbanisme tel qu'il était conçu aujourd'hui – de sorte à réduire les coûts, à rapprocher l'homme de son travail, de ses obligations administratives, des commodités – était antinomique du besoin essentiel de notre espèce d'établir des liens avec ses semblables. De fait, les ultraconcentrations des mégalopoles niaient la réalité animale de l'homme. Elles niaient également ce qui faisait sa particularité : le besoin impérieux d'être connu, reconnu, identifié individuellement et par son importance dans le groupe. On en revenait à la classification de Maslow. On en revenait au pétage de plomb d'individus qui, faute de trouver raisonnablement leur reconnaissance, massacraient, semaient le carnage pour qu'on les voie, qu'on atteste de leur existence. Même durant une poignée de secondes, quitte à se faire cribler de balles ensuite ou à se suicider.

Ici, dans ce coin de terre, tout le monde se connaissait, se reconnaissait, mais se contraignait également. Or, sans contrainte, laissée au libre arbitre de chacun, aucune société n'est viable et la loi du plus fort l'emporte.

Il réintégra sa maison, un peu soulagé : il terminerait sa vie ici, peinard, échangeant des services contre d'autres, avec des êtres humains dont il saurait le nom, l'occupation, la réalité.

Dans l'ordre, il filerait à Fréhel faire quelques courses. Le panier, pourtant généreux, de Gwenaëlle Lecoz ne suffirait pas et il avait envie de salade, d'artichauts et de pommes de terre sautées. Dès son retour, il chercherait une cachette de derrière les fagots pour les sorties d'imprimante qu'il avait apportées de Paris, puis il fouillerait Internet en espérant une touche providentielle. Ensuite, il se coucherait avec un bon bouquin.

Il était presque 14 heures lorsqu'il engouffra le petit salé de Gwenaëlle, accompagné d'une salade. Une splendeur, et elle n'avait pas lésiné sur la quantité. Il avait descendu la bouteille de cidre offerte, un pur jus pas complètement réglementaire qui devait taper dans les 9-10°. Il se sentait repu et un peu ensommeillé. Très content de lui aussi. Après maintes hésitations, tentatives, réflexions, il pensait avoir trouvé la cachette idéale pour les sorties d'imprimantes. Il avait encore le temps de changer d'avis jusqu'à demain midi, heure à laquelle Loïc viendrait le chercher pour le ramener à la gare de Lamballe.

Il se sentait bien ici et n'avait aucune envie de repartir. Pour la première fois de sa vie lui était venue l'envie de tout plaquer, de monter un truc, n'importe quoi, dans ce coin qu'il avait fui dès qu'il l'avait pu.

Il s'admonesta. Lemadec, on s'évite la déprime ! Tu as peur de quoi ? De te planter ? De fait, jusque-là, tu n'as pas fait d'étincelles. D'un autre côté, à part Lucie, personne ne t'a aidé. Peut-être aussi Emma, dans une moindre mesure. On atteint son principe de Peter, on s'est élevé à son niveau d'incompétence et ça ne fait pas plaisir ? Ta gueule, Lemadec ! enjoignit-il à la voix peste qui résonnait dans son cerveau, la sienne.

Lassé de lui-même, il s'absorba dans ses recherches Internet. Il feuilleta Google le plus loin possible dans l'espoir de dénicher d'autres informations sur les Beaujeu, le consortium Upstream, les yeux gris, Edward Armstrong ou sa fille. Il se ramona les méninges pour formuler ses questions en anglais. Lucie avait raison : le référencement français était devenu massivement commercial, hormis les sites canadiens francophones qui sortaient du rang par la qualité de leurs informations. Il fallait fréquemment sauter deux, trois pages avant de dénicher des données intéressantes.

Il chercha tous azimuts la signification d'Upstream. D'accord : « En amont, à contre-courant, à la source. » Il tomba sur des sites de compagnies pétrolières, l'upstream caractérisant l'exploration et l'extraction du brut et du gaz, par opposition aux midstream et downstream. Il lut deux ou trois articles sur ce que lui avait signalé Lucie : Upstream était le petit frère espion de Prism. Le consortium visait-il la réalisation d'un projet pétrolier ? Edward Armstrong grenouillait plutôt dans la finance internationale. Certes, cela ne signifiait rien, et pour des types comme lui, l'argent se ramasse où il s'accumule le plus.

Il s'accorda une petite pause sous forme d'un chocolat chaud qui lui rappela sa mère, Hélène, et sa grand-mère. Un peu requinqué, il reprit ses investigations, s'efforçant de les mener en anglais. Le site des *Oxford Dictionaries* lui offrit une définition du mot qu'il rencontrait pour la première fois. Il la nota sur une feuille, la traduisant du mieux qu'il le pouvait. Upstream : se dit d'un fragment d'ADN situé dans ou en direction d'une séquence génétique où la transcription débute plus tôt qu'à un point donné. Le point dit de rupture. Ce n'était pas complètement clair. De ses souvenirs d'études, la transcription était la lecture de l'ADN pour former des ARN. Ceux-ci seraient ensuite traduits en protéines, bref, les structures qui faisaient la plupart des choses dans l'organisme. Nombre de ces protéines étaient en réalité des enzymes qui permettaient aux réactions biochimiques d'avoir lieu.

Il poursuivit ses recherches sans rien trouver de plus, hormis des publications parfaitement absconses pour le profane au sujet de cet upstream qui semblait fasciner pas mal de scientifiques.

Pourtant, le soir, alors qu'il dégustait le boudin maison de Gwenaëlle Lecoz avec des pommes sautées surgelées, il sentit que pétrole ou séquence génétique, il touchait au but.

Soudain, lui revint la décoration presque minimaliste du hall de réception du château d'Armstrong, les banquettes gracieuses en bois gris. Des banquettes d'inspiration gustavienne comme les meubles de la chambre d'ami des Beaujeu.

Une absolue certitude s'imposa à lui. Henri de Salvindon avait admis posséder des informations sur cet Upstream, tout en se retranchant derrière le secret d'État. Yann aurait parié qu'Alexandra Beaujeu aussi. L'assassinat de l'avocat général n'était qu'une vaste fumisterie, un prétexte. Mais un prétexte pour quoi ? Une dangereuse partie de ping-pong, avec lui dans le rôle de la balle.

Une véritable rage l'envahit. Il composa le numéro de la résidence des Beaujeu. Rien à foutre de leurs habitudes et de leurs horaires ! La voix paisible et chaude de Grégoire lui répondit :

— Lemadec ! vociféra-t-il.

— Bonsoir, Yann. Je…

— Si on arrêtait un peu de jouer au con, ça m'arrangerait !

— Oh là ! Mauvaise journée ?

— De grâce, épargnez-moi votre ironie.

Soudain cinglant, Grégoire débita :

— Il est 21 h 10, je n'aime pas votre ton et vous commencez à me fatiguer, Yann.

— Sans blague ? Moi, j'en ai soupé qu'on se paye ma tête ! Pourquoi êtes-vous d'une discrétion paranoïaque au sujet d'Ïoda Kyûjutsu ? Pourquoi dissimulez-vous la véritable couleur grise de vos yeux sous des lentilles colorées ? Qu'est au juste Upstream ? Qui est Thierry Janssens ? J'ai rencontré son ex-femme, Caroline. Quels sont vos véritables liens avec Henri de Salvindon ? J'ai une liste de questions qui doit bien faire trois pages et…

La voix paisible mais autoritaire d'Alexandra Beaujeu résonna en arrière-plan :

— Passe-le-moi, chéri. Yann ? Des questions intéressantes, très, mais dont les réponses sont loin d'être simples. De toute façon, je n'y répondrai pas par téléphone. Où vous trouvez-vous ?

— En Bretagne.

— Ah oui, non loin de Fréhel.

Il ne s'étonna pas qu'elle sache où était située sa maison de famille.

— Quand rentrez-vous ?

— Je serai gare Montparnasse demain soir.

— Eh bien, venez nous rendre une visite lundi, plutôt l'après-midi, vers 16 heures. Vous jugerez ensuite. Yann, un conseil : n'évoquez cette conversation et votre venue avec personne. Vraiment personne. Salvindon est un homme redoutable, croyez-moi.

— Vous le connaissez ?

— Bien sûr. Lui aussi me connaît, et depuis longtemps. Pourtant, je parie qu'il vous a affirmé le contraire. Je me trompe ?

— Non, admit Lemadec avec difficulté.

— La partie vous dépasse largement, Yann. N'y voyez aucun sous-entendu dévalorisant. Il s'agit d'une partie terriblement complexe, et Salvindon ne vous a pas fourni les règles du jeu.

— Et vous êtes une des joueuses de taille dans ladite partie.

Il ne s'agissait plus d'une interrogation.

— Bien sûr, puisque je l'ai initiée. Enfin, par ricochet, si je puis dire. Mais encore une fois, je n'en discuterai pas par téléphone. À lundi, Yann. Rentrez bien.

Elle mit un terme à leur conversation.

Assez ébranlé, Yann réfléchit. Alexandra lui avait dit la vérité, il en était certain. Le commandant le menait en bateau depuis le début. Tous se foutaient de sa gueule ! Il s'interdit la colère, l'écœurement, la déception. Trop infantiles. En revanche, l'idée de filer une bonne baffe à Salvindon le séduisait assez. Même une baffe virtuelle.

Il consigna par écrit l'essentiel de sa conversation avec la scientifique-médecin. La feuille rejoignit les autres dans la cachette.

Chapitre 47

16 décembre, environs de Mortagne-au-Perche, France

Yann gara sa voiture de fonction devant la grille de la propriété des Beaujeu à 16 h 20. Il avait ressassé durant tout le dimanche et ce matin les événements, les reprenant depuis le début, les ordonnant. Il n'était même pas passé à la BIS avant de prendre la route. Il se sentait lessivé, presque engourdi. Il avait fourni un gros effort pour rester vigilant au volant, pour évacuer les bourrasques de rage et de frustration qui parfois le secouaient, accélérant son rythme cardiaque.

Il enfonça la touche du vidéophone. Aussitôt, un déclic se fit entendre et la voix d'Alexandra lui parvint :

— Montez, Yann. Je prépare le café.

Il gravit le chemin au pas de charge et poussa la porte. De fait, un arôme puissant se répandait. Alexandra sortit de la cuisine, portant un plateau. Elle avançait avec prudence, et lenteur. Il le lui retira des mains et demanda :

— Dans le salon ?

— S'il vous plaît.

Elle le précéda d'une démarche difficile. Il posa leurs deux grands *mugs* en raku et une assiette de sablés aux noix sur la table basse.

— Je n'ai pas évoqué ma visite. Avec personne, commença-t-il.

— Une sage précaution. Cela étant, bien sûr, Salvindon est au courant, du moins à cet instant. L'avantage réside dans le fait qu'il n'a pas eu le temps de se préparer, observa-t-elle.

— Comment cela ?

— Oh, Yann ! Ne me dites pas que l'idée que votre voiture de fonction était équipée d'un *tracker* ne vous a pas effleuré !

Non, il n'y avait pas pensé, sans doute parce qu'il s'en foutait. Il reprit :

— Grégoire n'est pas là ?

— Non, en déplacement.

Il ne parvint pas à dissimuler sa déception. Il avait espéré que le jeune homme serait présent. Sans doute parce que la seule présence d'Alexandra l'intimidait.

Elle l'invita à prendre place sur un des canapés de cuir et s'installa en face de lui, en s'aidant de l'accoudoir.

— Par quoi commençons-nous ? Il s'agit, ainsi que je vous l'ai dit, d'une très longue et très complexe histoire. Très dangereuse aussi.

Yann avala une gorgée de café, un délicieux Kenyan, et se lança :

— Je patauge.

— C'était voulu par Salvindon.

— Vous le détestez ?

— Ce ne serait pas de mise. Ce que je pense de Salvindon n'a qu'un intérêt : me permettre de deviner quel sera son prochain coup. Vous !

— Il ne manque pas d'hommes à ses ordres, contra Lemadec.

— Non. Il lui fallait un naïf, un gentil. Quelqu'un que je ne jetterais pas dans les dix secondes. Il voulait aussi un autre regard sur Alexandra Beaujeu et ses amis. Vous étiez parfait dans ce rôle.

— Je ne lui ai pas apporté grand-chose.

Elle le fixa d'un regard presque tendre et rétorqua :

— Vous vous trompez. Mais Salvindon est également dans l'erreur. Peu importe !

Elle se laissa aller contre le dossier du canapé en cuir.

— Votre animosité envers Edward Armstrong est feinte, n'est-ce pas ? Je me suis souvenue des banquettes du hall de réception du château. Les vôtres, celle de votre époque néo-gustavienne, ainsi que la nomme Grégoire ?

Elle hocha la tête en signe d'acquiescement, et avala quelques lentes gorgées de café.

— Pourquoi ? poursuivit Yann. Et d'ailleurs, qui est le mystérieux Edward Armstrong, qui semble avoir été parachuté dans le monde de la finance à l'âge de vingt-deux ans ? Le fait que tous ces prénoms et noms aient un rapport à la guerre et au combat est-il une coïncidence ? Hisoka, la prêtresse de la saga dont vous êtes sans doute l'inspiratrice : en japonais « secret, projet clandestin », etc.

Alexandra sembla hésiter, puis lâcha dans un soupir :

— Yann, n'exigez pas cette explication, mise au point, que sais-je. Partez. Oubliez tout cela. Vous n'êtes pas de taille, je vous le dis très gentiment… maternellement.

— Ah, mais si ! Ça fait des semaines que vous me baladez. « Vous » est un terme générique. Vous, je ne sais pas trop qui, mais vous en faites partie. Même mon propre bord m'est suspect.

— Entendu. Edward Armstrong s'appelle Terence Osborne. Mon mari, le père de Colin. Terence vient d'une famille anglaise très fortunée. La mienne n'était pas non plus fauchée. De discrets mais riches industriels du Nord. Le reste de l'argent provient de brevets, il est physicien, et de montages financiers. S'y sont ajoutées les sommes colossales investies par des mécènes, convaincus que nous avions raison, dont, au début, le baron Günter von Hopenburg, et ensuite Lian Chen-Huang, parmi d'autres que je ne citerai pas puisque vous n'avez pas découvert leurs noms.

La stupéfaction laissa d'abord Lemadec sans voix. Il bafouilla :

— Mais comment… et pourquoi cette…

— Mascarade avec Terence/Edward ? Il ne s'agissait pas d'une mystification, au début. Il a complètement plongé après le massacre de Colin. Il voulait abattre les trois ordures. Je l'en ai dissuadé. À l'époque, Terence n'aurait pas pu se remettre de ce qu'il considérait comme des meurtres. Il fallait qu'il les envisage à leur juste proportion : des éliminations. De plus, j'espérais que les trois tortionnaires se feraient descendre en prison. Deux en sont ressorti. La prétendue disparition de mon mari nous a ensuite servis.

— Mais enfin, d'après la photo que j'ai vue, Edward Armstrong ne ressemble en rien à Terence !

— Bien ! Vous avez donc retrouvé l'unique photo de Terence que nous n'avions pas effacée du net, et il n'y en avait pas beaucoup, celle du site de *father-of-coral*. La photo est bonne, n'est-ce pas ? Très… exploitable.

Yann comprit immédiatement :

— C'est vous qui avez créé le site *father-of-coral* ! En étudiant le cliché, on ne peut pas un instant imaginer de lien entre Terence et Edward.

— Tout juste. Lorsque Terence a admis, comme Thierry Janssens et moi-même, que la mort de Colin n'était qu'une des illustrations paroxystiques d'une vague de fond, il s'est un peu apaisé. Est né Edward Armstrong, milliardaire qui servait de paravent à Upstream. Terence était le portrait-robot de l'intellectuel, chercheur en physique. Un peu… gringalet, comme on disait à mon époque. Savez-vous quelle caractéristique physique trompe le plus chez un homme, un mâle, veux-je dire ? La taille. Nous avons tant de fantasmes sur la taille idéale d'un homme. Terence est passé par deux lourdes opérations d'allongement des fémurs et tibias. Pour un gain de quatorze centimètres, et une récupération relativement plus rapide grâce aux tiges de titane. Le reste, les mâchoires carrées, le nez aquilin, la musculature, les cheveux très bruns, la couleur des iris, était aisé.

Alors même qu'il avait compris, Yann demanda :

— C'est quoi, cette vague de fond ?

— La barbarie 2.0, la déferlante du sadisme à l'humaine. Toutes les conditions sont réunies. Notre trop grand nombre sur cette planète, nos haines des autres savamment orchestrées, les dysfonctionnements du cerveau engendrés par des carences, des pollutions, aggravés par les drogues, sans oublier une anesthésie générale des populations à qui l'on refourgue du pain et des jeux pour qu'elles ne voient rien venir, tant qu'elles peuvent payer. Les agneaux seront égorgés, seuls les fauves survivront. Les pires des fauves. L'automne est là et l'hiver arrive. Il durera.

— Bref, un délire pré-apocalyptique ! s'insurgea Lemadec.

— Pré-apocalyptique, en effet. Délire, j'en doute. Mais ouvrez les yeux ! Vous ne voyez vraiment rien, ou bien vous avez peur de voir ? s'énerva Alexandra.

— Est-ce Edward/Terence qui a tué Thomas Delebarre ? Dites-moi la vérité.

— Qui exige la vérité doit être capable de la supporter. Les conditions sont souvent si énormes, si abusives. *Ignorance is bliss*[1]. Parfois.

— Ça va, avec les charades et les jolies formules, s'énerva Yann. La vérité. Je veux la vérité !

Elle se leva d'un mouvement agile et puissant. Elle ôta le gros pull qu'elle portait toujours et il se rendit compte qu'il avait en face de lui une femme parfaitement apte. La spondylarthrite ankylosante était un leurre, un déguisement, et il était tombé dans le panneau.

— Votre choix, Yann, et je le déplore. J'ai tué Thomas Delebarre, à l'arme blanche. Oui, j'ai téléchargé sur son ordinateur des vidéos pédophiles qui ne s'y trouvaient pas avant.

---

1. Mieux vaut ne rien savoir.

Non, je ne voulais pas pourrir sa réputation, je m'en fous. Quant à l'exécration que j'éprouvais pour lui, après l'indulgence de son réquisitoire, elle n'aurait pas suffi à m'encourager au meurtre, du moins je le crois.

— Alors pourquoi ? C'est insensé !

— Il fallait que Salvindon s'intéresse à nous. Il était évident qu'il se servirait à titre personnel et occulte des moyens à sa disposition, et ils sont énormes, j'ai nommé la DCRI, donc la BIS. Je ne savais pas au juste ce qu'il avait découvert à notre sujet. Surtout…

Elle hésita, soupira, puis se décida :

— Surtout, nous savions que nous avions une taupe. Depuis presque un an.

— Une taupe ? Nous ?

— Plus tard. Si j'avais simplement abattu Delebarre d'une balle en pleine tête, seule la police judiciaire aurait été sur les dents. S'explique aussi la touche assez mélodramatique de l'inscription « PORC » sur son front. Enfin, Yann, selon vous, aurais-je été assez bête pour me contenter d'arracher une page de l'agenda de Delebarre ? Pourquoi ne pas embarquer tout le carnet ? Henri de Salvindon devait penser qu'il avait enfin une chance de me coincer, de me coller une inculpation pour meurtre sur le dos. Il s'agissait de l'unique moyen de le faire sortir de son antre… et de s'y infiltrer.

— Vous avez inscrit ce rendez-vous, pour qu'il soit perceptible en creux sur la page précédente ?

— Évidemment. Je n'ai jamais rencontré Delebarre après le procès en appel, hormis le soir où je l'ai éliminé. Ni au jardin du Luxembourg, ni ailleurs. Il fallait que j'attire Salvindon sur ma trace. Le soir de notre dîner, Grégoire a *buggé* votre clef USB. Le virus mouchard se réveille à la troisième insertion dans le port. Je me doutais que Mme Dormois vérifierait votre laptop. Grâce à ce cheval de Troie, nous sommes remontés avec prudence jusqu'à l'ordinateur de Salvindon, par l'intermédiaire de vos rapports. D'après nos informaticiens, les meilleurs de la planète, on se fera tôt ou tard repérer, mais nous aurons appris ce que nous souhaitions.

— Mais enfin… il n'était pas prévu que…

— Vous dîniez et dormiez à la maison ? Mais si. Lorsqu'il est allé chercher la bouteille de Chablis que nous avions pris soin de laisser dans la cuisine, Grégoire a passé un appel au commandant Vincent Levasseur. Un des nôtres. Il attendait non loin. Il s'est débrouillé pour que votre voiture ne redémarre pas. Levasseur est un type très bien qui constate chaque jour l'explosion de la violence la plus féroce, la plus abrutie, dépourvue de raison. De ses dires, il n'a jamais vu cela en vingt-cinq ans de carrière. Il constate également son impuissance, d'où son ralliement. Comme nous, il se prépare. Vous pouvez, là aussi, nier l'évidence comme beaucoup. Penser que si chaque jour des meurtres, des tortures gratuites s'étalent aux informations, c'est simplement parce que nous sommes mieux informés qu'il y a vingt ans. Mais c'est faux. La plupart des faits divers gores, insensés, ne sont pas relatés pour ne pas affoler le gentil citoyen. Pour qu'il ne découvre pas à quel point lui et sa famille sont fragiles et seuls.

Assommé, Yann restait muet. Elle poursuivit, sans hargne, sans précipitation :

— J'ai éliminé Jérôme Launay et Hacine Boumaza, sans l'ombre d'une hésitation. La mère devait monter au front. Je suis montée au front.

— Ça vous rend votre fils ? demanda Yann, teigneux parce qu'il perdait pied.

— Non, mais vous êtes un petit con ! L'idée que trois dégénérés avec des QI de moustique, des malfaisants irrécupérables, puissent survivre à mon fils qu'ils avaient torturé m'était insupportable. Au-delà de l'effroyable deuil de la mère, c'était la négation de tout ce que la génétique peut faire de mieux pour préserver notre espèce. Croyez-vous véritablement que ces trois tueurs débiles apportaient quoi que ce soit à notre évolution ?

— C'est de l'eugénisme !

— Ah, les gros mots sont de sortie ! Allez, encore un effort, Yann, faites-nous un petit point Godwin, traitez-moi de nazie, évoquez les heures-les-plus-sombres-de-notre-histoire.

— Vous bidouillez le profil génétique de gens, depuis votre carrière hospitalière à Lyon ! Un machin en upstream.

— Non ! Nous améliorons un gène déjà présent chez certains sujets. Thierry Janssens et moi-même travaillons depuis des années sur les carences lipidiques qui affectent la formation et le fonctionnement du cerveau et sur certaines séquences répétitives d'ADN, notamment ce que l'on appelle les tandem repeats. Nous sommes parvenus à réparer, du moins partiellement, la séquence répétitive dans le cas de la maladie de Landouzy-Déjerine. Il suffisait ensuite de décliner ces résultats. L'étape suivante a été un autre gène, celui qui nous intéressait véritablement. Nous recrutons des sujets porteurs de sa forme idéale, ou presque, selon nous, et qui ne présentent pas de dysfonctionnements du cerveau dus à des carences en oméga-3 et en sphingolipides, essentiels à un fonctionnement nerveux optimum. Éventuellement, nous corrigeons les répétitions du tandem.

— D'où l'avertissement de l'ordre des médecins.

— En effet. À ceci près que l'avertissement en question était piloté par Henri de Salvindon pour le compte de ses bons amis, dont Charles Delebarre et son gendre le baron. Des gens très puissants et sans état d'âme.

— Qu'est-ce que c'est au juste, ces tandem repeats ?

— Des motifs, de petits bouts d'ADN, identiques ou presque, situés les uns à côté des autres. Pour faire simple, ces séquences engendrent des expressions différentes de mêmes gènes. Elles sont impliquées dans certaines maladies, comme celle de Landouzy-Déjerine, donc, ou le diabète auto-immun, ou dans des comportements, dans notre cas l'agressivité réactive et proportionnée, le fameux gène guerrier. Le upstream-VNTR[1] du gène de la MAOA, la monomanine oxydase[2]. Les séries télévisées et les médias ont véhiculé beaucoup d'âneries simplificatrices à son sujet. En réalité, il s'agit d'un polymorphisme génétique[3] très complexe. Selon le nombre de répétitions de ce motif sur le chromosome, on constate des comportements et même, dans quelques études, des QI différents chez les sujets. N'oubliez pas que cette monoamine oxydase détruit les neurotransmetteurs, dont ceux qui sont impliqués dans l'humeur, la sensation de bien-être, ou dans la prise de risque.

— Et cela a un rapport avec les yeux gris ? Les lentilles colorées pour dissimuler le changement de couleur des iris ?

— Nous avons trouvé la forme du gène qui nous intéresse – dans le sens où sa séquence est presque idéale – chez des sujets aux yeux gris. Rien de statistique étant entendu le faible effectif.

---

1. Upstream variable number of tandem repeats présent dans la région du promoteur.

2. Cette enzyme dégrade les neurotransmetteurs amines telles que la dopamine, la sérotonine et la noradrénaline. Certaines des formes génétiques sont associées à une activité enzymatique moindre et à des comportements plus agressifs en réponse à la provocation. Environ un tiers des populations occidentales porte ces formes. Des influences environnementales existent également. Ainsi, les sujets porteurs de ce gène guerrier qui ont été victimes de maltraitances graves durant l'enfance peuvent ensuite manifester des comportements violents et asociaux. Cependant, une écrasante proportion des sujets porteurs ont des comportements parfaitement socialisés, modérés, si ce n'est qu'ils réagissent plus vite et plus fortement à une provocation caractérisée. À l'inverse, une suractivité de la MAOA est liée à des phénomènes dépressifs puisqu'elle dégrade la sérotonine, entre autres. Ceci explique qu'une classe d'antidépresseurs soit en fait des inhibiteurs des monoamines oxydases.

3. Le fait qu'un même gène puisse avoir plusieurs versions exprimées donnant des résultats perceptibles (phénotypes) différents. L'exemple le plus classique est celui des groupes sanguins. Il existe un gène « groupe sanguin » sur le chromosome 9. Ce gène peut exister en plusieurs versions appelées allèles : A1, A2, B, O, etc.

Quant aux autres, il semble que durant la procédure d'insertion du gène correcteur, nous ayons affecté la répartition de la mélanine dans les yeux. Nous ne sommes jamais complètement sûrs de l'endroit précis où nous insérons une séquence ADN.

— Comme chez Grégoire ?

— Non, Grégoire avait les yeux gris à la naissance. Moi aussi. Ma séquence a servi de modèle pour améliorer le gène MAOA. Assez vertigineux, sourit-elle. Tous ces êtres, dans le monde entier, sont un peu mes enfants. Même Terence, mon mari. Ils portent un bout de mon ADN, ou plutôt un bout copié de mon ADN. En revanche, ma sœur Aline avait les yeux bleu foncé.

Elle passa l'index sur ses globes oculaires. Deux lentilles bleues apparurent entre son index et son majeur. Il lui sembla que sa voix se faisait plus douce lorsqu'elle poursuivit :

— Yann, seule une armée de sujets forts, aptes, volontaires, capables de se contrôler et convaincus pourra lutter contre la violence implacable qui se prépare. Elle balayera tout le reste sur son passage.

— Et Salvindon serait de l'autre bord ? Quoi, il applaudirait des deux mains à ce que vous nommez la barbarie 2.0 ? Le baron von Hopenburg serait un fondu qui souhaite qu'elle déferle, contrairement à votre camp ? ironisa-t-il.

— Le baron ne pense qu'à son fric, et après moi le déluge. Günter von Hopenburg est tellement riche qu'il ignore l'étendue de sa fortune, mais il en veut encore plus. Il fait partie de cette « école », si je puis dire, qui pense que le chaos extrême est source d'immenses profits pour ceux qui savent le manipuler. Quitte à attiser des révoltes, déclencher des guerres, financer des groupements terroristes en sous-main, entretenir des famines, empoisonner la terre, organiser des pénuries pour faire monter les prix. À leur décharge, le passé leur a donné raison. L'argent est une drogue dure. Hopenburg pense, comme d'autres énormes fortunes, qu'il garera ses fesses des problèmes pendant que les autres s'entre-tueront. Après tout, ils y sont toujours parvenus. Mais sur ce coup, ils ont tort. Le baron ne veut pas admettre qu'il sera balayé, comme nous tous. Les sauvages d'en face se foutent d'accords financiers, de dividendes, de renvois d'ascenseur. Le monde a changé. Ils prennent ce qu'ils veulent quand ils le décident et n'hésitent pas à tuer pour cela. Plus peur de la damnation, plus peur de Dieu, plus peur de la punition humaine, inexistante, plus peur de la réprobation du groupe. Toutes les digues se sont effondrées, grâce, entre autres, à des individus comme le baron. Hopenbourg est convaincu d'appartenir à une essence supérieure. Les autres, la masse, sont des pions interchangeables, des bêtes de somme ou des portefeuilles à pattes. Il ne les voit même pas. Le déluge rouge sang va déferler et eux ne pensent qu'au fric qu'ils vont en retirer.

— D'où le projet de plateforme offshore où ils viendront s'installer pour protéger la peau de leurs fesses ?

— Tout à fait. D'où également la nécessité d'amener la BIS, donc Salvindon, sur moi. Ainsi que je vous l'ai dit, nous avions une taupe, très active. Le projet du baron et de ses associés balbutiait, qu'il s'agisse de la plateforme offshore ou de la thérapie génique, puisqu'ils avaient récupéré nos avancées en la matière, avant notre rupture, lorsque j'ai compris que nos buts étaient opposés. À ceci près qu'Hopenbourg visait véritablement l'eugénisme, la race supérieure, pas nous. Ils n'ont pas recruté les gens qu'il fallait. Et soudain, nous avons appris leurs stupéfiantes avancées en ce qui concernait leur ville flottante. Quelqu'un de notre camp, ayant nos connaissances, les renseignait, leur dévoilait nos avancées, contre beaucoup d'argent. Le cheval de Troie que nous avons inséré sur votre clef nous a donc permis de découvrir et de suivre les échanges entre Salvindon et ce Laurent Lecomte, qui travaillait pour nous tout en nous trahissant.

— Et vous l'avez fait abattre dans la forêt de Rambouillet.

Elle le considéra, un peu surprise, et haussa les épaules :

— Quelle autre solution avions-nous ? Lecomte n'aimait que l'argent. Nous aurions pu renchérir, mais Hopenburg possède des moyens colossaux.

— Vous êtes des paranoïaques complotistes. Tous !

— Mais oui ! Suffit, pour s'en convaincre, de suivre les évolutions du monde. Ah, mais vous préférez *La Princesse de Clèves* et *Les Confessions* de Jean-Jacques Rousseau. Je vous comprends. Quoi qu'il en soit, Günter von Hopenburg et son beau-père Charles Delebarre voyaient dans cette génothérapie des applications militaires extrêmement juteuses. S'ajoutait, en effet, la plateforme offshore Upstream qu'ils voulaient réserver à la « nouvelle race », quitte à laisser crever tous les autres.

— Parce que dans votre plan à vous, elle sera réservée aux « autres », aux citoyens lambda ?

— Non. Elle ne pourra accueillir que dix mille personnes, des soldats dont la mission est de défendre ce qui restera de l'humanité à ce moment-là. Une sorte de base arrière. Elle sera opérationnelle dans cinq ans[1]. Quoi qu'il en soit, nous les avons évincés, et ils ne nous l'ont pas pardonné. Le gros magot leur filait sous le nez. Voilà, vous savez tout de l'histoire. Tout le reste découle de cela. Henri de Salvindon, militaire dans l'âme, convaincu par le baron que l'armée deviendrait une force incoercible, lui a prêté main-forte. Les énormes avantages financiers n'étaient pas non plus négligeables. Vous êtes le benêt de l'histoire. Rassurez-vous, il y en a eu d'autres.

— Alexandra, une femme telle que vous, chercheur, médecin, ne peut cautionner un tel plan ! protesta Yann.

— Une femme telle que moi, chercheur, médecin, devrait cautionner l'annihilation de l'humanité telle que nous la connaissons ? Le retour aux cavernes, aux clans qui s'entre-tuent, la loi du plus féroce ? Vous plaisantez ? Vous m'avez accusée d'eugénisme. Quel gag ! Selon vous, combien la nature a-t-elle décimé d'espèces depuis le début de la vie ? Des millions. Des espèces inaptes qui ne devaient pas survivre. Nous

---

1. Un prototype de ville flottante devrait être achevé en 2020 dans le golfe de Fonseca, en Amérique centrale, source *Le Nouvel Observateur*, 10-16 avril 2014.

n'éliminons personne. Nous renforçons ceux qui doivent défendre l'humanité. Ceux qui doivent défendre ce qu'elle deviendra, la prochaine étape. De fait, *Homo sapiens* est une expérience ratée, une expérimentation qui arrive à son terme. Nous attendons la suivante. Nous devons persister jusqu'à la suivante évolution.

— Alexandra, nous avons toujours été une espèce féroce. Nous n'aurions jamais survécu sans cela. Il suffit pour s'en persuader de lire les feuilles de chou du XIXe siècle. Rien n'a changé, tenta de la convaincre Yann.

— Faux. Vos feuilles de chou sont des anecdotes, des faits divers invérifiables, le plus souvent montés en épingle par des pisse-copie. On y côtoie les sœurs siamoises, la femme à barbe, les lotions qui font repousser les cheveux et des crimes bien gores pour appâter le lecteur. S'y ajoutent quelques archives judiciaires parcellaires. Vous ne disposez d'aucunes statistiques à m'opposer. Même si vous brandissiez celles qui sont diffusées par les gouvernements actuels, mauvaise nouvelle : elles sont biaisées. De plus, vous oubliez un paramètre fondamental : notre récente surpopulation. Elle ne fera qu'attiser la violence, lorsqu'il faudra en plus trouver à bouffer, à boire, de l'énergie, bref toutes les ressources essentielles, et c'est là-dessus que comptent le baron et ses bons amis. Imaginez l'augmentation vertigineuse du prix des matières premières, un véritable pactole, du moins pour ceux qui pourront payer ! Yann, faites un effort, revenez à la crudité des faits avérés et, de grâce, cessez de me considérer comme une survivaliste[1] paranoïaque. L'histoire du monde est semée d'épidémies et de guerres effroyables, sans oublier la sélection naturelle. Ceux qui restaient comprenaient, du moins durant quelques décennies,

---

1. Individus ou petits groupes qui se préparent à une catastrophe locale ou planétaire de quelque ordre qu'elle soit. Il peut s'agir de gens paisibles qui acquièrent des notions médicales, agricoles et autres pour faire face mais parfois aussi de gens surarmés.

qu'ils avaient besoin des autres pour s'en sortir. Aujourd'hui, les autres sont des rivaux qui se disputent les mêmes réserves de survie que vous, et ça n'ira pas en s'améliorant.

— Nous trouverons des solutions technologiques, s'obstina Lemadec.

— Vous irez faire pousser à manger sur Mars ? Vous mettrez au point des super-générateurs d'oxygène pour 12 milliards d'êtres humains ? Vous serez prêts dans trente-cinq ans, c'est-à-dire demain ? En 2050, nous serons 12 milliards d'individus, contre 2,5 milliards un siècle plus tôt, alors même que la forêt amazonienne aura été décimée et l'océan ravagé, nos deux sources d'oxygène. L'homme est la seule espèce animale incapable de réguler ses naissances en fonction de ses ressources. Toutes les religions l'en ont dissuadé en lui faisant croire qu'il s'agissait d'une faute. Le fameux « croître et multiplier », valable lorsque nous étions peu nombreux sur Terre et qu'un enfant sur cinq parvenait à l'âge fertile. Ce n'est plus le cas, et depuis longtemps.

— Grégoire n'est pas en déplacement.

Il ne s'agissait pas d'une question, mais d'une simple vérification.

— Non. Il ne souhaitait pas vous rencontrer. Il savait que cette discussion serait… délicate, et se doutait qu'elle risquait d'échouer.

— Échouer dans quel sens ?

— Vous ne posez pas les bonnes questions, Yann. Sortez de votre aveuglement, de votre déni de réalité. Nous avons raison. Nous et le camp opposé. Le chaos se prépare. La seule inconnue demeure : quand ? Quand aurons-nous raison ? En plus de ce que nous venons d'aborder, trop de sujets dysfonctionnels neurologiquement sont lâchés dans la nature, sans plus aucun garde-fou ou presque. Ils en produiront d'autres. Certains se suicideront, activement rongés par la dépression, d'autres achèveront de se griller le cerveau avec des dopes, même légales, pour tenter de pallier leur gigantesque mal-être.

La plupart deviendront ultra-violents, sans raison. Notre camp est prêt à devenir la dernière ligne de défense de l'humanité. Beaucoup mourront. Nous permettrons qu'un nombre suffisant persiste pour reconstruire. Réfléchissez.

— Je pourrais avoir enregistré cette conversation !

Elle lui destina un sourire triste :

— Le salon est équipé d'un brouilleur GSM et d'un détecteur de micros. Dès qu'ils sont activés, rien ne sort, rien n'entre. Yann, aucune porte ne se referme définitivement au cours d'une vie. On peut parfaitement revenir en arrière et rectifier ses erreurs.

— Vous êtes tous des dingues, dans les deux camps ! Vous préparez l'Apocalypse. Mais ce plan de la fin du monde s'est déjà fait plus de mille fois !

— Il ne s'agit pas d'une resucée de comète qui percuterait la Terre, ou du Déluge. Il s'agit d'une fraction de l'humanité qui se retourne contre l'autre. Salvindon ne peut pas m'éliminer, ni Grégoire, ni Edward, il ne peut pas « classer nos dossiers ». Les représailles seraient féroces, il le sait. Yann, encore une fois, nos cerveaux sont esquintés par les carences, les cames, la pollution, l'abrutissement organisé. Les politiques s'en foutent, ils pensent à leur réélection. Ceux qui grenouillent derrière savent qu'il y a beaucoup de fric à gagner. Ils se renvoient l'ascenseur dans un rapport presque incestueux de gens qui se connaissent très bien et fonctionnent ensemble depuis des lustres : le fric permet une réélection, la réélection permet aux autres de gagner encore plus de fric. Le résultat pour le *vulgum pecus* est une explosion des comportements dépressifs, suicidaires, et d'ultra-violence. Nous ne nous échouons pas comme les dauphins ou les baleines. Nous exterminons parce que c'est ce que nous savons le mieux faire. Réfléchissez.

Il eut presque le sentiment que son ton s'était fait supplique.

Il se leva et asséna d'une voix tranchante :

— Je me casse. Je ne veux rien avoir à faire avec des gens de votre sorte ou de celle du baron ou de Salvindon. Vous pourrissez le monde. Vous me filez la nausée.

Il se dirigea d'un pas nerveux vers la porte et se retourna :

— Ce week-end, en Bretagne, j'ai eu envie de tout plaquer, d'ouvrir une crêperie ou un magasin de pulls artisanaux, ou d'organiser des parties de pêche, n'importe quoi ! Je ne veux pas frayer avec des gens comme vous. Je veux vivre au milieu d'humains.

— Jusqu'à demain. Demain, ce que l'humanité sécrète de pire déferlera. Adieu, Yann. Prenez soin de vous. Je ne vous raccompagne pas, vous connaissez le chemin.

Il lui jeta un dernier regard avant de tourner le dos. Une infinie tristesse se lisait sur le beau visage d'Alexandra.

Il démissionnait. Il se cassait. Il claqua la porte derrière lui, piètre rébellion. Un symbole auquel il voulait se raccrocher, surtout : Alexandra et Edward Armstrong avaient tort, certaines portes se refermaient à jamais. Les portes qu'on refusait de pousser en sens inverse.

Dès que la grille du portail se fut verrouillée derrière Yann, Grégoire rejoignit sa mère et la serra contre lui, posant sa tête dans son cou, comme lorsqu'il était enfant.

— C'est quoi, le cure-dent terminé de deux feuilles que tu as planté dans la cuisine ?

— Le noyau d'un des lychees que tu as engloutis à Noël dernier. Je ne pensais pas que ça pousserait. La vie est merveilleuse, si têtue. À ceci près que je ne sais pas à quoi ressemble un... comment dit-on ? Lycheesier ? J'espère juste que ça ne mesure pas dix mètres de haut à maturité.

En dépit de la plaisanterie, son ton était tendu.

— Il passera par le bois de la Ventrouze, la route parallèle à la N 12, murmura le grand jeune homme.

Il se laissa choir sur le canapé de cuir qui faisait face à celui sur lequel sa mère avait pris place. Il avait enlevé ses lentilles de contact et elle se perdit dans le gris acier de ses yeux.

Comme elle aimait ce garçon qu'elle n'aurait jamais dû avoir. À l'époque, Terence/Edward ne voulait pas d'un autre enfant. Elle s'était obstinée. Il lui fallait un petit pour déverser sur lui cet amour que les femmes réservent strictement à leur progéniture, pour remplir le gouffre, pour expier une faute qui n'en était pas une, mais qu'elle ne parvenait pas à évacuer de son esprit : elle n'était pas parvenue à protéger son petit ainsi qu'elle l'aurait dû. Cependant, le spectre sanglant de Colin suivait Terence pas à pas. Enfin, elle avait obtenu un bébé de quelques mois. Un petit garçon. Grégoire était son frère aîné, âgé de neuf ans, considéré comme trop vieux pour l'adoption. Il avait les yeux gris. À l'époque, la falsification des papiers d'adoption avait été relativement simple. La substitution des enfants s'était réglée à coups de bakchichs, l'un pour l'officiel de l'aéroport, l'autre pour le pilote du petit avion de tourisme qui les avait conduits de Santo Antão jusqu'au Sénégal, d'où ils avaient pris un long courrier pour la France.

— Il n'est coupable de rien, maman, souffla Grégoire, entrelaçant ses longs doigts minces.

— Je me demande s'il n'est pas fasciné par toi ou par Ïoda. Yann a déjà raté sa vie, et il le sait, en dépit de ses dénégations.

— Peut-être, approuva-t-il. Peu importe. Il n'est pas coupable.

— Mais si. Il est coupable d'aveuglement, de volontaire ignorance. Il est coupable de croire ce qui le rassure. Coupable de peur, donc très dangereux pour nous. Yann est coupable même s'il est charmant.

— Il ne s'agit pas d'une… erreur de casting dans ce cas, maman. Pas comme Rodolf ou Laurent…

— Grégoire, ainsi que j'ai tenté de le faire comprendre à Yann, il n'y a pas les gentils d'un côté et les méchants de l'autre. Il y a simplement deux projets pour l'humanité, des projets inconciliables.

— Il doit mourir ?

— Oui, et j'en suis effondrée. Il sait maintenant beaucoup trop de choses. Il a compris mais il n'a rien compris. Il pensera faire le bien et saccagera la dernière chance de notre espèce. Ainsi que je le lui ai répété, nous avons raison, tout l'indique, même si nous ignorons quand au juste nous aurons raison. Un Yann, aussi touchant soit-il, ne peut pas détruire ce que nous avons mis plus de quinze ans à construire, en consentant d'énormes sacrifices, en offrant notre existence entière. Il y verrait de l'héroïsme, de l'humanisme. Il ne s'agit que d'une mièvre candeur, matinée d'un égoïsme forcené. Inconsciemment, ou pas, il se console de l'idée qu'il ne verra pas « cela », une façon de refiler la poubelle aux générations futures. Yann n'a pas d'enfants, plus de famille. Il n'est pas assez fort, généreux, passionné, ou peut-être insensé, pour penser aux autres, ceux qui viendront plus tard. De plus, mon chéri, Yann ne nous est plus utile. Il devait nous permettre de remonter jusqu'à l'identité de notre taupe. C'est fait. Laurent est mort. Deborah s'en est chargée dans la forêt de Rambouillet.

Grégoire se leva et s'échoua à côté de sa mère. Une larme dévala le long de sa narine, hésita, puis tomba, aussitôt absorbée par la laine blanche de son pull.

— Mais il n'a rien à voir avec Rodolf Bourbon à Montréal. Lian a été contrainte de l'abattre parce qu'il devenait incontrôlable.

La sonnerie du portable sécurisé d'Alexandra résonna deux fois. Elle ne fit pas mine de consulter son appareil et poursuivit :

— À qui on avait pourtant répété que l'association entre le gène guerrier amplifié, l'excès de testostérone et la cocaïne donnait un cocktail incontrôlable. Rodolf et Laurent partageaient le même profil. Ils voulaient vaincre pour eux-mêmes, pour l'argent, le pouvoir. Ils se foutaient des autres et ils auraient fini par nous menacer gravement, même si Rodolf ne nous trahissait pas, contrairement à Laurent. Rodolf nous a fait gagner beaucoup d'argent, je le reconnais. Il connaissait les mécanismes financiers comme personne. Néanmoins, il perdait de plus en plus son contrôle. En cas de problème, il n'aurait pas hésité à nous faire plonger. Il devenait bien trop visible. Même cette pauvre Julianne. Si elle n'avait pas été tuée à Roxbury, il aurait fallu s'en charger. De l'avis de Karl McGovern et de Gaea, elle pétait complètement les plombs. Il faut les voir à la manière de… ratés expérimentaux. Quant à la charmante Satya, elle était du même modèle que Yann. Parce qu'ils ne fraient pas avec le monde réel, ils ne le voient plus. Pire, ils le refusent. Satya risquait de nous porter un terrible préjudice avec cette histoire de lentilles dont elle ne démordait pas. Tu nous offres un verre ?

— Je devrais y aller, maman.

— Non. Tu n'es pas un exécuteur. Tu n'as pas été entraîné pour cela. Tes gènes te permettront un jour de tuer, pour défendre. Yann ne nous attaque pas, même s'il peut causer notre ruine, la ruine de tous nos efforts. Ton rôle est le recrutement, la pédagogie, expliquer par le biais de tes sagas ce qu'est l'humain, ce qu'il doit devenir, et la force du groupe. Bref, la naissance d'une société. Yann n'y comprend rien. Comme tant d'autres, il ne peut plus s'imaginer qu'en individu.

— Nous sommes trop nombreux pour nous apercevoir encore que nous ne pouvons pas vivre hors le groupe, observa Grégoire.

— Hum. Tu lui ferais très mal, physiquement, psychologi-quement. Tu ne peux pas exécuter à froid. De plus, rien n'est plus difficile que de tuer quelqu'un qui ne vous menace pas directement. Si j'ai roulé en marche arrière sur Launay, c'est parce qu'il n'était pas mort sur le coup. Je ne pouvais pas le lais-ser à l'agonie. Et pourtant, je l'exécrais. Je l'ai achevé. Nous ne nous satisfaisons pas de la souffrance. Nous ne sommes pas, plus, eux.

Chapitre 48

Au même moment, 16 décembre, bois de la Ventrouze,
non loin de Mortagne-au-Perche, France

Le bois de la Ventrouze était magnifique dans la nuit tombante, même en hiver. Lemadec se fit la réflexion que le GPS ne lui avait pas conseillé la même route à l'aller. Mais les panneaux qu'il avait vus un peu plus tôt signalaient la direction de Paris. L'itinéraire que lui avait cette fois choisi la fantasque voix numérique lui convenait. Une route paisible. Il n'avait croisé que de rares automobilistes. Il conduisait lentement. On ne sait jamais ce qui va débouler d'une forêt, et il n'avait aucune envie de percuter un sanglier ou une biche. Il devait s'en féliciter cent mètres plus loin, juste après un tournant. Une voiture était arrêtée, à moitié sur la chaussée, ses feux de détresse clignotant. Une femme à cheveux très longs, dont il ne distingua que la silhouette, faisait des grands signes de bras dans sa direction.

Il s'arrêta juste derrière sa voiture, un coupé Audi. Elle était grande, mince, vêtue d'un pantalon qui semblait en cuir aux jambes rentrées dans de hautes bottes, et d'un épais blouson de peau retournée.

— Un problème ? jeta-t-il par sa vitre de portière.

— Un pneu crevé. Quelle poisse !

Elle avait un étrange accent, une voix assez grave mais très mélodieuse.

— Vous devez avoir un pneu de rechange.

— Mais je ne sais pas comment on fait !

Il sourit :

— Bon, je ne suis pas bricoleur pour deux sous, mais ça, je peux.

Il descendit de voiture. Rendre des services en échange d'autres. Retrouver le lien humain d'une belle dépendance avec ses semblables. Se nettoyer des Salvindon, des Alexandra et même des Grégoire.

Dans le jour déclinant, il se rendit compte qu'elle était asiatique, très belle, avec de longs cheveux bruns.

— J'accepte bien volontiers votre aide. Je joue les petites mains si vous m'indiquez ce que je dois faire, proposa-t-elle.

Une voiture les dépassa à vive allure.

— Je vais chercher mon cric. Sortez la roue de secours. Dans le coffre. En général sous le tapis de sol, indiqua-t-il.

Lorsqu'il se redressa et se tourna vers les effluves de son parfum d'iris, l'arc de Lian le tenait en joue.

Il lâcha le cric, stupéfait :

— Mais...

— Chut. Je suis désolée, Yann. Le temps me fait défaut.

— Attendez, vous n'allez pas m'abattre !

Elle recula encore de quelques pas et banda l'arc.

— Non, non... attendez, là... Je ne sais même pas qui vous êtes !

— Mais si. Lian Chen-Huang.

— Expliquez-moi, expliquez ! cria Yann.

— Trop tard. Le temps des explications est passé. Je suis désolée.

Un sifflement sec. L'air qui s'enfuyait par la base de sa gorge. Une douleur étrange, aiguë mais supportable. Il s'écroula. Le sang tiède dévala par bourrasques, se frayant un chemin sous son pull, le long de son torse. Et Yann sut qu'il allait mourir et qu'il avait eu tort. De fait, seule la survie de l'espèce humaine comptait. Il se sentit traîné par les aisselles jusqu'au fossé herbeux. Il roula, déjà presque inconscient.

— Lian Chen-Huang. Le consortium Upstream, murmura la jeune femme maintenant agenouillée contre lui en lui caressant le front. Là, c'est bientôt fini. Là… n'aie pas peur…

Yann emporta avec lui une dernière vision, une vision si tendre : les larmes qui dévalaient des beaux yeux gris de la femme asiatique.

Lian se redressa. Elle essuya d'une main son visage humide de pleurs et tira la flèche de la gorge de Yann. Elle fonça vers sa voiture et souleva du coffre un jerrican d'essence, dont elle aspergea le corps et la citadine avant d'y mettre le feu. Il avait beaucoup plu, et les flammes qui s'élevèrent en rugissant ne risquaient pas de se communiquer aux branches nues des arbres. Elle sélectionna un numéro dans le répertoire de son téléphone et raccrocha après deux sonneries.

Chapitre 49

Au même moment, 16 décembre, environ
de Mortagne-au-Perche, France

Grégoire se leva. Bien sûr, sa mère avait raison. D'ailleurs, elle avait toujours raison. Pourtant, un inattendu chagrin l'avait envahi. Il avait senti l'espèce de fascination de Yann à son endroit ou plus exactement pour Ïoda. Le gentil psychologue avait-il rêvé d'héroïsme en lisant *Le fils des dieux* ? Néanmoins, Alexandra avait raison : il manquait de la passion, du courage, de la déraison, nécessaires pour aimer l'humain.

— Chablis ou mercurey ?

— Allez, un coup de bon rouge, tenancier ! Pour une fois, j'autorise les chips.

— Vous êtes trop bonne, madame ma mère, tenta-t-il de plaisanter, en cherchant son souffle. J'ai reprogrammé son GPS comme me l'a indiqué Vincent pour qu'il évite la N12 et passe par le bois de la Ventrouze.

Il se dirigea vers la cuisine et la voix très douce d'Alexandra lui parvint :

— Il faut apprendre à vivre avec les mauvais souvenirs. À force de ténacité, on parvient à les dompter pour qu'ils cessent de vous empoisonner la tête.

Alexandra lui laissa quelques minutes pour réfléchir, évacuer la belle compassion qu'il éprouvait pour Yann, la culpabilité qui lui coupait la respiration. Le jour où nous deviendrons incapables de compassion, nous serons véritablement des monstres, avait un jour lâché Thierry Janssens. Si juste.

La sonnerie de son téléphone se déclencha à nouveau. Deux fois.

Lorsque Grégoire reparut, portant un petit plateau en zinc étamé, il semblait apaisé. Elle le voyait à son front, à la disparition de la griffe du lion. Elle le connaissait aussi bien que sa propre vie. Il avait conservé cette habitude d'enfance de froncer le triangle de peau entre les sourcils lorsqu'il était triste ou dérouté ou même fiévreux.

Il lui tendit un haut verre à pied rempli de l'élégant rouge du bourgogne et demanda en désignant d'un mouvement de menton le smartphone sécurisé posé sur la table basse :

— Qui était-ce ?

— Je n'avais pas envie de répondre. À nous, proposa-t-elle en levant son verre pour trinquer.

Ils dégustèrent leur vin dans un silence complice, aimant.

Chapitre 50

Au même moment, 16 décembre,
environs de Mortagne-au-Perche, France

Sur la route d'Angers, dix kilomètres plus loin, Lian appela les secours d'un téléphone prépayé, jamais utilisé et qu'elle jetterait dès que possible.

Elle s'arrêta ensuite dans une station-service, retira la carte SIM qu'elle plia et replia pour la casser avant de la laisser tomber dans une cannette de Coca qu'elle récupéra dans une poubelle du parking. Elle traversa la longue bande d'asphalte et jeta le téléphone le plus loin possible dans les buissons qui bordaient l'aire de repos.

Elle reprit la route en sens inverse et s'arrêta vingt kilomètres plus loin. Elle sélectionna le numéro d'Alexandra sur son smartphone sécurisé, un Hoox de chez Bull, protégé contre les écoutes grâce à sa puce de chiffrement[1]. Ils en étaient tous équipés pour les conversations sensibles. Le reste passait par des téléphones buggables pour rassurer d'éventuels espions et les détourner de leurs communications ultra-confidentielles. Un individu qui ne se sert plus de son smartphone sur écoute est suspect, et on cherche alors le deuxième

---

1. Il ne devrait pas être vendu aux particuliers, du moins en 2013.

appareil. Or, Alexandra et Edward étaient certains que leur groupe était espionné depuis au moins un an. Du moins ceux d'entre eux que Salvindon avait pu identifier. Grâce à l'aide grassement rémunérée de Laurent Lecomte.

— Tu vas ? demanda Alexandra, inquiète.

— Oui. Pas facile, mais je vais. Grégoire est à tes côtés ?

— Je te le passe.

À quelques kilomètres de là, Alexandra Beaujeu tendit l'appareil à son fils en annonçant :

— C'est Lian.

Grégoire soupira et récupéra le téléphone :

— Il est mort ?

— Oui.

— Il a souffert, dis-moi la vérité, Lian, je t'en prie.

— Non. Il était penché au-dessus du coffre. Il n'a pas vu la fin venir, mentit-elle. J'ai incendié le corps et la voiture.

— Merci, Lian.

— Je t'embrasse, mon frère. Je t'aime. Nous n'avions pas d'autre alternative.

— Je sais. Je t'embrasse, ma sœur. Je t'aime tant.

Il raccrocha et s'avança vers sa mère qui l'enveloppa de ses bras.

Chapitre 51

20 décembre, Paris, France

Lucie était arrivée tôt, de crainte de rencontrer un de ses collègues. Elle n'avait pas fermé l'œil des deux nuits précédentes, ressassant les événements, tentant de réécrire l'irréparable, le définitif. L'exécration qu'elle éprouvait pour elle-même lui donnait la nausée. Elle avait été stupide, criminellement stupide. Et pourtant, elle les connaissait : eux, « ils ». Elle aurait dû être plus vigilante, encore plus méfiante.

Yann et son romantisme post-adolescent qui lui donnait à croire que le cynisme se résumait à une tare. Il n'est pas de véritable cynisme sans une haute conscience de la moralité. Or, on ne peut pas être moral seul, envers et contre tous les autres. Yann s'accrochait à des contes de fées. Pourtant, il existe tant de monstres dans les contes. Certes, ils sont défaits à la fin. Pas dans la réalité. Dans la vraie vie, ils sont presque toujours vainqueurs.

Elle crispa les mâchoires à se faire mal, tentant d'endiguer la crise de larmes qu'elle sentait monter.

Le téléphone de son bureau sonna. Elle s'admonesta : rester calme, professionnelle, un brin distante.

— Oui ?

— Madame Lucie Dormois ?

— En effet.

— Maître Lenôtre, notaire dans le XVe arrondissement. J'ai été averti du décès prématuré de M. Yann Lemadec. Il avait rédigé et fait enregistrer un testament dans mon étude, il y a peu de temps, pas même trois semaines. Vous êtes sa légataire universelle. Pas d'héritiers réservataires.

— Comment ? Yann était un collègue.

— Je ne sais pas, madame. Je dispose simplement de vos coordonnées et du testament. Il n'y a pas grand-chose. Un produit d'assurance-vie bancaire modeste et une maison en Bretagne, dans les Côtes-d'Armor. L'assurance-vie devrait vous permettre de régler les droits de succession, élevés puisque vous n'aviez pas de liens de famille directs. Vous pourrez ainsi vendre la maison plus tard. Je souhaiterais vous rencontrer assez vite, de sorte à expédier les formalités.

— À votre convenance, maître.

— Lundi 23 décembre ? 9 heures ? J'ai un créneau. Nous en avons pour une demi-heure. Ensuite, avec les fêtes…

— Entendu. Je passerai lundi à votre étude.

Elle raccrocha, tendit la main vers le paquet de madeleines. Une rage féroce la secoua. Elle projeta de toutes ses forces le paquet contre le mur et resta là, idiote. Une crise de sanglots la coucha sur son bureau.

Jamais elle ne vendrait la maison de Yann, sa tanière, son havre. Elle se redressa, essuyant de ses doigts la morve qui dégoulinait de son nez.

Chapitre 52

23 décembre 2013, Paris, France

Artémis posa le front sur le front de la photo d'Apollo qu'elle avait imprimée. Le contact du verre froid lui faisait du bien. Jeanne, l'ourse magnifique, avait, bien sûr, senti l'ampleur de la dévastation de sa fille. Découvrant la vilaine feuille A4 sur son bureau, elle avait déclaré :

— Non. Non non. Nos plus belles histoires d'amour méritent une vraie photo, sur du beau papier glacé, et protégée d'un sous-verre et d'un joli cadre. Tu permets que je m'en occupe ? Tu préfères un cadre très moderne, ou un truc un peu chargé mais très sentimental ?

— Moderne mais très sentimental, avait répondu Artemis, les larmes aux yeux.

Le portrait trônait depuis à côté de son ordinateur. Apollo regardait vers le haut. Peut-être tout en haut de la corde à nœuds ?

Elle ouvrit le tiroir de son bureau dans lequel elle dissimulait le cadeau de Noël de Jeanne, une magnifique sanguine XIXᵉ de femme au bain qu'elle avait achetée peu cher sur e-bay, et en tira une boîte en bois, sa cassette à secrets. Elle y avait conservé l'oursonne en peluche avec son ruban rouge autour du cou, les deux dernières fleurs séchées du phaléonopis offert par Jeanne,

411

un petit savon parfumé au thé de la luxueuse clinique de Thierry à Uccle, le bouchon de la bouteille de chablis que Jeanne avait ouverte le jour où Artémis était parvenue à se soulever à nouveau de son fauteuil roulant, son premier demi-verre de vin, et la sortie papier de l'unique mail du Pr Alexandra Beaujeu. Elle en avait exclu la photo de son père, déchirée en mille morceaux. Ses talismans. Ses précieux grigris qui disaient qu'un jour, sa vie redeviendrait à peu près normale, qu'elle pourrait aller à l'université s'asseoir sur un véritable banc d'amphithéâtre, voir un film dans un vrai cinéma, manger une pizza avec des copains dans une vraie pizzeria.

Elle tapa son code et passa sur sa messagerie protégée. Elle cligna les paupières de bonheur en découvrant d'autres mails de remerciements, la plupart en français, pour son remarquable travail de retranscription de la conférence d'Ariel Goldberg. Des gens qu'elle ne connaissait pas. Des pseudonymes. Eux. Ce groupe dont elle faisait partie.

Après les fêtes, elle repartirait à Uccle. Jeanne l'accompagnerait jusque dans le wagon pour l'installer au mieux, s'affolant telle une mère poule hystérique, ameutant la SNCF quitte à y aller de lourdes menaces. Inquiétude sans raison puisque le trajet d'Artemis était admirablement balisé et que le chauffeur de la clinique venait la chercher à sa descente de train à Bruxelles. Jeanne déposerait à côté d'elle un monceau de sandwichs, de gâteaux et même une canette de Coca-Cola en plus des bouteilles d'eau et de la thermos de Tarry Souchong au lait, comme si le voyage de sa fille devait durer trois jours. À l'habitude, Artemis offrirait les sandwichs à ses voisins.

Un jour, sa vie redeviendrait à peu près normale. Elle écumerait les magasins aux soldes avec Jeanne. Elles partiraient en vacances quelque part et elles se baigneraient dans la mer.

Artemis pourrait aller à l'université, voir un film dans un vrai cinéma, manger une pizza avec des copains dans une vraie pizzeria.

Chapitre 53

Fin janvier 2014, Paris, France

Au cours des trois semaines qui venaient de s'écouler, Lucie avait tenté de joindre Henri de Salvindon chaque jour. Il était en congé, en déplacement, en mission, en réunion, parti, pas encore rentré. À chaque fois, elle lui avait laissé un message pressant, lui demandant de la rappeler. En vain. Elle ne venait plus qu'occasionnellement à la BIS. Tout le monde se foutait de sa présence, elle la première.

Ce matin-là, elle se réveilla tard d'un mauvais sommeil, une sorte de pénible désordre entre réalité et rêve, endormissements et réveils, confusion et éclats de lucidité. Elle passa dans la cuisine et ouvrit le placard du haut. Elle repêcha une bouteille de whisky aux trois quarts vide qui devait dater de deux ans. La dernière fois qu'elle avait lancé une invitation. Elle n'aimait pas le whisky, sa curieuse odeur. D'ailleurs, elle n'aimait pas les alcools forts. Retenant sa respiration, elle avala une longue gorgée. Puis une autre. L'alcool lui ravagea la gorge et convulsa son estomac vide. Pas grave. Yann était mort, sans doute affolé comme un petit enfant, seul. Deux autres gorgées. Allez, ma Lucie, tu peux le faire ! Tu dois le faire et tu vas le faire. Un renvoi pénible ramena l'alcool dans sa bouche. Elle

413

plaqua la main sur ses lèvres. Non, tu ne dégueules pas. Tu marches droit devant.

Elle passa dans le salon, décrocha le téléphone :

— Lucie Dormois à l'appareil. Je souhaite parler au commandant Henri de Salvindon.

La même voix suave, celle de Claudine, la secrétaire sur laquelle elle tombait depuis trois semaines, lui répondit :

— Je suis désolée, madame, il est…

— Aux chiottes, je sais. Eh bien, nous allons attendre qu'il tire la chasse ! S'il ne parvenait pas à la trouver, dans cinq minutes j'appelle *Le Canard enchaîné*. J'ai toutes les preuves pour les convaincre et je ne rigole pas. Ensuite, je passe en viral sur Twitter et Facebook.

La voix, maintenant affolée, annonça :

— Un instant, madame.

Deux clics et la voix masculine, très reconnaissable, commença :

— Lucie, je crois que…

— La ferme ! Je veux une explication et je la veux maintenant ! Elle a intérêt à me convaincre.

— Entendu. À Levallois, dans une heure. 9 h 50.

— Au fait, je ne m'appelle pas Yann Lemadec. Si jamais je glissais malencontreusement sous une rame de métro, l'intégralité du dossier part à cinq adresses différentes, dont trois médias.

— Vous lisez trop de romans de gare, Lucie. De plus, il n'a pas glissé. Le corps était partiellement carbonisé mais le légiste a pu déterminer qu'une flèche l'avait transpercé. D'ailleurs, l'homme de l'art s'en est étonné. Il a reçu deux corps en peu de temps présentant le même type de blessures. J'ai passé l'âge de jouer à Robin des Bois ! Je vous attends.

Lucie passa par les postes de sécurité du rez-de-chaussée de la DCRI et se laissa traîner vers l'ascenseur sans desserrer les dents, hormis pour répondre aux vérifications d'identité.

Elle ne s'énerverait pas, elle ne pleurerait pas. Elle ne l'insulterait pas.

Claudine, le visage fermé, sans doute mécontente de son éclat avec son patron, la fit pénétrer dans la petite salle de réunion.

Henri de Salvindon se leva à son entrée mais ne fit pas mine de s'approcher.

— Bonjour, Lucie.

— Bonjour, Henri.

— Asseyez-vous, je vous prie. Alors ?

— Alors ? Nous avons un temps clément pour la saison, ne trouvez-vous pas, Henri ? Votre jardin de Sèvres doit être magnifique.

— En effet.

— Je me souviens de la dernière fois où nous y avons pris l'apéritif. L'énorme rhododendron était en fleurs. Une splendeur.

— Deux hivers rigoureux et interminables ont eu raison de lui. Il était très vieux, déjà là lorsque nous avons emménagé.

— Oh, quel dommage.

— Je vous offre un café ? s'enquit-il en désignant la cafetière Thermos qui reposait sur une desserte.

— Volontiers, je suis un peu saoule.

Il se leva et les servit.

— Vous ne me demandez pas des nouvelles de François ?

— Mon ex-mari, votre lieutenant préféré ? Non. Il m'intéresse très moyennement. Et ça ne date pas d'hier. Comment se porte sa nouvelle femme ?

— Ils sont mariés depuis six ou sept ans, Lucie.

— Où avais-je la tête ? On ne voit pas le temps passer à la BIS, ironisa-t-elle.

Il la crut amère et elle s'en félicita. Elle tentait seulement de protéger François. Après tout, il l'avait mise en garde, preuve qu'il n'était pas trop mouillé dans cette affaire et/ou qu'il la savait particulièrement explosive. À moins qu'il n'ait été missionné pour la dissuader de poursuivre. Salvindon avait toujours vu en François une sorte de fils spirituel. Cela étant, il n'hésiterait pas à lui casser les reins s'il se sentait menacé.

Elle avala une gorgée, le fixant. Un bel homme dans le genre militaire. Toutefois, derrière cet esthétique emballage se cachait une volonté inflexible, impitoyable. D'un autre côté, sans doute n'aurait-il jamais pu obtenir un poste de ce niveau sans cette conformation d'esprit.

Elle attaqua, détachant les mots parce qu'elle redoutait que sa voix flanche et la trahisse :

— Le deal paraissait clair. Si clair que j'aurais dû me méfier davantage. J'aidais Yann sans qu'il puisse jamais deviner que vous tiriez les ficelles. J'apprenais dans le détail où il en était au juste et je vous envoyais mes rapports, ce que j'ai fait. En échange de quoi j'obtenais ma dernière promotion.

— En effet, le deal était clair et vous l'avez respecté. Votre promotion est sur les rails.

— Foutaises ! Il était question de l'aider, de le protéger, voire de le manipuler, pas de l'envoyer à l'abattoir !

— Nous n'en sommes pas responsables. J'appréciais Yann. Un garçon bourré de talent. Ce n'était pas prévu et je n'ai pas pu intervenir, se défendit Henri de Salvindon.

Elle tenta encore de se maîtriser mais la fureur la fit trembler :

— Vous avez opté pour la stratégie de moindre difficulté parce que vous ne vouliez pas vous mouiller et qu'au fond, vous n'en aviez rien à foutre de Yann ! Il ne faisait pas le poids et vous le saviez. Mais il était sympa, propre dans sa tête, fin psychologue. Il plaisait et vous vouliez remonter jusqu'à Armstrong et Janssens.

— Armstrong est un homme très dangereux, Lucie.

— Pour vous et votre clique ? Ça me le rend sympathique. Belle lune de miel entre vous et le faux baron von Hopenburg, celui dont le grand-père nazi a fait fortune durant la Seconde

Guerre mondiale avant de se barrer vite fait en Argentine et de changer de nom. Vous n'êtes pas difficile, Henri…

— Vous me fatiguez, Lucie, l'interrompit-il, menaçant.

— Je produis souvent cet effet. Quoi qu'il en soit, on aurait pu espérer d'une vieille noblesse française qu'elle ne lèche pas les bottes des Waffen SS ou de leurs rejetons. Je crois savoir que ce cher Günter a repris le flambeau : les fantasmes d'une race pure et guerrière, surtout si ça se traduit par beaucoup de fric. Bordel, la race pure ! Cet avorton qui ressemble à un improbable métissage entre un batracien et un concombre !

Il se leva d'un bond et éructa :

— Calomnie !

Mauvaise, elle siffla :

— Non, non ! Calomnie, c'est quand on ne peut rien prouver. Moi, je peux.

— Combien ?

— Cher. Vous dire que vous êtes une ordure, dans le sens malodorant du terme. Salvindon, j'ai fini. Appelez-moi un taxi, à votre charge, bien sûr.

— Lucie, je vous en conjure. Ne déclenchez pas un scandale. Je ne m'en remettrai pas, et je conçois qu'il s'agisse de la vengeance que vous souhaitez. Mais vous non plus, vous ne sortirez pas indemne d'un truc de cette ampleur. Ceux qui se trouvent… au-dessus de moi ne font pas de cadeaux.

— La DCRI n'est pas au courant de vos petites manipulations, n'est-ce pas ?

— Non, et peu importe.

Il souffla entre ses dents et éructa soudain :

— Merde ! Vous pensez qu'un matin je me suis réveillé en songeant : Chouette ! Aujourd'hui, nous allons tirer le cul des ronces d'un fils de « personne importante » qui se fait coincer à trois reprises, achetant sa dope dans une banlieue pourrie ? Chouette, nous achèterons les croissants ou le pain au chocolat de la maîtresse d'une « personne de grand intérêt » ? Chouette,

nous couvrirons les frasques sexuelles ou les magouilles financières illicites d'une « ancienne personne d'intérêt » qui peut
en coller d'autres dans la panade ? Des guignols ! Je les vois
défiler, c'est mon métier. Ils sont tous, ou presque, aussi affli-
geants les uns que les autres. Tout le spectre politique. Une
vaste mise en scène.

Glaciale, Lucie contra :

— Henri, soyez assez bon pour m'épargner la tartine sur
« je ne suis qu'une des pauvres huiles de la DCRI. Si vous
saviez, ma bonn' dame... »

Il la considéra quelques instants et poursuivit d'une voix
apaisée :

— Vous croyez que le bon citoyen vous sera reconnaissant
de l'avertir ? Qu'il lèvera le petit doigt pour vous ? Vous n'êtes
quand même pas aussi naïve. Il y aura du buzz, un énorme
buzz mais dans trois semaines, tous ces veaux auront oublié.
La dernière application Facebook et le nouvel iPhone arrive-
ront, ou un vague petit tapage franco-français qui occupera
les esprits. La nouvelle maîtresse du président ou le nouvel
amant de l'ancienne maîtresse du président ou les anciennes
maîtresses des anciens présidents ou la fille secrète de l'ambas-
sadeur de Trifouillie devenue star du porno. On trouve toujours quelque chose, c'est notre métier. Nous sommes aussi
des prestidigitateurs : nous détournons l'attention. *Panem et
circenses.* Rien ne change.

— Si, mais on ne le perçoit pas toujours. Et non, je ne
ferai pas de scandale. De fait, ça ne sert à rien.

— Je comprends votre colère, Lucie. Encore une fois, je
suis navré de la mort de Yann. Si j'avais pu l'empêcher...
Croyez-moi. Nous sommes... ces gens que vous nommez ma
clique... nous sommes du bon côté, du côté du droit, de la
protection des citoyens du monde, du côté de la stabilité. On
ne fait pas d'omelette sans casser d'œufs. Je le déplore mais
c'est ainsi.

— Hum... Le taxi, Henri.

Il passa un appel puis la raccompagna jusqu'à l'ascenseur, à l'évidence à contrecœur. Il se tenait très raide, suivant la remontée de la cabine sur l'indicateur lumineux. Lucie percevait son impatience. Il n'avait qu'une hâte : qu'elle disparaisse au plus vite.

— J'ai… appris, au sujet du testament… assez tragique. Ça prouve qu'il était très seul, lança-t-il pour meubler le silence qui l'embarrassait.

— Humm. J'ai appelé une agence immobilière du coin pour la mettre en vente, mentit-elle. L'ascenseur est là.

Il lui tendit la main lorsque les portes coulissèrent. Elle feignit de ne pas la voir mais répéta :

— J'insiste, et vous savez que je ne bluffe pas : il ne vous reste qu'à espérer que je ne glisse pas sous une rame de métro… par étourderie !

Les sorties d'imprimantes qu'elle avait conseillées à Yann de mettre en sécurité devaient se trouver là-bas, dans la maison familiale des Côtes-d'Armor. L'endroit où il se sentait véritablement chez lui.

Chapitre 54

17-18 janvier 2014, Côtes-d'Armor, France

Lucie avait préféré louer une voiture au dernier moment et laisser la sienne au garage. Elle ne doutait pas qu'Henri de Salvindon avait les moyens de la pister s'il le souhaitait. Après tout, il suffisait maintenant d'un simple petit *tracker* GPS aimanté, fixé sous un véhicule, pour le suivre dans ses moindres déplacements. Même un espion en herbe pouvait s'en procurer dans l'un de ces magasins spécialisés ou en ligne. Cependant, elle comptait sur le machisme presque inconscient et très courtois du commandant. Henri éprouverait beaucoup de difficulté à admettre qu'une femme puisse devenir un ennemi sérieux. Tout juste une emmerdeuse, voire une exécutante. Ainsi, Lucie aurait parié qu'il s'était convaincu qu'un homme, Edward Armstrong, tirait les ficelles derrière Alexandra Beaujeu.

Il était presque 8 heures du matin lorsqu'elle s'arrêta dans le coquet village de Plévenon. Elle repéra l'auvent d'un bar brasserie, La Madrine, et descendit de voiture.

Elle s'installa en terrasse, seule téméraire bravant un vent mordant à cette heure. Une femme avenante sortit de l'établissement et s'approcha, s'inquiétant :

— Il fait plus chaud à l'intérieur, madame.

— Je l'espère, sourit Lucie. Mais la route était longue et l'air frais me revigore. Un grand café, noisette, s'il vous plaît.

— Une tartine beurrée, beurre demi-sel ? Le pain est encore tiède. On a un excellent boulanger.

— Oh, une tartine, exactement ce dont j'ai besoin. Oui, avec plaisir.

Lucie laissa dériver ses pensées, leur interdisant de se concentrer autour de Yann. Elle ne parvenait pas à décider quelle serait la prochaine étape, son prochain mouvement. Il lui manquait tant d'éléments pour comprendre la partie qui se jouait dans l'ombre.

La femme resurgit et posa une grosse tasse en faïence blanche et une soucoupe sur laquelle s'alignaient deux tartines généreusement beurrées. Lucie régla en la remerciant.

Une partie phénoménale, de cela elle était maintenant certaine, sans quoi Henri l'aurait envoyée promener et ne se serait pas donné la peine de la recevoir. Sans cela, il n'aurait pas craint le scandale qu'elle prétendait pouvoir déclencher, un coup de bluff. Lorsqu'un gros bluff marche si bien, c'est qu'il y a baleine sous gravillons, comme aurait dit Yann. Assez avec Yann. Yann est mort. Démerde-toi pour qu'il ne soit pas mort pour rien.

Elle termina sa tartine et son café, maintenant froid, et rejoignit son véhicule.

La maison était bien plus pimpante et mieux restaurée qu'elle ne l'avait imaginé. Une maison typique du coin, sorte de parallélépipède de granit gris, robuste, trouée de petites fenêtres. Une barrière blanche protégeait le jardinet du devant. Des massifs d'hortensias attendaient les premiers beaux jours pour refleurir en grosses têtes. L'air marin, saturé d'humidité iodée lui parvenait, grisant. Elle l'avala bouche grande ouverte et une quinte de toux la secoua. Lucie mit les larmes qui lui venaient à son compte. Des mouettes volaient haut, s'invecti-vant ou s'encourageant.

Elle sortit son sac de voyage de la voiture et ouvrit la grosse porte peinte du même bleu roi que les volets. Elle lâcha les poignées de son sac dans le couloir qui desservait une pièce de chaque côté et menait sans doute à la cuisine, située vers l'arrière de la maison. À l'étage devaient se trouver une ou deux chambres. Une curieuse sensation envahit Lucie. Elle avait presque le sentiment de commettre un acte blâmable, d'envahir un territoire qui ne lui appartenait pas, de violer l'intimité d'un autre être.

Elle releva le disjoncteur principal du compteur de l'entrée et alluma.

Yann est mort. Démerde-toi pour qu'il ne soit pas mort pour rien.

Lucie pénétra dans la pièce située à sa droite, une salle assez vaste transformée en bibliothèque, bien sûr. Elle s'avança vers la table de travail en bois sombre sur laquelle trônait un écran d'ordinateur préhistorique, une de ces choses très volumi-neuses ressemblant au crâne d'un Alien. À tous les coups, Yann ne devait pas avoir de connexion à Internet avec une telle bécane. Elle frôla le dossier haut de la chaise os de mouton recouvert de lin caramel. Un seul fauteuil était poussé devant la fenêtre.

Deux pipes étaient couchées dans une brique de verre fai-sant office de cendrier. Elle ignorait que Yann fumât. Elle passa en revue les titres serrés sur une étagère de bibliothèque. Des ouvrages qu'elle ne lirait jamais, mais dont elle ne se débarrasserait pas : Yann les avait aimés. *L'Équivoque ontolo-gique de la pensée kantienne* d'un certain Gérard Granel, un titre qui ne lui évoquait absolument rien. Les *Lettres familières* de Machiavel, *Du citoyen* et le *Léviathan* d'Hobbes, *Le Ban-quet*, *La République* de Platon, *Les Politiques* d'Aristote, *Le Phénomène humain*, *L'Apparition de l'homme*, *L'Avenir de l'homme*, *La Place de l'homme dans la nature* de Pierre Teilhard de Chardin, tant d'autres. Elle en feuilleta quelques-uns. Bon nombre avaient été achetés d'occasion dans une boutique en ligne, spécialisée en sciences humaines et sociales. Son tampon bleu ornait la page de garde des ouvrages.

Elle ressortit, en courant presque. Elle devrait apprivoiser cette bibliothèque, à petits pas, à petits gestes.

La pièce de gauche lui sembla moins farouche. Elle ouvrit les volets. Une grande cheminée lui faisait face, une provision de bois serrée contre son flanc. Yann avait transformé l'endroit en cuisine à l'américaine, avec un coin salon. Une jolie réussite à peu de frais avec des meubles gris moyen, une table basse en bois flotté, patiné par la mer.

Contrairement à ce qu'elle avait supputé, une salle de bains se trouvait au bout du couloir.

Elle grimpa l'escalier le souffle court, comme après une course. Deux belles chambres étaient séparées par un cabinet de toilette et un petit dressing. Des kilts aux couleurs vives recouvraient les deux petits lits de l'une d'elles. Elle ne pénétra même pas dans l'autre. Sur une table poussée contre le mur gisait une autre pipe. La chambre de Yann. Elle referma la porte. Un point de côté la plia. Elle inspira et expira profondément. Le plus difficile était fait.

Quelques minutes plus tard, Lucie remonta en voiture, en direction de Fréhel pour y faire quelques courses. Sans doute y traînerait-elle un peu, déjeunant quelque part, le temps que la maison se réchauffe, au propre et au figuré.

Lucie s'était démenée durant des heures, faisant le ménage avec une énergie qu'elle ne concédait que très rarement à ce genre d'activités domestiques qui l'ennuyaient. Cependant, aujourd'hui, il s'agissait d'un signe, d'une déclaration. En cirant les meubles, en briquant les carreaux, en brossant le jonc de mer qui recouvrait le sol des chambres, elle acceptait la maison que Yann lui avait laissée. Les papiers qu'elle avait signés chez le notaire de Paris ne signifiaient rien. Aujourd'hui, seulement, venait-elle d'accepter sa succession. Elle décidait de lui succéder ici. Ce faisant, elle lui succéderait ailleurs aussi.

Lucie dîna debout d'un sandwich au jambon, les reins appuyés au comptoir de la cuisine. Elle termina son verre de vin et s'en resservit un autre. Une idée totalement saugrenue, si superstitieuse qu'elle en avait un peu honte, lui avait traversé l'esprit plus tôt. Elle l'avait d'abord chassée, mais l'idée s'était incrustée, tenace au point de devenir obsédante. Il devait s'écouler une journée. Lucie était arrivée aujourd'hui et demain, elle succéderait à Yann en ce lieu. Elle s'installa dans l'un des petits canapés gris et posa son verre sur la table basse. 23 h 15. Où erra son esprit durant presque une heure, Lucie n'aurait su le préciser. Lorsqu'elle consulta à nouveau sa montre, il était minuit dix. Il était demain.

Elle passa d'une pièce à l'autre, se demandant où Yann avait pu mettre ses documents en sécurité. Sorties papier ou clef USB ?

Elle lui avait recommandé le papier. S'ajoutait la légère technophobie de Yann. Il se méfiait, de façon parfois irrationnelle, des outils qu'il ne connaissait pas, ne maîtrisait pas. En cela, il n'avait pas complètement tort. Certes, il n'était pas du genre à s'éclairer à la bougie ou à refuser l'aide d'un ordinateur, mais quand un développement devenait trop « chiadé » comme il disait, il le traitait avec une prudente distance.

Papier, donc. L'encombrement n'étant pas le même, la cachette serait plus volumineuse. Un livre évidé ? Un fond de panière à linge sale ou de poubelle ? Une dalle de sol ? Un conduit de cheminée ? Un faux plafond ? Derrière une des contremarches de l'escalier ? Derrière une bibliothèque ? Planqué entre deux casseroles ? Trop banal. Yann savait à qui il avait affaire. Des gens très entraînés, capables de retourner de fond en comble une maison, de sonder murs, sols, plafonds, meubles, tuyauterie en quelques heures sans laisser trace de leur passage.

Pourquoi Yann avait-il rédigé un testament en sa faveur quelques semaines avant son assassinat ? D'accord : il l'aimait bien et surtout, cela prouvait qu'il se savait menacé. Ou du moins que l'idée lui avait traversé l'esprit. Parce qu'il voulait lui léguer autre chose que la maison : les documents ? Parce qu'il espérait qu'elle poursuivrait l'enquête ? Cela n'avait pas de sens, sans quoi il lui en aurait parlé. Peut-être pas. Avait-il juste pris des précautions génériques, précautions qu'elle avait encouragées ? Le fameux « au cas où » qui a amplement fait la preuve de son efficacité ?

Réfléchir. Rabouter ce qu'elle savait de Yann, bien peu. Un analyste de données spécialisé en psychologie. Lucie avait souvent été stupéfaite par son sens de l'analogie, puisqu'elle fonctionnait selon un processus logique. Or l'analogie est un schéma de pensée parfaitement rationnel lorsqu'il est bien conduit. Il mène donc à des résultats précieux. La logique d'une cachette veut qu'elle soit inhabituelle, ou très difficile à déceler. Inepte lorsque l'on souhaite que quelqu'un en particulier trouve la chose cachée. Yann avait donc traité Lucie et sa façon de voir le monde en appliquant des analogies, de sorte à la mener vers les documents. Elle et personne d'autre.

Elle souffla : était-elle en train de se raconter des histoires à dormir debout ? Peu importait, il fallait qu'elle se raccroche à quelque chose. Soudain, les deux pipes de la bibliothèque et celle de la chambre lui revinrent à l'esprit. A priori, Yann ne fumait pas. Elle fonça. L'une d'entre elles, en bruyère, posée sur la brique de verre, était assez volumineuse pour cacher une clef USB. Elle dévissa le fourreau et examina le bol, la tige. Rien. Elle inventoria toutes les étagères de la bibliothèque et aperçut un pot à tabac en bois roux clair qui séparait deux files d'ouvrages. Sur la pointe des pieds, elle parvint à le faire glisser vers elle. Une blague en cuir était fourrée à l'intérieur. Lucie tira la fermeture Éclair. Ne restaient que quelques brins de tabac blond au fond.

Il faisait froid dans la maison. Le chauffage qu'elle avait monté plus tôt n'était pas encore parvenu à repousser l'humidité. Elle serra sa grosse veste de laine contre elle et fila vers la cuisine se servir un autre verre de vin. Un côtes-de-bourg médiocre, trop caramélisé, acheté au supermarché de Fréhel.

Elle détailla la grande cheminée, le tas de bûches entassées contre un de ses flancs, le panier de petit bois poussé dans l'âtre. Frissonnant, elle eut envie d'une flambée. À ceci près qu'elle n'était pas certaine de se souvenir de la façon dont on construisait un feu. Elle espérait également que la cheminée avait été ramonée récemment. Sans doute se débrouilla-t-elle de façon adéquate puisque de jolies flammes voraces s'élevèrent bien vite. Un sourire lui vint, le premier de cette journée. Elle s'approcha et tendit les mains vers le feu. Yann espérait probablement prendre un jour sa retraite dans cette maison. Un lancinant regret s'immisça en elle. Elle savait si peu de choses à son sujet : il était breton, beau mec, intelligent, gentil, cultivé. Il avait rompu avec une Emma et passait toutes ses vacances ici. Squelettique CV d'un homme qu'elle aurait voulu mieux connaître, qu'elle déplorait d'avoir perdu si vite. Y avait-il quelque part une petite amie veuve de son amour ? Lucie n'en avait pas la moindre idée. Sans doute cette femme aurait-elle appelé la BIS ? Yann était assez solitaire, enfin du moins le croyait-elle. Il devait aimer les soirées au coin du feu, avec une bonne pipe et un livre capable de le fasciner durant des heures. Pas de télé, bien sûr. Il appréciait sans doute les balades en bord de mer, le vent fort.

Les livres, l'ordinateur portable de Yann, le cachet à l'encre bleue de la librairie d'occasion ! Yann faisait partie de ces rats de bibliothèque qui ne peuvent pas rester une semaine sans commander un bouquin. Impossible avec sa bécane antédiluvienne et obsolète. De plus, il envoyait des mails, cherchait des infos sur des sujets l'intéressant. En d'autres termes, il se servait de son portable ici. À moins d'imaginer une passion

427

adolescente pour son premier ordinateur, que faisait donc cet énorme et moche appareil sur la table de travail ?

Dix minutes plus tard, Lucie avait ouvert le gros capot. L'intérieur avait été évidé et un paquet de feuilles pliées en quatre remplaçait les anciens composants.

Bravo Yann, aucun cambrioleur n'aurait piqué cette machine, d'autant qu'on en trouvait des centaines dans les déchetteries. Il s'agissait d'une cachette psychologiquement dissuasive puisqu'elle trônait au beau milieu de la pièce, à la vue de tous. En revanche, en usant d'analogies, Lucie ne pouvait que la découvrir.

Elle déplia les feuilles d'une main tremblante et se laissa choir sur la chaise os de mouton. Adoptant sa suggestion, Yann s'était envoyé des synthèses par mails, afin de les assortir d'une date incontestable.

Elle feuilleta à la hâte le paquet et en tira une lettre manuscrite, deux feuillets noircis de cette petite écriture nerveuse qu'elle connaissait bien :

Salut, jolie Lucie.
Du moins, j'espère que c'est toi.
On va s'éviter les larmes avec des phrases du style « si tu lis ceci, c'est que je ne suis plus ». De fait, il est vraisemblable que je suis mort. Assez vertigineux de penser cela. Je n'ai jamais pensé à ma fin, sauf depuis quelques semaines. Terrible aussi de songer que ceux qui m'élimineront sont peut-être des gens « bien ». Enfin, je le crois sans certitude.
Je ne suis pas parvenu à nouer tous les fils, et je compte sur toi. J'ai glané, consigné tout ce qui me paraissait important. Cependant, je pense être désavantagé par ma propension à croire que l'homme est avant tout un animal ressentant, sentimental. Le fait qu'il puisse devenir d'une implacable logique et ne plus en dévier m'échappe. Je crois avoir commis une grave erreur de raisonnement. Une erreur fatale, si je puis me permettre cette vanne pas drôle. En

effet, j'ai toujours été convaincu que l'homme se servait principalement de la logique pour justifier *a posteriori* ses actes illogiques, ses errements. Une sorte de réécriture de l'histoire, sur le mode « j'ai produit un comportement débile sur une impulsion, un sentiment et je me débrouille ensuite pour lui trouver une justification rationnelle ». Dans leur cas, je suis aujourd'hui certain de m'être lourdement fourvoyé. Ils n'ont pas de comportements impulsifs, seulement des justifications rationnelles. Tu comprendras en lisant le reste, mieux que moi, du moins, je l'espère.

Prends soin de ma maison, s'il te plaît. C'est une bonne et vieille maison.

Prends soin de toi, je t'en conjure. Si j'en juge par ce que j'ai réussi à rabouter, et à moins de me planter sur toute la ligne, ils sont très dangereux.

Je t'embrasse, jolie Lucie.

Yann.

P.-S. : C'est la seconde fois que je regrette à ce point mon athéisme inébranlable. Je voudrais me consoler en songeant que je te protégerai depuis l'Ailleurs. La première fois, je me trouvais dans ce cimetière, engoncé dans mon costume un peu trop petit. J'enterrais ma mère. J'aurais tant souhaité l'imaginer en ange. Tu vois, avec de grandes ailes translucides, ses cheveux défaits, un sourire radieux aux lèvres. J'ai à peu près tout raté, Lucie. Par paresse, par manque de passion, manque d'envie, par trouille aussi. Je t'en prie : essaie de réussir ma dernière entreprise.

L'encre devenait bleue, indiquant que Yann avait rajouté ce second post-scriptum plus tard.

P.-P.-S : Je me suis pas mal démené durant ce week-end. Ha ha, ma Lucie ! Tu penses que je suis technophobe ? J'ai acheté un smartphone avec une appli dictée. Normalement, si je ne fais pas de fausse manip, je dois pouvoir envoyer un fichier audio sur mon ordinateur portable que je laisse ici. J'avais pensé à le cacher dans le four à pain, au fond de la cheminée, mais si... si tu venais, je suis presque certain que tu lancerais une flambée. Il est dans la sacoche de mon vieux vélomoteur, dans la cabane de jardin en compagnie de l'enregistrement de ma première conversation avec Salvindon, à la DCRI, au tout début de ce guêpier.

À nouveau, je t'embrasse. Prends soin de toi.

Lucie essuya de sa manche les larmes qui dévalaient de ses yeux et renifla. Elle fonça vers la cabane, se tordant les pieds dans l'obscurité d'encre.

De retour dans le bureau, elle brancha le portable et trouva le fichier audio, envoyé le 16 décembre à 17 h 42. La voix pressée de Yann débita à toute vitesse, quelques blancs trahissant un transfert imparfait :

« ... sais pas au juste combien de temps je peux parler avant de flinguer le fichier. J'irai à l'essentiel. Je sors de chez les Beaujeu... sur la route de Paris. Encore plus vertigineux, affolant que je ne le pensais. Ils se préparent pour affronter l'apocalypse, ce qu'Alexandra nomme la déferlante de la barbarie 2.0. Une sorte d'armée d'individus dont un gène MA quelque chose a été renforcé. Le gène guerrier. C'est le fameux upstream. Ça heurte profondément l'humaniste en moi, quoi que signifie ce terme aujourd'hui. D'un autre côté, ils peuvent aussi se considérer comme des humanistes dans le sens où, selon eux, ils s'opposent au retour de la barbarie, à la fin de la civilisation. Mais nous allons nous épargner un cours de philo d'autant que... Les deux camps qui s'affrontent sont redoutables... méthodes assez similaires, en dépit de buts radicalement opposés.

Pour les premiers, Alexandra et les siens : la guerre est inévitable et il convient de s'y préparer. Beaucoup y resteront mais ceux qui resteront assureront la pérennité de l'espèce.

Pour les seconds, dont Salvindon, le baron, Charles Delebarre font partie, il faut déclencher la guerre qui se prépare afin d'en tirer profit. Un profit en espèces sonnantes et trébuchantes. Ceux qui crèveront par millions… eh bien, ils crèveront.

Quoi qu'il en soit, guerre il y aura, et quelque forme qu'elle adopte.

Je vois maintenant les premiers à la manière d'une fourmilière… ultra-structurée. Chaque individu sait exactement ce qu'il doit faire, ne pas faire, et pourquoi… financiers qui trouvent les sommes colossales dont ils ont besoin… Lian… Armstrong alias Terence Osborne, et d'autres. Les gardiens du Temple, ceux qui apportent les modifications technologiques et scientifiques nécessaires à leur développement et à leur pérennité, dont Thierry Janssens… soldats, qui protègent les autres… reine, Alexandra. Pas de privilèges particuliers, mais les décisions ultimes sur l'avenir du clan et de ses descendants. Les fourmis… créatures assez paisibles. En revanche, elles détruisent tout sur leur passage lorsque la fourmilière est attaquée ou lorsque leur intérêt l'exige.

Je pense avoir attaqué la fourmilière, alors même que je ne l'avais pas vue.

… t'embrasse fort Lucie. Fais gaffe. Ils sont vraiment dangereux. Prends soin de toi. J'espère que tu n'écouteras jamais ce fichier parce que… parce que… t'embrasse. »

Parce que ça signifierait que je suis mort, termina-t-elle.
Un effroyable vertige lui fit fermer les yeux. La tête lui tournait et elle redouta de se trouver mal.

Elle parcourut les sorties d'imprimantes, retraçant les tâtonnements de Yann avant sa dernière rencontre avec Alexandra. Elle prit connaissance de la théorie d'Emma sur le signifié connotatif des prénoms et patronymes.

Lucie réécouta le fichier audio à plusieurs reprises, et le copia sur sa clef avant de l'effacer des mémoires de l'ordinateur de Yann.

Elle se traîna dans la cuisine et s'affala sur le petit canapé. Sans doute s'assoupit-elle deux heures. Lorsqu'elle se réveilla, une soif effroyable lui desséchait la gorge. Elle se désaltéra au robinet et rejoignit le bureau.

Trois longues sonneries. Le cœur de Lucie battait la chamade. Assise dans le fauteuil os de mouton, elle fixait ses grosses chaussettes en laine beige. Une voix de femme, enfin, une voix grave :

— Allô ?

— Professeur Alexandra Beaujeu ? J'appelle d'un téléphone prépayé, intraçable. Je me trouve en Bretagne, dans les Côtes-d'Armor. Je m'appelle Dormois, je…

— Bonjour, Mme Lucie Dormois. J'espérais votre appel. Je le redoutais aussi. Henri de Salvindon vous a sans doute affirmé qu'il n'était en rien responsable de la mort de Yann. Pour une fois, il ne mentait pas. Du moins… techniquement, si je puis dire. Il l'a, en revanche, envoyé à l'abattoir, en toute connaissance de cause. Paroles crues, n'est-ce pas, mais qui traduisent la réalité.

— Mon téléphone est prépayé mais je pourrais enregistrer cette conversation, la testa Lucie.

Alexandra Beaujeu admit d'une voix amusée :

— Oh, tout à fait. Comptez alors sur Salvindon pour vous faire rejoindre Yann au plus vite. Ils appellent cela « classer un dossier », mais vous le saviez grâce à votre ancien mari, François de Noisoury.

— Vous connaissez mon mari… mon ex-mari ?

Il y eut une pause, et le Pr Alexandra Beaujeu biaisa :

— À l'évidence, je connais son nom. Salvindon ne peut pas grand-chose contre nous, et il est assuré que nous… détestons autant que lui la publicité. Cependant, vous vous retrouvez dans la même position que Yann.

— Qu'en savez-vous ?

— Vous m'appelez de chez lui, en Bretagne, à 7 heures du matin, non ? Je suppose qu'il avait laissé une sorte de... journal, que sais-je ? Des preuves.

— En effet.

— Vous avez donc appris beaucoup de choses.

— Et je deviens dangereuse à mon tour.

— Hum... Tout dépend de votre cheminement, de votre conclusion. Toutefois, et si je puis me permettre, vous ne pouvez pas être l'ennemie, la menace des deux camps. Vous seriez inexorablement broyée, comme Yann. Il va vous falloir choisir. En fonction de ce que vous pensez juste, adéquat.

— ...

— « Juste » ne signifie pas dulcifiant, je ne vous apprends rien. « Adéquat » peut devenir affreusement blessant. Ah, Mme Dormois, ainsi que vous avez dû le constater sur les documents laissés par Yann, je ne lui ai pas révélé que vous le doubliez au profit d'Henri de Salvindon, en échange d'une promotion. Il ne méritait pas cela et fonctionnait selon de charmants codes d'honneur, de fidélité, d'amitié parfaitement obsolètes. Il ne s'agit pas de reproches à votre égard. Juste d'une précision.

Lucie lutta contre la crise de larmes qu'elle sentait monter, et parvint à articuler d'un ton qu'elle espérait neutre :

— Pouvons-nous nous rencontrer ?

— Je vous attends, Lucie.

L'informaticienne venait d'admettre qu'elle avait depuis longtemps pris sa décision, depuis qu'elle avait éventré l'écran du vieil ordinateur, une éternité auparavant. Une éternité de certitudes auparavant.

Chapitre 55

18 janvier 2014, alentours
de Mortagne-au-Perche, France

L'esprit ailleurs, Alexandra détailla son smartphone sécurisé, comme si elle le découvrait.

Elle connaissant assez bien la façon dont Henri de Salvindon réfléchissait. Il pensait que son clan à elle aurait du mal à se remettre de l'élimination de Lemadec, élimination pourtant nécessaire. Il avait raison. Alexandra n'avait presque pas dormi depuis plusieurs nuits, cherchant sans complaisance une autre solution. Elle avait étouffé ses larmes en songeant à l'analyste amoureux de philosophie qui se préférait un peu lunaire parce que la vraie vie lui faisait peur. En revanche, Henri, l'homme de l'ombre, ignorait qu'il s'agissait là de leur majeure différence avec lui et ses amis. Cette différence expliquerait qu'ils vaincraient.

Le baron, Salvindon et leurs amis seraient défaits parce qu'ils bafouaient ce qui tisse l'essence de l'homme, sa plus flagrante différence avec l'animal : le besoin de croire en quelque chose qui le transcende. Quel que soit ce quelque chose : un but, une foi, la science, une mission, l'absolue conviction que le rôle qu'il doit jouer, aussi modeste soit-il, est important. Et ce besoin fondamental ne se satisfaisait pas de l'unique divinité qu'ils vénéraient : l'argent.

À cause de cela, ils seraient vaincus.

L'espèce humaine perdurerait.

Le Syndrome Münchhausen (avec Katou), EP Éditions, 2003.

La Saison barbare, Flammarion, 2003 ; J'ai lu, 2005

Enfin un long voyage paisible, Flammarion, 2005.

Sang premier, Calmann-Lévy, 2005 ; Le Livre de Poche, 2006.

La Dame sans terre, tome I, *Les Chemins de la bête*, Calmann-Lévy, 2006 ; Le Livre de Poche, 2007.

La Dame sans terre, tome II, *Le Souffle de la rose*, Calmann-Lévy, 2006 ; Le Livre de Poche, 2007.

La Dame sans terre, tome III, *Le Sang de grâce*, Calmann-Lévy, 2006 ; Le Livre de Poche, 2007.

Monestarium, Calmann-Lévy, 2007 ; Le Livre de Poche, 2009.

Un jour, je vous ai croisés, nouvelles, Calmann-Lévy, 2007.

La Dame sans terre, tome IV, *Le Combat des ombres*, Calmann-Lévy, 2008 ; Le Livre de Poche, 2009.

La Croix de perdition, Calmann-Lévy, 2008.

Dans la tête, le venin, Calmann-Lévy, 2009.

Cinq Filles, Trois Cadavres, mais plus de volant, Marabout, 2009.

Une ombre plus pâle, Calmann-Lévy, 2009.

Les Mystères de Druon de Brévaux, tome I, *Aesculapius*, Flammarion, 2010 ; J'ai lu, 2011.

Les Mystères de Druon de Brévaux, tome II, *Lacrimae*, Flammarion, 2010 ; J'ai lu, 2012.

Les Cadavres n'ont pas froid aux yeux, Marabout, 2011.

Les Mystères de Druon de Brévaux, tome III, *Templa Mentis*, Flammarion, 2011 ; J'ai lu, 2012.

Les Enquêtes de M. de Mortagne, bourreau, tome I, *Le Brasier de Justice*, Flammarion, 2011 ; J'ai lu, 2013.

Les Enquêtes de M. de Mortagne, bourreau, tome II, *En ce sang versé*, Flammarion, 2012 ; J'ai lu, 2013.

Un Cadavre peut en cacher un autre, Marabout, 2013.

Les Mystères de Druon de Brévaux, tome IV, *In anima vili*, Flammarion, 2013.

Les Enquêtes de M. de Mortagne, bourreau, tome III, *Le Tour d'abandon*, Flammarion, 2014.

Mise en page par Meta-systems
59100 Roubaix

CET OUVRAGE
A ÉTÉ ACHEVÉ D'IMPRIMER
SUR ROTO-PAGE
PAR L'IMPRIMERIE FLOCH
À MAYENNE EN AOÛT 2014

N° d'édition : L.01ELIN000338.N001. N° d'impression : 87276
Dépôt légal : septembre 2014
Imprimé en France